KB197060

첫날밤만 세 번째

A.TEMPO MEDIA inc

첫날밤만 세 번째

갓녀 장편소설

vol. 2

A.TEMPO MEDIA inc

Three First Nights

Illustration | KEI

Contents

008   7.   3개월 정규직 전환형 애인

052   8.   첫날밤만 두 번째

142   9.   나비효과

196   10.   불협화음

258   11.   그녀가 사랑에 빠졌을 때

318   12.   심쿵주의보

366   13.   관계의 행방

첫날밤만
세 번째

VOL. 2   Three First Nights

CHAPTER **7**

3개월 정규직 전환형 애인

7

3개월 정규직 전환형 애인

마치 1년 전 준원과 선을 봤을 때처럼, 결혼하자는 제안에 도희는 자신을 좋아하느냐고 되물었다. 잠시 침묵이 이어지고 미묘한 긴장 감이 팽팽하게 감돌았다. 1년 전과 지금의 차이가 있다면, 그 당시에는 준원이 찰나의 고민도 없이 바로 아니라고 대답했지만…….

"…….."

지금은 쉽사리 입을 열지 못하고 뜸 들이고 있다는 것이었다.

"나는…….."

굳게 일자로 다물어져 있던 준원의 입술이 느릿하게 열렸다.

"좋아해요, 백도희 씨를."

도희의 심장이 쿵 내려앉았다.

"하지만 이게 사랑인지는 아직 잘 모르겠습니다."

아무런 감정의 변화가 없는 듯 무표정으로 말하자 도희가 헛숨을 터뜨렸다. 일부러 선을 긋는 것 같다는 생각을 지울 수가 없었다. 도 희는 이제 그의 방식을 어느 정도 통달했다. 가까워지면 밀어내고,

멀어지면 끌어당기는…… 아주 지독한 남자.

"저기, 팀장님. 뭔가 오해가 있었던 것 같은데…….."

조금 끌렸을 뿐, 나도 결코 당신을 사랑하는 것이 아니다.

"어제는 그냥 한번 자자는 얘기지, 내가 팀장님을 좋아한다거나 사귀자는 얘기가 아니었어요."

……아니어야만 한다.

"그런데 하물며 결혼?"

불쑥 떠오르는 독백을 어떻게든 틀어막은 채, 날카롭게 가시를 세운 도희가 콧방귀를 뀌었다.

"그런 걸 제안해도 내가 수락할 일은 없을 거예요."

"그 정도 감정이면, 서로 딱 좋지 않나요?"

"……무슨 뜻이에요?"

"사랑을 기반으로 한 결혼이 아니라, 적당한 호감 정도를 기반으로 한 결혼."

곧고 새까만 눈동자에서 낯선 한기가 느껴졌다.

"무엇보다도 안정적이고 동반자적인 관계라고 생각합니다. 쉽게 불타는 불씨는 금방 꺼지기 마련이니까요."

어이가 없어 도희의 입가에서는 허탈한 숨이 맴돌았다. 반사적으로 표독스러워진 눈빛은 준원을 세게 눌렀다.

"그런 결혼이면 굳이 내가 아니어도 되겠네요. 나 말고 다른 여자 찾아봐요."

"아니요, 백도희 씨여야 합니다."

"……."

"이제 백도희 씨 외의 다른 여자와는, 결혼할 생각이 없거든요."

도희는 예고도 없이 또 훅 침입하는 화법에 머리를 한 대 맞은 듯이 어지러웠다. 지끈거리는 머리를 손끝으로 지압하며 여전히 자신의 눈을 똑바로 바라보고 있는 준원의 눈동자를 응시했다.

"그러니까 그 이유를 모르겠다고요. 날 좋아하지 않잖아요?"

그에게 이리저리 휘둘리는 것도 이젠 화가 나다 못해 지쳤다.

"좋아합니다."

도희의 숨이 멈추었다.

"사랑하냐고 물으면…… 대답하기 어렵지만, 그래도 지금껏 살면서 본 여자 중에 백도희 씨가 가장 좋았습니다."

한 치의 거짓도 없이 솔직한 말에 올라오던 도희의 짜증이 잠시 주춤했다.

"그래서 제안하는 거예요. 서로 윈윈 할 수 있다고 생각하니까."

"아니, 대체 어떤 사고방식을 가지면 그런 생각을 할 수 있는 거죠?"

"보통의 결혼과는 다른, 서로 손해 보는 것 없이 이익만 취할 수 있는 자유로운 관계 말입니다."

"……무슨 뜻인지 이해가 잘 안 되는데요."

"쉽게 말하면 서로의 사생활을 존중해주면서, 각자 이익을 챙기자는 거죠. 난 결혼으로 상속 문제를 해결하고, 백도희 씨는 가족이라는 울타리가 생기고."

"논리적인 척 궤변인 거 아시죠?"

"예전에 백도희 씨가 그랬잖아요? 남을 위해 시간, 돈, 감정, 에너지를 일정 이상 쏟고 싶지 않다고."

"……그랬죠. 지금도 그렇고."

"그러니까 쌍방의 합의가 없는 소모적인 비용과 에너지는 일절 요구하지 않을 거예요. 이를테면 보고성 연락이나 의무적인 데이트 같은."

"부부가 서로 희생하는 부분이 없으면, 그게 부부인가요?"

"삶의 방식은 다양한 겁니다. 사생활을 터치하지 않으면서, 철저하게 서로의 편이 되어 주는 것은 쌍방에 부담 없는 이로운 관계가 될 수 있을 거라고 생각해요."

……내 편이 되라는 게, 저런 의미였던가? 찬물을 끼얹은 듯 도희의 머리가 차갑게 식었다.

"한마디로 서로 필요한 것만, 이익되는 부분만 취하자는 거네요?"

"그렇습니다."

잠시 생각하는 듯하던 도희가 고개를 떨구며 가볍게 혀를 찼다.

"내가 구식이라 그런지, 받아들이긴 좀 힘든 제안이네요."

다시 꼿꼿하게 들어 올린 눈으로 준원을 똑바로 직시했다.

"난 내가 사랑하지 않는 남자와 결혼할 생각이 없어요."

흐트러짐 없는 담담한 음성으로 말했다.

"다만 지금껏 살면서 누구를 사랑해 본 적이 없으니…… 앞으로도 결혼할 일은 없겠죠."

그녀의 눈빛이 너무도 단호해서, 준원은 저도 모르게 슬며시 미간을 좁혔다. 토론이라도 하듯이 과열되었던 두 사람의 대화가 단절되는 것은 순식간이었다. 그 누구도 입을 열지 않자 숨소리 하나 들리지 않을 만큼 정적이 흘렀다.

"난 백도희 씨와 내가 결이 비슷한 사람이라고 생각했는데……."

침묵을 깬 건 준원이었다.

"거절할 줄은 몰랐네요."

준원이 목소리를 낮게 깔며 말을 이었다.

"알겠습니다."

도희는 묘하게 아릿한 가슴을 느끼며 고개를 돌렸다.

준원과 도희 사이에서는 이전과 달리 서늘한 분위기가 맴돌았다. 하지만 서로 딱히 싸운 것도 아니었으니 화해할 일은 없었고, 관계는 더 나아질 수도 더 악화할 수도 없이 그 자리에 매여 있었다.

도희를 차로 집까지 데려다주고 홀로 집으로 돌아온 준원은 텅 빈 집 안이 오늘따라 휑하니 느껴졌다. 늘 혼자 있던 집인데 이상하게도 묘하게 허전한 기분이었다. 준원은 소파에 누워 눈을 지그시 감고 상념에 잠겼다. 여러 가지 생각들이 복잡하게 머리를 파고들었고, 기분은 그다지 좋지 않았다. 눈을 감으면 도희의 얼굴이 눈앞에 어른거리는 듯했다.

왜 계속해서 그녀가 생각나는 건지, 그녀의 표정과 말투, 사소한 행동들이 모두 마음에 돌처럼 박혀 떠나지 않는 건지, 준원은 잘 알고 있었다.

"……."

그녀는 상처가 아주 많은 사람이었고, 그는 스스로의 감정조차 갈피를 잡지 못하는 고장 난 인간이었다. 그녀가 마음 편히 쉴 수 있는 사람이 되어 주고 싶지만, 함부로 사랑이라는 이름으로 옭아매어 두기에는 너무도 초라한 인간이었다.

나조차가 이렇게 엉망진창인데, 대체 누가 누굴 사랑한다는 것인

가. 그렇게 곱씹으며 비스듬히 감은 눈을 뜬 준원은 벽에 걸린 어머니의 그림을 가만히 응시하였다. 가느다란 도희의 손목에 하얗게 남은 자해 흉터를 보자마자, 삶의 의미를 찾지 못해 스스로 목숨을 끊었던 어머니가 떠올랐다.

'사랑'이라는 단어가 얼마나 무거운 것인지 준원이 그 누구보다도 가장 잘 알고 있었다. 보통에서 한참 어긋난 준원에게 '사랑'이니 '책임'이니 하는 말들은 결코 쉽게 뱉을 수 없는 금기어였다. 자리에서 일어난 준원은 소파 옆에 다소곳이 접혀 있는 티셔츠를 고요히 주워 들었다. 그녀가 내내 입고 있었던 그 티셔츠를 가만히 바라보다가, 저도 모르게 홀린 듯 얼굴을 묻고 깊이 숨을 들이마시었다.

"……."

잠시 후, 제 행동을 깨닫고 만 준원이 멈칫했다. 무표정하게 티셔츠를 내려놓자 테이블에 올려 두었던 준원의 휴대전화가 시끄럽게 진동했다.

"네, 서준원입니다."

전화를 받은 준원의 한쪽 눈썹이 올라갔다.

아버지의 상태가 위급하다는 이야기를 듣고 준원은 아주 오랜만에 그가 입원해 있는 병원을 찾았다. 담당의는 준원에게 심각한 얼굴로 설명했으나 그는 내내 무표정이었다.

"위험한 고비는 일단 넘기셨지만, 이제 정말 얼마 남지 않았습니다."

"……."

"슬슬…… 마음의 준비를 하셔야 할 것 같습니다."

그러거나 말거나, 준원은 관심 없는 표정으로 고개를 끄덕였다. 담당의는 그 어느 때보다도 무시무시하게 경고의 말을 건넸으나, 오히려 준원에게 돌아온 것은 사소한 일로 사사건건 부르지 말아 달라는 대답이었다. 준원이 자리를 떠나자, 옆에 있던 간호사들은 작은 소리로 속닥거리기 시작했다.

"뭐예요, 저 보호자? 친아버지 맞아요?"

"음. 저 사람 우리 병원에서 유명인사잖아."

"왜요? 잘생겨서?"

"그것도 맞지만……. 몇 달 전인가? 아파서 다 죽어가는 아버지 앞에서 표정 하나 안 바뀌고 유언장 써 달라고 말한 걸로 유명해."

"헐……. 그게 뭐예요? 소름 끼쳐."

"난 진짜 무슨 소시오패스인 줄 알았잖아."

간호사들의 대화를 근처에서 엿들은 여자가 픽 웃음을 터뜨렸다. 그녀는 준원의 아버지 서윤건이 재혼한 여자, 이수연이었다.

수연은 병원 휴게실에 앉아 있는 준원을 찾아 또각또각 걸어갔다. 그의 건너편에 다리를 꼬고 앉은 그녀는 곱게 립스틱이 발린 입술을 길게 늘어뜨리며 웃었다.

"병원은 왜 왔니?"

"……."

"네 아버지가 죽든 말든, 너와는 상관없는 거 아니었나?"

준원은 대답 없이 수연을 가만히 바라볼 뿐이었다.

"노인네 오늘내일한다니까 곧바로 달려온 걸 보니, 아직도 상속에 미련이 남았나 보지? 그 20년째 방치된 작업실에 썩고 있는 너희 어머니 그림들이 그렇게 탐나든?"

"……."

"하긴 31점이나 되는걸. 총합하면 건물 한 채는 가뿐하겠지."

준원은 그녀가 무슨 말을 하든 별로 관심 없는 표정이었다. 벽에 대고 말하는 수준이었지만 수연은 아랑곳하지 않았다. 느긋하게 깍지를 껴 제 무릎을 감싸고 여유를 부렸다.

"그러고 보니, 이 휴게실에도 너희 어머니 그림이 걸려 있네."

수연은 예쁘게 네일아트 한 길쭉한 검지를 치켜들었다. 그녀의 손끝이 향한 곳에는 작은 액자에 인쇄된 전희선 화백의 그림이 있었다.

"이 작품은 얼마 전 경매에서 2억에 팔렸다지?"

수연은 그림을 탐욕스러운 눈으로 바라보며 말을 이었다.

"죽음으로써 그림의 가치를 올린다는 건…… 아주 뜻깊은 일이야. 그렇지?"

준원을 자극하려는 듯, 그녀는 비스듬히 고개를 틀며 눈웃음 지었다.

"네 어머니가 그랬듯이 말이야."

전희선이라는 화가의 작품을 특별하게 만들어 준 건, 자신의 작업실에 스스로 불을 질러 목숨을 끊었다는 기괴하면서도 예술적인 죽음의 서사였다.

"아마 네 엄마도 하늘에서 기뻐하실 거야. 목숨을 버린 대신 그 대가로 그림의 가치를 기하급수적으로 올렸잖니?"

그녀가 죽은 이후 그림값은 고공 행진했지만, 준원의 아버지 서윤건은 작업실에 남아있는 그림 중 단 한 점도 처분하지 않고 그대로 둔 채 20년을 내버려 뒀다.

"……그런데 서준원 너는, 여전히 사람 되긴 글렀구나."

수연은 아까부터 아무 말이 없는 준원을 바라보며 헛숨을 터뜨렸다.

"내가 네 엄마를 욕보이는데, 표정 하나 안 바뀌는 거 보면 말이야."

"……."

"네 아빠한테 듣기론 너, 네 엄마 장례식에서도 눈물 한 방울 안 흘렸다지?"

돈을 목적으로 서윤건에게 접근해 재혼했던 수연에게, 그 무엇보다도 가장 경계해야 할 적은 서윤건의 외동아들인 서준원이었다.

"이대로라면 내 승리겠구나."

수연은 감정이 결여된 준원이 결코 정상적인 결혼을 할 수 없다고 확신했다.

"널 진심으로 사랑해 줄, 멍청한 여자는 없을 테니까."

자리에서 일어난 수연은 준원의 옆을 지나가며 높은 소리로 웃었다. 내내 무표정이던 준원의 미간이 미세하게 구겨졌다.

월요일 아침, 주말 내내 기분이 좋지 않았던 도희의 출근길은 우중충하기 그지없었다. 서준원과 함께 보냈던 시간이 꽤 즐겁고 편안했다고 생각했었는데, 언제나 그랬듯이 또 마지막에 전부 틀어지고 말았다.

"결국, 이렇게 될 줄 알고 있었어……."

그는 자신의 영역에 들어오려고 하면, 본능적으로 밀어내는 남자였기 때문이다. 하지만 이번엔 이전처럼 싸우거나 이렇다 할 갈등을 겪은 것도 아니었으니, 이 어쭙잖은 관계가 아마도 내내 지속될 것이었다.

'난 사랑하지 않는 남자와 결혼할 생각이 없어요.'

……그 말은, 일부러 상처 주고 싶어서 표독스럽게 뱉은 말이었다. 하지만 그 말에 조금의 지장도 받지 않은 무표정한 얼굴에 되레 도희의 심기가 불편해지고 말았다.

늘 돌고 돌아 제자리인, 이도 저도 아닌 서준원과의 관계.

"내가 어쩌다 그런 놈이랑 엮여서……."

심란해서 잠도 잘 오지 않았던 도희는 평소보다 한 시간이나 더 일찍 눈이 떠졌다. 다시 잠도 오지 않았고 딱히 할 일도 없었기에, 곧바로 준비를 마치고 회사에 출근했다.

아직 한산한 본사 건물에 들어서서 로비를 지나쳐 엘리베이터를 타기 위해 속도를 높였다. 그때, 저 멀리서 엘리베이터 문이 막 닫히려는 것을 발견했다.

"아, 잠시만요."

빠른 걸음으로 다가가는데, 활짝 열려 있던 문은 무자비하게 쿵 닫혔다. 그리고 그 문틈 사이로 보였던 것은 무표정한 준원의 얼굴이었다.

"……뭐야, 저 자식?"

일어나는 데자뷔와 함께 도희는 울컥했다. 무작정 세 번째 손가락을 턱 치켜들고 닫힌 엘리베이터에 욕을 박았다. 그러나 1초도 지나지 않아 흠칫했다. 다시 엘리베이터 문이 활짝 열리고 열림 버튼을 누르고 있는 준원이 보인 탓이었다.

"……."

"……."

놀란 도희는 세 번째 손가락을 치켜들고 있던 자세 그대로 굳었다. 열린 엘리베이터 사이로 잠시 어색한 정적이 흘렀다.

"……뭐 하세요?"

"……큼."

하늘을 향해 당당히 솟아 있는 중지는 삐걱거리며 태엽 감듯이 접혔다.

"화, 화이팅."

손가락 욕에서 약간 애매한 주먹으로 탈바꿈한 도희가 활짝 웃으며 태세 전환했다. 준원이 비웃듯이 픽 헛웃음 치자 도희의 얼굴이 붉어졌다. 못 견디게 민망해진 도희가 속으로 아우성을 내지르며 쭈뼛쭈뼛 엘리베이터에 올라탔다. 또 흑역사 생성이었다.

엘리베이터에 올라탄 도희가 준원에게 의례적인 인사치레를 했다.

"안녕하세요, 팀장님."

"네, 좋은 아침입니다."

별로 좋지 않은 아침이었으나 도희는 억지로 웃으며 적당히 회답했다.

"백 과장, 아직 차 수리 전인가 봐요?"

"네. 무슨 부품이 없다고 해서. 좀 걸리네요."

"그렇군요. 불편하겠어요."

두 사람 사이에 대화는 그게 전부였고, 무거운 정적이 이후의 공백을 메꾸었다. 도희는 이 어색한 분위기를 견디기 어려워, 엘리베이터 문이 열리자마자 반사적으로 튀어 나갔다.

월요일 아침의 회의에는 급성충수염으로 자리를 비웠었던 하동현 대리가 모습을 비췄다. 언제 아팠냐는 듯이 쌩쌩해진 그는 멀쩡한 모습으로 목소리를 내었다.

"기존에 불발됐던 차유나 셰프 섭외, 그쪽에서 다시 연락이 왔는데 기존 결정을 번복하고 콜라보에 대해 긍정적인 의사를 전달해 왔습니다."

하 대리의 말에 도희의 심기가 조금 불편해졌다. 기존에는 콜라보 제안을 거절했던 차유나가 결정을 번복한 이유를 알 것만 같았다.

"알겠습니다. 미팅 일정 최대한 빨리 잡아 주고, 소통은 기존처럼 하 대리가 전담해 주세요."

서준원이 KSS 그룹으로 이직했다는 걸 알게 돼서 일부러 그와 엮이기 위해 콜라보 제안을 수락한 것 같다는 생각을 떨칠 수 없었다.

……다시 서준원과 잘해 보려고 하는 걸까?

그렇게 생각이 닿자 속이 체한 듯 답답해졌다.

퇴근 후 도희와 누리, 이언 삼총사는 오랜만에 뭉쳤다. 기분이 좋지 않았던 도희는 며칠 굶은 사람처럼 계속해서 회를 집어 먹었다.

"뭐?! 서준원이 차유나 그년이랑 결혼할 뻔했었다고?"

누리의 황당하다는 듯한 말에 도희가 짐짓 담담하게 고개를 끄덕였다.

"응. 결혼 일주일 전에 파혼했대."

"와, 갑자기 사람 달라 보이네. 정이 뚝 떨어졌겠다, 너. 제일 싫어하는 기집애랑 약혼했던 남자라니."

도희가 픽 헛웃음을 터뜨렸다.

"내가 왜?"

소주를 단번에 넘긴 도희가 어깨를 으쓱했다.

"그 남자가 누구랑 결혼할 뻔하든, 나랑은 상관없는 일인데."

말은 그렇게 해도 도희의 손에 힘이 얼마나 많이 들어갔는지, 소주잔을 쥔 손가락은 하얗게 질려 있었다. 이언은 그런 도희를 흘끔 보더니 작은 손에 들린 잔을 뺏어 들었다.

"술 그만 마셔. 또 필름 끊기겠다."

"아, 딱 한 번 그런 거 가지고 거 되게 뭐라고 하네."

도희가 툴툴거리며 다시 광어회를 한 점 집어 입 안에 밀어 넣었다. 누리는 은근슬쩍 눈치를 살피다가 도희 몰래 이언에게 눈으로 신호를 보냈다. 흠칫한 이언이 절레절레 고개를 내저었으나 누리는 싱긋 웃으며 자리에서 일어났다.

"야. 나 남친이 불러서 잠깐 가 봐야 할 것 같은데."

"뭐? 갑자기?"

도희는 황당함에 되물었다.

"응. 미안, 미안. 너희 둘이 재밌게 놀다가 들어가?"

누리가 연기하며 손을 흔들고는 식당 밖으로 나가 버렸다. 이언은 골치 아프다는 듯 이마를 턱 짚고는 한숨을 내쉬었다.

"뭐야, 쟤? 왜 저래?"

"……."

도희가 이언에게 물었으나 그는 대답해 줄 말이 없었다. 사실 얼마 전부터 누리가 이언에게 친구로서 팍팍 밀어주겠다며 오지랖을 부리는 중이었다.

원하지도 않은 멍석을 깔아 주고 떠난 누리 때문에 이언은 괜히 긴장해서 술잔을 집어 들었다. 깔끔하게 잔을 비우고 다시금 용기를 얻은 이언은 얼마 전 누리가 했던 조언을 떠올렸다.

'그냥 도희한테 네 솔직한 감정이나 느낌을 말해.'

진솔한 마음으로 행동하는 건 꽤 큰 용기가 필요한 일이었다.

'츤데레는 옛날 컨셉이라고. 그냥 진심으로 자상하게 다가가 봐.'

진심으로…… 자상하게. 꿀꺽 마른침을 삼킨 이언이 약간 어색한 눈으로 옆자리에 앉은 도희를 바라보았다. 회를 미친 듯이 먹던 도희는 이제 매운탕 국물을 걸신들린 듯이 떠먹고 있었다.

"맛있어?"

"응. 얼큰한 게 소주랑 찰떡이네."

"국물에 머리카락 빠지겠다. 머리가 반쯤 풀렸어."

"응? 그래?"

"내가 다시 묶어 줄게. 봐봐."

이언은 숟가락을 물고 있는 도희의 고개를 돌려 느슨하게 걸려 있는 머리끈을 뺐다. 별생각 없이 얌전히 그가 제 머리를 고쳐 묶게 내버려 둔 도희는 제 머리를 묶는 이언의 손이 엄청나게 떨리고 있는 것을 느꼈다.

"너 어디 아프냐? 왜 그렇게 손을 떨어."

"그, 글쎄. 연습을 너무 오래 했는지 아까부터 수전증이 좀……."

"슬럼프라며. 쉬엄쉬엄해."

"어…… 그래."

윤기 흐르는 붉은 머리카락을 하나로 모아쥔 이언의 심장이 터질 것처럼 고동쳤다. 하얀 목덜미가 자꾸 시각을 자극해서 머리가 취한 것처럼 어질어질했다. 향기는 또 왜 이렇게 좋은 건지…….

"됐다. 다 묶었어."

떨리는 투박한 손으로 겨우겨우 머리를 묶는 데 성공했다.

"그래? 괜찮아 보여?"

도희가 가볍게 물으며 이언을 돌아보자 그의 심장이 또다시 두근 거렸다.

"응. 괜찮아."

진심으로 다가가라는 누리의 조언이 귓가에서 어른거렸다.

"넌 머리 묶은 것도 예뻐서."

이언은 나름 용기 내서 솔직한 마음을 털어놓았다.

"……."

"……."

잠깐의 정적 끝에 도희는 소름 끼친 표정으로 몸서리쳤다.

"너 약했냐? 도핑 테스트 안 한대?"

평생 툴툴대기 바쁘던 친구 강이언의 칭찬에 도희는 온몸에 소름 이 돋아났다.

"으, 소름 끼쳐. 하지 마."

"……."

"야, 야. 뭐 하는 거야?"

시무룩해진 이언이 돌연 소주를 들고 병째로 꿀꺽꿀꺽 단번에 들이켜자 당황한 도희가 말렸다. 하지만 그럴수록 이언의 심정은 더 나락으로 빠져들 뿐이었다.

조금 시간이 지난 뒤, 이언은 대리기사에게 도희의 집 주소를 불러 주었다. 택시 타면 된다는 도희의 말을 완벽히 무시하고 그녀의 손을 잡아 제 차 뒷좌석에 앉혔다. 오늘따라 이언의 태도가 어딘가 이상하다고 느끼며 도희는 가방 안에 넣어 두었던 핸드폰을 꺼내 들었다.

"……문자가 와 있었네."

[집이죠? 잠깐만 나와요. 지금 집 앞 공원이에요.]

준원에게서 온 문자였다. 이미 1시간 전에 도착한 문자였는데, 휴대전화를 가방 깊숙이 넣어 둔 탓에 이제야 발견한 것이었다.

"……."

고민하는 도희의 미간이 살짝 좁혀졌다. 부재중 전화는 없는 거로 봐서 기다리지 않고 그냥 집으로 돌아갔을 확률이 컸다. 하지만 혹시 모르는 작은 가능성이 불씨가 되어 도희의 마음을 짓눌렀다.

"이언아. 나 누가 만나자고 해서, 그냥 여기서 내릴게."

"이 시간에? 누가?"

"그냥 회사 사람. 집 앞 공원이라네."

"아……."

혹시 그, 서준원?

이언은 그렇게 묻고 싶었지만, 꾹 삼키고 고개를 끄덕였다.

"그럼 공원까지 데려다줄게."

이언은 대리기사에게 도희의 집 근처 공원으로 가 달라고 말했다. 늦은 시간이었기에 차는 그리 막히지 않았고, 얼마 지나지 않아 공원 근처에 도착했다. 대리기사가 갓길에 차를 세우자 도희는 이언에게 인사하며 차에서 내렸다.

"야, 잠깐만."

도희를 따라 차에서 내린 이언이 제 목에 감긴 머플러를 풀었다.

"춥지도 않냐? 얼어 죽으려고 환장한 폼이네."

"아직 11월인데 뭘."

"알았으니까 이거나 하고 가."

이언은 도희에게 무심히 머플러를 감아 주었다. 날씨는 꽤 추워져서 어느덧 하얗게 입김이 퍼져 나왔다.

"너 오늘 좀 이상하다? 뭔 일 있냐?"

수상하게 묻자 이언이 말없이 도희를 내려다보았다. 잠시 망설이던 그는 용기를 내 그녀의 작은 손을 살짝 움켜쥐었다. 놀란 도희가 커다랗게 뜨여진 눈으로 이언에게 붙잡힌 왼손을 보았다.

그 순간, 뒤에 주차되어 있던 차 문이 돌연 벌컥 열렸다. 그 안에서 등장한 것은 다름 아닌 서준원이었다. 일제히 놀란 이언과 도희가 각기 다른 표정으로 준원을 바라보았다.

"아…… 팀장님. 여기서 기다리셨어요?"

"네. 할 말이 있어서요."

준원은 공원 앞에 차를 주차하고 1시간째 가만히 도희를 기다리는 중이었다. 그런데 그만 집으로 돌아갈까 하던 준원의 앞에 갑자기 등장한 차에서는 도희와 이언이 나란히 내려 묘한 분위기를 풍기는 게 아니던가. 친구라면서 손까지 잡으니 준원은 저도 모르게 문을 벌컥 열고 나온 것이었다.

"안녕하세요, 강이언 씨. 또 뵙네요."

"예, 뭐. 또 뵙게 되었네요."

준원의 인사에 이언은 달갑지 않은 투로 대답했다. 무표정한 준원은 여전히 도희의 손을 잡고 있는 이언을 흘끔 보았다.

"그런데 손은 왜 잡고 있는 겁니까?"

그 말에 도희는 어색하게 웃으며 제 손을 잡고 있는 이언의 손을 떼어 놓았다.

"그리고 이것도."

한 걸음 성큼 다가간 준원이 팔을 뻗어 도희의 목에 걸려 있는 목도리를 천천히 풀었다. 살짝 당황한 도희에 비해 준원은 표정 변화조차 없었다.

"초겨울인 데다가, 어차피 계속 제 차에 있을 건데 이런 건 필요 없을 것 같습니다. 가져가시죠."

"집에 돌아갈 때 추울 테니까 하라는 거죠."

짜증스레 뱉은 이언은 준원이 제게 건넨 목도리를 거칠게 잡아 들고 다시 도희의 목에 둘러 주었다. 이게 뭔 상황인가 도희가 인지하기도 전에 준원은 다시금 목도리를 풀었다.

"제가 백 과장 집 바로 앞까지 데려다줄 테니까 상관없습니다."

얼굴은 무표정이어도 고집은 장난이 아니었다. 헛숨을 터뜨린 이언은 준원의 손에 들린 목도리를 팍 빼앗아서 제 차 뒷좌석에 던져 버렸다.

"그럼 얘기 끝나실 때까지 여기서 기다렸다가, 제가 도희 집에 데려다줄게요."

이언이 다시 도희의 손을 붙잡자 그녀의 눈이 커졌다.

"별로 방해받고 싶지 않은데, 이러시는 이유라도 있습니까?"

준원도 도희의 나머지 한 손을 잡아 끌어당겼다. 졸지에 양쪽에 손을 붙잡힌 도희의 얼굴에 황당함이 일었다. 두 남자는 그 누구도 양보할 수 없다는 듯이 서로를 잡아먹을 듯이 노려보았다.

"아, 진짜!"

참다 참다 터진 도희가 큰 소리를 내 중재했다.

"왜들 이래요? 어린애도 아니고 유치하게. 남의 손 잡고 씨름하지 말고, 그렇게 잡고 싶으면 댁들끼리 잡으세요."

도희는 준원이 잡은 오른손과 이언이 잡은 왼손을 끌어 붙였다.

"자, 중재의 악수. 됐죠?"

졸지에 서로 손이 맞닿은 이언과 준원은 일제히 오물이라도 묻은 듯 확 떨어졌다. 대놓고 벌레라도 닿은 것처럼 손을 터는 이언에게 도희는 무심한 인사를 건넸다.

"이언아. 데려다줘서 고마워. 다음에 보자."

"……."

이언이 입술을 꽉 깨물었다. 서운함이 일었지만 어쩔 도리가 없었다. 본인이 가라는데 안 가고 버티고 있을 수도 없고. 기분이 상해버린 이언은 가볍게 고개를 끄덕이고 제 차에 올라탔다.

이언의 차가 어두운 골목을 따라 빠져나가고, 준원과 도희는 약간 어색한 분위기로 멀뚱히 서 있다가 차 안으로 들어왔다. 밖에 있을 때는 싸한 분위기였는데, 차 안으로 돌아오니 히터에서 나오는 따뜻한 바람 때문인지 분위기가 다소 누그러졌다. 조수석에 앉은 도희는 말없이 창밖을 바라보다가 흘끔 준원을 올려다보았다.

"왜 보자고 했어요?"

"이걸 전해 주려고요."

준원은 뒷좌석에 놓아두었던 작은 쇼핑백 하나를 들어 도희에게 건넸다.

"이게 뭐예요?"

"백 과장 시계요. 우리 집에 두고 갔던 거."

"아, 그랬죠. 근데 그거 완전히 깨져서 그냥 버리려고 했는데……."

말끝을 길게 늘이던 도희가 멈칫했다. 쇼핑백 안의 상자를 열어 보자 깔끔하게 수리를 마친 시계가 새것처럼 둔갑해 안에 들어 있었다.

"……수리했어요?"

"네. 백 과장한테 잘 어울리는데, 버리면 아깝잖아요."

"아…… 고마워요. 이거 수리하는 데 꽤 들었을 텐데."

도희는 잠시 말을 멈추었다가 이었다.

"얼마예요? 내가 보내 줄게요."

아침에 손가락 욕했던 게 새삼 떠올라 약간 머쓱한 기분이 되었다.

"얼마 안 들었어요. 마음에 걸리면, 돈은 됐으니까 나중에 커피 한 잔 사요, 그럼."

"그래요, 뭐……. 근데 이거 주려고 보자고 한 거예요?"

도희가 묻자 준원의 고개가 느긋하게 그녀에게로 돌았다.

"내일 회사에서 줘도 되는 걸, 굳이 왜 집 앞까지 와서……."

말끝을 흐리며 돌려진 도희의 얼굴로 준원의 검은 눈동자가 진하게 와닿았다. 그의 진득한 눈빛은 실체가 있는 것처럼 도희의 숨통을 조여오는 듯했다.

"……왜 그렇게 빤히 봐요?"

움찔한 도희가 물었으나 준원은 여전히 대답 없이 뚫어져라 도희를 응시할 뿐이었다. 어둑한 시선에 살짝 긴장한 도희의 목 뒤로 촉촉하게 땀이 배기 시작했다. 히터 때문인가, 도희는 그렇게 스스로 변명했다.

"어쨌든 앞으로 이렇게 찾아오지 말아 주세요. 사귀는 사이도 아닌데, 영 불편하네요."

"……알겠습니다. 집 앞까지 데려다줄게요."

고개를 끄덕인 도희는 안전벨트를 매고 물끄러미 창밖을 응시했다. 바퀴가 구르고 대화가 단절된 적막한 차 안에는 숨소리조차 들리지 않았다. 이윽고 강렬한 헤드라이트가 도희가 사는 아파트 단지 입구를 밝히며 들어섰다.

"데려다주셔서 감사합니다."

비상등을 켠 준원의 차가 부드럽게 멈춰서자 도희의 입술이 벌어지며 정적은 깨졌다.

"내일 뵐게요, 팀장님."

차갑게 인사한 도희가 안전벨트를 풀고 차 문고리에 손을 얹은 찰나였다. 순간 커다란 손이 도희의 작은 손을 붙잡아 확 끌어당겼다. 그 힘에 속절없이 딸려 간 도희의 눈동자로 거친 동요가 일었다. 잡힌 손으로부터 느껴지는 무더운 열기에 놀란 심장이 벌렁거렸다.

"왜 그래요?"

"……."

"손 놔주세요. 그래야 가죠."

그 말에 준원의 엄지는 오히려 하얀 손등 위를 꾹 누르며 당겼다.

"지금 이 손을 놓으면, 오래도록 후회할 것 같아서."

준원의 은은한 눈빛이 도희의 가슴을 흠뻑 적셨다.

"이대로 계속 잡고 있고 싶은데, 안 될까요?"

어딘가 애틋하게 느껴지는 음성이었다.

……또 무슨 말을 하는 건지.

도희는 두근거리는 가슴을 진정하려고 애썼다. 살짝 긴장한 도희가 몸에 바짝 힘을 주었다. 또 영혼 하나 안 담긴 그의 말에 휘둘리면 안 된다고 생각했다. 절대…….

"백도희 씨."

마음을 줘서는 안 된다고. 또렷한 그의 눈동자가 도희를 꿰뚫을 듯했다.

"내가 많이 서툰 사람이라…… 자꾸 상처를 줘서, 미안합니다."

도희의 여린 가슴에 쿵, 무언가가 내려앉았다.

"좋아한다는 말을 쉽게 꺼낼 수 없었던 건, 그만큼 내가 형편없는 사람이라 그랬어요."

"……."

"이 감정에 이름을 붙이는 순간부터, 돌이킬 수 없을 것만 같아서."

낮게 깔린 목소리가 도희의 귓가에 감돌았다. 항상 봤던 그의 무표정이 오늘따라 묘하게 느껴졌다.

"전에 말했듯이……."

맞잡은 손으로부터 따뜻한 온기가 스며들었다.

"백도희 씨를 알고 나서부터 사랑이라는 말에 무게가 생겼고, 그래서 가벼운 마음으로 뱉고 싶지 않았습니다."

가라앉은 음성이 도희의 고막을 촉촉하게 적셨다. 도희는 말간 눈동자로 준원을 물끄러미 바라보았다.

"……우리가 진심으로 서로를 사랑하게 되는 날이, 과연 올까요?"

도희가 살며시 입술을 벌렸다.

"이런 관계는, 결국 후회만 남을 거예요."

"그럴지도 모르죠. 어쩌면 자멸적인 관계가 될 수도 있고."

준원은 손을 뻗어 도희의 하얀 뺨을 가볍게 쓸었다.

"하지만 이렇게 끝내면 평생 잊지 못할 것 같아서……."

보드랍게 감싸는 손길에 도희의 볼에는 발그레한 열기가 맺혔다.

"이제 백도희 씨 같은 여자는, 내 인생에 없을 것 같아서."

"……."

"사랑이 아니어도 붙잡고 싶었습니다."

도희는 얼어붙었던 심장이 온통 녹아드는 기분을 느꼈다. 머리로는 믿어서는 안 된다고, 또 의미 없는 말일 거라고 외치는데, 떨리는 가슴은 그렇지가 않았다.

"나는 애초에 사랑이 뭔지도 모르겠어요. 그냥 전부 손에 잡히지 않는 뜬구름 같아서……."

도희의 말끝에 가느다란 숨이 흩어졌다. 그녀의 손가락 틈새로 준원이 뜨겁게 밀려온 탓이었다. 깍지 낀 손을 가만히 보던 도희가 조심스레 고개를 들어 준원과 시선을 마주했다.

"백도희 씨가 저번 주에 나한테 그랬죠?"

"……."

"삶의 이유를, 아직 찾지 못했다고."

그의 깊숙한 눈길이 닿는 부위가 불덩이처럼 뜨겁게 타오르며 화끈거렸다. 지그시 감겼다 떠오른 도희의 눈꺼풀로 준원의 손길이 보듬듯이 내려앉았다.

"모르면, 우리 함께 알아 가도 된다고 생각해요."

동굴 같은 음성에 내리깔린 도희의 눈꺼풀이 파르르 떨렸다.

"삶의 이유도……."

그의 속삭임이 고막에 스며들었다.

"사랑도."

뒤죽박죽이었던 머릿속도 그 한마디에 정리되는 기분이었다.

……그에게서 진심을 느꼈다고 하면 자만일까. 몽롱한 정신 속에서도 그의 눈빛이 그 어느 때보다도 진실하게 느껴졌다. 준원의 까만 눈동자를 가만히 응시하던 도희의 입술이 느릿하게 벌어졌다.

"……."

그 순간, 목소리가 나오지 않자 움찔한 도희가 입술을 달싹였다. 이건 타임 루프가 일어나는 전조였다. 시간이 되돌아가기 5분 전부터 말을 할 수 없었으니, 이제 그와 함께 있을 시간은 5분도 채 남지 않은 것이었다.

'안 돼…….'

말이 나오지 않는 입술을 벙긋거리는 도희의 속은 바짝 타들어 갔다. 오늘이 없던 일이 될지라도, 이 순간의 기억들은 머릿속에 남아 있다는 걸 알면서도 초조해졌다.

'서준원 씨…….'

목소리는 나오지 않았지만 속으로나마 그를 불렀다.

"왜 그렇게 애타게 불러요?"

준원이 나직하게 웃자 도희의 동공이 흔들렸다. 그는 도희의 마음을 읽은 듯이 자연스럽게 대답했다. 이전처럼 어김없이 제 속마음을 읽은 것이었다.

'내 마음을 어떻게 읽는 거예요……?'

어떤 초능력이라도 있는 건지 허무맹랑한 상상이 머리를 스치자 준원이 픽 웃음을 터뜨렸다.

"이제 곧 시간이 되돌아가겠네요."

타임 루프가 일어나는 전조를 느끼는 준원의 얼굴은 미묘하게 달라져 있었다.

"난 타임 루프가 일어나기 약 5분 전부터, 귀가 들리지 않습니다."

의외의 말에 도희의 눈이 커졌다. ……소리가 들리지 않는다고?

"이 전조 증상으로 20년을 살아왔는데, 백도희 씨를 만나고 나서부터는 이상하게 소리가 들리기 시작했어요."

준원은 이미 도희와 함께 여러 번 타임 루프를 겪으면서 이 오묘한 현상을 눈치채고 있었다.

"유일하게 백도희 씨 속마음만, 내 귓가에 들립니다."

놀란 도희의 손끝이 떨려 왔다. 시간이 되돌아가기 전의 전조 증상으로 그는 귀가 들리지 않았고, 도희는 목소리가 나오지 않았다. 그런데 놀랍게도 그 5분 동안 그는 유일하게 도희의 목소리만 들리는 것이었다. 그리고 유일하게 도희의 목소리를 들어 주는 사람이 준원이었다. 믿을 수 없는 일이었다.

"……."

도희는 말이 나오지 않는 제 목을 움켜쥐고 준원을 애타게 바라보

앗다. 그런 도희의 머리카락 사이로 부드럽게 파고든 커다란 손이 여린 목을 보드레하게 끌어당겼다.

"시간이 얼마 남지 않았는데……."

같이 있을 수 있는 시간은 이제 3분 남짓이었다.

"키스해도 될까요?"

한숨처럼 들려오는 그의 속삭임에 도희는 더듬더듬 그의 재킷 자락을 움켜쥐었다.

'언제부터 허락 맡고 했다고…….'

그녀의 속마음을 읽은 준원이 픽 웃음을 흘리며 밀려왔다. 뒷머리를 끌어당긴 그는 한입에 붉은 입술을 집어삼켰다. 보드랍게 빨아당기는 그의 입술의 감촉에 몽롱한 도희의 정신이 아찔해졌다.

이내 부드럽고 촉촉한 혀가 통통한 입술 사이를 적시며 비집고 들어왔다. 뻐근하게 턱을 벌린 도희는 그의 진득한 침입을 온몸으로 받아들였다.

도희의 턱을 붙잡은 준원은 흐르는 시간이 아쉽다는 듯 더욱더 깊숙이 파고들었다. 돌기끼리 비벼지는 감촉과 함께 뒤엉키는 숨결이 끈적하게 늘어졌다. 이 열정적인 키스를 나눌 수 있는 시간이 얼마 남지 않은 것을 알았기에, 도희와 준원은 더욱더 서로에게 강렬히 빠져들었다.

지금 아침으로 되돌아가서, 모조리 없었던 일이 된다고 해도…… 이 세상에 도희와 준원, 둘만은 오늘을 기억할 것이다. 인연은 기억에서 태어나, 아롱아롱 삶에 수를 놓듯이 성장할 것이니.

"……."

도희는 감은 눈을 떴다. 시야를 가득 메우는 낯익은 천장에 시간이 아침으로 되돌아왔음을 깨달았다. 제 허리를 감싸던 뜨거운 온기와 그 어느 때보다도 열정적이었던 준원의 입맞춤이 너무도 생생했다. 도희는 두근거리는 가슴에 손을 얹으며 부스스 침대에서 몸을 일으켰다.

"……몇 시지?"

홀린 듯 고개를 돌리자 아직 이른 아침이었다. 적어도 1시간은 더 침대에서 여유를 부려도 되는 시간이었지만, 도희는 침실에서 벗어나 출근 준비를 했다. 빠른 속도로 뛰는 제 심장 때문이었다. 마지막에 나누었던 그와의 입맞춤이, 몸을 감싸던 뜨거운 체온이 머릿속을 온통 사로잡아 조바심이 일었다.

"보고 싶다……."

지금 이 순간 떠오르는 얼굴은 단 하나. 화끈거리는 뺨을 손으로 감싼 도희가 눈을 지그시 감았다가 떴다. 조금 있으면 서준원을 다시 만날 수 있다.

전날과 동일하게, 평소보다 1시간 일찍 집 밖을 나서자 출근길은 아주 한적했다. 차이가 있다면 작게 주먹을 쥐고 본사 건물로 나아가는 도희의 걸음이 더 다급하다는 것이었다. 전날대로라면 이제 도희가 준원과 엘리베이터에서 우연히 만날 차례였다.

"5분 일찍 도착했네."

하지만 어제와 동일한 시간에 나왔는데도 걸음이 빨랐던 탓인지 도희는 조금 더 일찍 도착했다.

……그래. 못 만나도 상관없지. 어차피 사무실에서는 만날 텐데, 뭐. 그렇게 생각한 도희는 엘리베이터를 타기 위해 걸음을 옮겼다. 그러나 도희의 예상과 달리 곧 활짝 열린 문에서는 준원이 서 있었다.

'……만났다.'

5분 일찍 나왔는데도 이렇게 마주한 것이다.

……혹시 이 남자도, 한시라도 빨리 만나고 싶었던 걸까? 그렇게 생각이 닿자 도희의 심장은 엄청난 속도로 내달리기 시작했다.

"안녕하세요, 팀장님."

"네. 좋은 아침입니다."

전날처럼 똑같이 인사한 둘은 엘리베이터에 나란히 섰다. 준원도 도희도 쉽사리 입을 열지 않으니, 고요한 침묵이 둘 사이의 공기를 감쌌다. 느릿하게 올라가는 층수의 숫자와 함께 도희의 고동 소리도 점점 더 커져만 갔다. 가까운 듯 먼 듯, 아슬아슬하게 나란히 서 있는 준원과 도희의 손은 아주 가까운 거리에 있었다. 커다란 손과 작은 손은 서로 스칠 듯 말 듯 미묘한 거리를 유지하고 있었다. 살짝 새끼손가락이 닿자 도희는 전류가 흐른 듯한 착각에 휩싸였다.

"……아."

은근하게 스치는 손가락과 함께 준원의 까만 시선이 사선으로 내려왔다. 도희는 제 심장 박동 소리에 귀가 먹먹해지는 걸 느꼈다. 띵. 엘리베이터가 도착하고, 준원과 도희의 손도 멀어졌다. 활짝 열린 문으로 도희는 떨어지지 않는 발걸음을 옮겼다.

"……."

그 뒤로 따라붙는 준원의 묵직한 발걸음에 팽팽한 긴장감이 일었다. 우뚝 걸음을 멈춘 도희가 준원을 응시하자 두 눈이 치열하게 얽혔다.

"아······!"

준원에게 확 끌어당겨진 도희의 실루엣은 그대로 비상구를 통해 사라졌다. 엄청난 힘에 이끌려 도희의 등이 비상계단 벽에 거칠게 마찰했다.

거대한 몸집은 그녀를 벽으로 밀어붙여 강렬하게 입을 맞춰 왔다. 여느 때보다도 빠르게 얽히고 싶었던 두 입술이 정신없이 뒤엉켰다. 가느다란 팔이 준원의 목덜미를 감싸 안자 준원이 도희의 잘록한 허리를 감아 당겼다.

없었던 일이 되어 버린, 아쉬웠던 지난밤 키스의 여운이 증폭하며 두 남녀를 휘감았다. 여린 입술을 탐하며 헤집는 그의 물컹한 형체에 도희의 머리는 하얗게 물들었다. 은밀하고 깊게 풍기는 그의 체향에 완전히 취해 버릴 것만 같았다.

"하······."

뱉어지는 깊은숨과 함께 멀어진 두 남녀 사이로 열기가 뿜어져 나왔다.

"지금 사랑이 아니어도 상관없어요."

도희가 떨리는 음성으로 그의 가슴에 얼굴을 묻고 속삭였다.

"서준원 씨 말대로, 함께 알아 가면 되니까."

어찌 됐건 그와 함께 있는 시간들은 꽤 즐겁고, 늘 애틋한 여운을 남긴다.

"시간이 되돌아갈 때······."

촉촉해진 도희의 입술이 벌어졌다.

"내 목소리는 서준원 씨만 들어 주고, 서준원 씨는 내 목소리만 들을 수가 있네요."

온 우주에서 시간의 반복을 느끼는 사람은······.

"이 단어 촌스럽고, 유치해서 정말 싫어했는데······."

이 남자와 나, 단둘뿐.

"지금 이 상황을 설명할 수 있는 단어가, 하나밖에 없네요."

준원이 픽 웃으며 도톰하게 부어오른 입술을 엄지로 문질렀다.

"운명······ 말인가요?"

준원이 선수를 치자 도희가 웃었다.

"서준원 씨가, 내 운명이라고 생각해도 되는 걸까요?"

도희의 뺨을 어루만지던 포근한 손이 그녀의 뒷머리를 감싸 제 쪽으로 부드럽게 끌어당겼다.

"나는 너무 미숙한 사람이라······."

여린 몸을 끌어안은 준원은 그녀의 귓가에 입술을 붙이고 나직한 음성으로 속삭였다.

"앞으로 백도희 씨를, 더 많이 상처 줄지도 몰라요."

길게 늘어지는 음성은 그 어느 때보다도 진솔했다. 준원의 언어들에는 빈말이나 거짓이 없었다. 그는 늘 자신이 완벽히 책임질 수 있는 선, 그 영역 외의 것은 결코 입 밖으로 내뱉지 않았다.

"하지만 이거 하나만은 약속하겠습니다."

까만 동공이 도희의 가슴을 아릿하게 울렸다.

"백도희 씨가 날 먼저 떠나지 않는 이상······."

"······."

"평생 곁에 있어 줄게요."

고백인 듯, 고백 아닌 고백. 서른세 살 먹은 성인 남자의 고백이라기엔, 너무도 형편없는 이 고백에 홀렸다면 믿을까······.

"……좋아요."

도희는 입꼬리를 들어 올리며 그의 입술에 제 입술을 포개었다.

"해요, 우리."

비벼지는 입술 사이로 웃음소리가 흘렀다. 서투른 고백에 더욱 서툰 대답이었다.

운명을 느끼는 순간은 그리 대단하지 않았다. 떨리는 가슴을 감추지 못하며 도희는 준원과 눈을 마주 보았다.

"하지만 결혼은……."

타들어 갈 듯 뜨거운 시선 속에 도희가 입술을 달싹였다.

"우리가 서로를 진심으로 사랑하게 되면, 그때 할 거예요."

살면서 그 누구도 열정적으로 사랑해 본 적이 없었고, 연애는 귀찮고 소모적인 일이라고 생각했다. 앞으로도 누군가를 위해 희생해도 좋을 만큼 사랑하게 될 일은 없다고, 따라서 도희에게 결혼은 거리가 먼 단어라고 생각했다.

"난 커리어가 무엇보다도 중요한 사람인데, 결혼은 걸림돌이 될 테니까요."

오랫동안 공들여 쌓아 온 커리어는 같은 부서의 팀장과 눈이 맞았다는 소문 하나에 산산이 무너질 게 뻔했다. 가볍게 결정하기엔 도희가 잃어야 할 것이 너무도 많았다.

"이해합니다. 올해는 백 과장한테 중요한 해니까요."

도희가 촉망받는 인재라는 것은 준원이 그 누구보다도 잘 알고 있었다. 자신이 새 팀장으로 부임해 온 탓에 그녀의 특진이 물 건너갔다는 것 또한 기억하고 있었다.

"난 뭐든 백 과장의 뜻을 따를게요."

제 입장을 내세워 그녀의 앞길에 걸림돌이 될 생각은 없었다.

"……갑자기 태도가 좀 바뀌었네요?"

이랬다저랬다 맘대로 휘두르기 바쁘더니, 갑자기 모든 결정권을 전적으로 맡기는 화법에 도희는 미묘한 기분이 되었다. 그가 무슨 생각을 하고 있는 건지, 제대로 파악이 어려워 미간을 좁혔다. 하지만 준원의 생각은 그 어느 때보다도 단순했다.

"내가 생각보다 더, 백도희 씨와 함께하고 싶어 하는 것 같습니다."

다른 이유 없이 그게 전부였다. 도희에게 서로 희생 없이 이익만 취하는 결혼을 제안했고, 거절당하자 이대로 없던 일로 해야겠다고 생각했었다. 그녀의 상처를 안아 주고 안식처가 되어 주고 싶었지만, 준원조차도 결함투성이에 미성숙한 사람이었다. 어둠이 모여 더 독만 될 것 같아 두려웠다.

하지만 그 모든 두려움을 이길 만큼 백도희라는 여자의 존재감이 준원을 짓눌렀다. 서로 상처받고 망가지더라도, 비록 엉망진창일지라도 둘이서 함께 모여 성장하는 게 낫겠다고.

준원이 커다란 손으로 도희의 등을 달래듯이 쓰다듬었다. 포근한 품에 안긴 도희가 파르르 떨리는 눈꺼풀을 감았다가 들어 올렸다.

"우리 그러면, 석 달만 먼저 같이 살아봐요."

타인에게 마음을 완전히 열고 그 사람의 영역에 들어가는 것은 어려운 일이었다. 그만큼 조심스러운 일이었기에, 도희에게도 최후의 보루는 필요했다.

"왜 석 달이에요?"

"조정 기간이 필요한 거죠. 평생 혼자 살아왔는데, 생판 남이랑 어떨 줄 알고 덥석 살림을 합쳐요?"

현실과 드라마는 완전히 다른 이야기였다. 빠르게 머리를 굴려 계산을 마친 도희는 손가락을 세 개 펼쳐 보였다.

"내 집 전세 만기가 3월이거든요. 그러니까 석 달."

"……왜 그렇게 되는 거죠?"

"언제든 수틀리면 나갈 수 있게요. 바로 내 집으로 돌아가야죠."

준원이 헛웃음을 터뜨렸다.

"아직 같이 살지도 않았는데, 왜 벌써 나갈 생각을 해요?"

"나도 돌아갈 곳이 있어야 마음이 편하죠."

도희의 뺨을 감싼 준원이 도희를 어르듯이 나긋하게 쓰다듬었다.

"그래요. 전에 말했듯이, 난 다 잘하는 타입이라 같이 살면 편할 거예요."

그의 손이 닿자마자 물감이라도 번진 듯 도희의 볼이 발그레하게 물들었다.

"요리도 잘하고, 청소도 잘하고, 밤낮없이 다 잘합니다."

"……마지막이 좀 이상한데요?"

19금 냄새가 풍기는 수상한 멘트였다. 황당하게 물었으나 준원은 의미심장한 눈빛만 보낼 뿐이었다.

"어쨌든 백도희 씨 불편하게 만들 일은 없을 거예요. 그건 장담할게요."

"네, 석 달 동안 잘 부탁해요."

도희는 고개를 끄덕이며 대답했다. 하지만 뭔가 시원하게 풀리지 않은 듯 속이 조금 찜찜했다.

'……그런데 이거 사귀는 거 맞나?'

유치하게 오늘부터 1일, 하며 만날 생각은 없었지만, 어딘가 좀 애매했다. 왠지 이 남자가 상대라면, 저 혼자 사귀는 줄 알고 삽질하다 낙동강 오리알이 될 수도 있을 것만 같았다. 의심의 눈초리로 준원을 바라보자 미묘한 시선을 느낀 준원이 물었다.

"왜 그래요?"

"우리 그럼 일단…… 관계는…….'

또 회사 동료라고 말하지는 않겠지만. 전적이 있었기에 합리적 의심이 들었다. 대놓고 물어보기가 좀 머쓱하여 말끝을 흐리자 준원이 부드럽게 실소를 터뜨렸다. 까만 눈이 도희를 가만히 내려다보다가 웃음기를 머금고 유려하게 휘었다.

"여자 친구?"

도희의 입술 위로 뜨거운 입술이 쪽, 자국을 남기고 떨어지자 그녀의 심장이 요동쳤다.

"하지만 회사에서는 당연히 비밀로 해야겠죠."

핑크빛으로 달아오른 얼굴이 귀엽다는 듯 준원은 도희의 머리를 어루만졌다. 제 머리를 녹녹하게 쓰다듬는 손길에 파도처럼 일렁이는 가슴을 숨긴 도희가 고개를 옆으로 홱 돌렸다.

"……너무 오글거려서 토할 것 같아요."

여자 친구라니, 괜히 민망해서 삐죽거리며 툴툴댔다.

"전날 저녁에 먹은 매운탕이 올라오는 기분이에요."

"시간이 되돌아가서 먹은 음식도 사라졌을 텐데요?"

"아, 거 일일이 따지지 좀 맙시다, 진짜."

백도희라는 여자가 제게 특별한 존재라는 것을 인정하고 나니, 준원은 그녀의 사소한 행동과 말투, 표정들이 전보다 더 귀엽게 느껴졌다. 다른 사람들은 전혀 알지 못하는 그녀의 일면을 독차지할 수 있다는 것은 꽤 즐거운 일이었다.

"그럼 이번에는 백 과장이 말해 봐요. 나는 백도희 씨한테?"

"나 이런 거 오글거려서 싫은데……."

간질간질, 머리가 취한 듯 어질어질했다. 평생 느껴 본 적 없는 설렘이란 것을 나이 서른에 겪을 줄 도희는 상상도 못 했다.

"……3개월짜리 정규직 전환형 인턴 남친 정도 되겠네요."

그냥 남자 친구라고 한마디면 될 것을 굳이 길게 풀어서 말하는 도희였다. 그게 또 백도희다워서 준원은 고개를 끄덕였다.

"이 나이에 인턴을 다시 하게 될 줄 꿈에 몰랐는데요."

"싫으면 관둬요. 누가 강요했나?"

"그럴 리가요. 인턴이라도 고맙죠."

"고맙긴 무슨……. 피차 같은 입장이잖아요. 나도 정규직 전환형 인턴 여친 정도 되는 거죠."

"나는 바로 정규직 전환 가능합니다. 원하면 언제든지 말해요."

"됐거든요? 내가 3개월 지내보고 결정할 거예요."

절대 쉽게 주도권을 넘겨주지 않겠다는 의지였다.

"정규직 전환할지, 인턴을 종료할지."

잠시 숨을 뱉은 도희가 덤덤하게 말을 이었다.

"서준원 씨도 그렇게 해요. 3개월 지내보고도 아직 모르겠고, 날 여전히 별로 사랑하지 않는 것 같으면 그냥 쿨하게 보내 줄 테니까."

상처받기 싫어서 먼저 선을 긋고 발을 빼는 것은 도희의 오랜 습관이었다. 입 밖으로 뱉으면서도 스스로의 가슴에 생채기를 내는 질 나쁜 행위였다.

"난 한번 뱉은 말에는 무조건 책임집니다."

준원은 그런 도희의 성향을 잘 이해하고 있었다. 그녀가 과거의 트라우마와 얽혀 사람을 믿지 못하는 어른으로 성장했다는 것 또한.

"백도희 씨가 떠나지만 않으면, 평생 같이 있어 주겠다는 말……."

준원이 도희의 손을 꽉 붙잡았다.

"반드시 지킬 거예요."

도희의 눈동자가 고요히 흔들렸다. 숨이 멎을 듯 두근거리는 가슴 때문에 어리숙하게 고개를 숙였다.

예고 없이 찾아온 설렘 폭격은 이상한 감각을 만들어 냈다.

11월 16일, 오늘은 전날과 이어 두 번째 반복되고 있었다. 처음과 똑같이 행동하면 또 하루가 반복되지 않고 정상적으로 시간은 흘렀기에, 준원과 도희는 합의하에 전날과 똑같이 오늘을 보내 타임 루프를 바로 끝내기로 했다.

퇴근 후, 도희는 전날과 똑같이 이언과 누리와 셋이 저녁을 먹으러 갔고, 준원은 전날처럼 도희의 집 근처 공원에 차를 주차하고 기다리고 있었다.

"……."

분명히 그렇게 합의했는데…….

준원은 현재 기분이 좀 별로였다. 전날과 똑같이 행동해서 빠르게 타임 루프를 끝내는 것은 준원의 삶의 원칙이었고, 습관 같은 것이었다. 그런데 아주 이상하게도, 오늘따라 전날과 똑같이 행동하는 게 영 마음에 들지 않았다.

……지금 강이언과 뭘 하고 있으려나. 미묘하게 심사가 뒤틀린 준원은 홀린 듯 핸드폰을 들어 포털 사이트를 들어갔다. 인터넷 검색 창에 강이언 골프선수를 검색하고 갖가지 기사들을 하릴없이 들추어보았다.

[강이언 미국프로골프(PGA) 투어 우승! 상금 126만 달러!]

"……126만 달러?"

우리 돈으로 하면…… 15억 원 정도인가. 기사 헤드라인에 떡하니 적혀 있는 상금의 액수는 꽤 거금이었다.

[스포츠 아이돌 강이언 프로, 비타민 보조제 광고 모델 발탁!]

[2030 여성들이 뽑은 남자 친구 삼고 싶은 운동선수 1위!]

[진정한 30sexy! 골프선수 강이언, 숨 막히는 화보 촬영 현장.]

이어지는 기사들은 전부 맹목적인 찬사만 연발이었다. 그중 화보 사진 하나를 클릭한 준원은 저도 모르게 미간을 팍 찌푸렸다. 강이언은 누가 봐도 근육을 자랑하려는 듯 상의를 탈의하고 섹시한 척을 하고 있었다. 그 와중에 댓글은 초콜릿 맛 조각상이라느니, 심장 마비 일으키는 외모라느니, 난리가 난 상태였다.

"……."

걷잡을 수 없이 불쾌해진 준원은 들고 있던 휴대폰을 조수석에 던지듯 내려놓았다. 잠시 고민하는 듯 가만히 허공만 노려보다가 결심하며 안전벨트를 맸다. 곧장 차를 출발시킨 그는 핸드폰과 블루투스로 연결된 화면을 통해 도희에게 전화를 걸었다.

한편 도희는 전날처럼 이언과 누리와 밥을 먹으며 똑같은 대화를 나누고 있었다. 아무리 절친한 친구들이라지만, 같은 이야기를 나누고 같은 상황이 반복되는 것은 도희에게 아주 지루한 일이었다.

"야. 나 남친이 불러서 잠깐 가 봐야 할 것 같은데."

전날처럼 누리는 식사를 하던 도중에 갑자기 일어나 자리를 떴다. 이미 그럴 것이란 걸 알고 있었던 도희는 가볍게 고개를 끄덕이고 가라는 듯 손짓했다.

"응응, 미안. 그럼 너희 둘이 재밌게 놀다가 들어가?"

재미있게 놀기는 무슨. 도희는 솔직한 심정으로 어서 시간이 흘렀으면 좋겠다는 생각뿐이었다. 이 반복되는 시간 속에서 유일하게 다른 행동을 할 수 있는 준원과 만나고 싶다는 생각이 머릿속을 가득 메웠다. 지루한 표정으로 회를 한 점 먹은 도희는 두 번째 먹어도 맛있는 매운탕 국물을 열심히 떠먹었다.

"맛있어?"

"응. 얼큰한 게 소주랑 찰떡이네."

"국물에 머리카락 빠지겠다. 머리가 반쯤 풀렸어."

이제 이언이 머리를 묶어 주겠다고 할 차례였다.

"내가 다시 묶어 줄게. 봐봐."

한 치의 오차도 없이 처음과 다르지 않은 상황에, 영혼 없는 표정으로 도희는 고개를 끄덕였다. 이언이 머리에 느슨하게 걸려 있는 머리끈을 뺀 찰나였다. 지이이잉, 테이블 위에 놓아두었던 도희의 핸드폰이 시끄럽게 진동했다. 갑자기 전날과 국면이 달라지자 놀란 도희의 눈이 커졌다. 지금 이 시점에 전화가 올 리가 없는데…….

"아…….."

이상하다고 생각하며 핸드폰을 확인하자, 액정에 떠오른 까만 글자는 '서준원 팀장님'이었다. 예기치 못한 전화는 역시 서준원에게서 걸려 온 것이었다. 저도 모르게 웃음을 흘린 도희가 이언에게 양해를 구하고 식당 밖으로 나가 전화를 받았다.

"여보세요? 팀장님?"

-네. 지금 저녁 먹고 있어요?

"거의 다 먹었어요. 곧 일어날 예정이에요."

-그럼 혹시 식당 위치가 어디예요?

"뜬금없이 전화해서 그건 왜요?"

-데리러 가려고요. 사실 이미 출발했어요.

상상도 못 한 말에 놀란 도희가 입을 떡 벌렸다.

"갑자기요? 지금?"

-네. 근데 오지 말라고 하면, 안 갈게요.

"아니…… 그게 아니고."

도희가 간질간질한 기분에 검지로 제 볼을 긁적거렸다.

"원래 이런 캐릭터 아니지 않았어요? 개인주의였잖아요"

-…….

"그리고 우리 전날이랑 똑같이 행동하기로 하지 않았나……?"

살짝 주저하며 묻자 수화기 너머로 짧은 침묵이 감돌았다. 이어지는 그의 대답은 아주 짧은 한 문장이었다.

-또 보기 싫어서요.

"……뭐가요?"

-전날처럼 강이언 씨가, 백 과장한테 목도리 감아 주고 손잡는 거.

"……"

-보기 싫어서, 내가 먼저 선수 치려고 합니다.

그 말과 동시에 도희의 가슴은 조용히 콩닥거렸다.

……왜 귀엽고 난리야. 이러면 거절할 수가 없잖아.

"알겠어요. 그럼 이따 봐요."

전화를 끊은 도희가 다시 자리로 돌아왔다. 이언의 옆에 앉자 그가 전날처럼 자연스레 도희의 머리를 묶어 주려고 손을 뻗었다.

"아, 아냐. 내가 묶을게. 그거 줘."

도희는 무의식적으로 처음과 다른 말을 하며 이언의 손에서 머리끈을 가져갔다. 무표정으로 스스로 머리를 묶는 도희를 이언은 가라앉은 시선으로 가만히 바라보았다.

'그냥 도희한테 네 솔직한 감정이나 느낌을 말해.'

누리가 했던 조언을 따라, 이번에는 용기를 내어 진심으로 다가가고 싶었는데.

"……"

또 실패하고 말았다. 도희에게는 늘 보이지 않는 벽이 있는 것만 같았다. 친구라는 선을 넘어 조금이라도 다가가려고 하면, 지금 이 관계마저도 깨질 것이라는 걸 이언은 잘 알고 있었다. 무언가가 무너지는 기분에 술잔을 움켜쥐었다. 속이 체한 듯 답답해진 이언은 손목을 꺾어 단번에 원샷 했다.

그렇게 조금의 시간이 흐른 뒤, 식사를 마친 이언과 도희는 계산을 마치고 식당 밖을 나섰다.

"으, 날씨 쌀쌀하다."

"많이 춥냐, 백또? 차 안에 들어가 있자. 대리 불렀으니까 조금만 참아."

"아냐, 괜찮아. 나 누가 데리러 오기로 해서."

"아……."

혹시 그, 서준원?

이언은 그렇게 묻고 싶었지만, 꾹 삼키고 고개를 끄덕였다.

"그럼 이거라도 하고 있어."

이언은 전날처럼 제 목에 감긴 머플러를 풀었다. 그가 도희에게 천천히 머플러를 감아 주려는 순간, 그들의 앞에 빠르게 밀려와 멈춰선 검은 세단에 도희와 이언이 멈칫했다. 이언은 도희의 목에 머플러를 감아 주려던 자세 그대로 굳었다. 벌컥 열린 문으로 준원이 걸어 나온 탓이었다.

"안녕하세요, 강이언 씨. 또 뵙네요."

"예, 뭐. 또 뵙게 되었네요."

준원의 인사에 이언은 달갑지 않은 투로 대답했다. 첫 11월 16일과 마주한 장소는 달랐으나 상황은 꽤 비슷했다.

"근데 데리러 온다는 사람이…… 이분이셨어?"

께름칙한 기분에 휩싸인 이언이 도희를 보며 넌지시 물었다.

"네. 제가 데리러 왔습니다."

하지만 도희가 대답하기도 전에 준원이 말을 가로챘다. 한 발짝 다가간 그는 도희의 작은 손을 부드럽게 잡아 끌어당겼다.

"……근데 소, 손은 왜 잡으세요?"

밀려오는 당혹감을 감추지 못한 이언이 휘둥그레진 눈으로 물었다.

"백또 넌 왜 가만히 있냐?"

"어, 음……."

도희가 뻘쭘하게 입술을 달싹였다. 사귀기로 했다, 한마디면 되는 걸 오글거려서 입이 잘 벌어지지 않았다.

"아니, 서, 설마……."

이언은 도희의 성격을 잘 알고 있었다. 회사 상사에게 돌연 손을 잡히고 가만히 있을 맹탕이 아니었다. 그런 그녀가 저렇게 손을 잡힌 채로 얌전히 있는 모습은 마치 CG처럼 보였다.

"대체, 둘이 무슨 사이……."

충격받은 이언의 얼굴에 핏기가 가시자 도희는 난처한 얼굴이 되었다. 뭐라고 말을 해야 할까, 다른 사람들은 반복된 날들을 전혀 기억하지 못하기에 느닷없이 그렇고 그런 사이가 된 것으로 보일 터였다. 하지만 도희가 고민한 것이 우습게도 준원은 아무렇지 않게 무표정으로 답했다.

"저는 3개월 정규직 전환형 인턴……."

"아, 좀!"

얼굴이 새빨개진 도희가 경악하며 손을 뻗어 준원의 입을 틀어막았다. 남들이 들으면 미쳤다고 할 소리를 아무렇지 않게 뱉는 당당함이 황당했다. 뭐가 문제인지 잘 모르겠다는 듯 어깨를 으쓱한 준원이 도희의 작은 손을 잡아 내렸다.

"남자 친구입니다."

입꼬리를 올리며 한마디를 덧붙였다. 그 말에 충격받은 이언이 돌처럼 경직됐다.

첫날밤만
세 번째

VOL. 2 Three First Nights

CHAPTER 8

첫날밤만 두 번째

8

첫날밤만 두 번째

이언과 헤어진 도희는 준원의 차를 타고 돌아오며 불평했다.

"굳이 거기서 그렇게 얘기를 해야겠어요?"

"강이언 씨한테 남자 친구라고 한 거 말이에요?"

"네. 놀랐을 텐데……. 그건 내가 말했어야 했어요."

"처음 봤을 때부터 그분, 백도희 씨를 좋아하는 게 티가 났습니다."

"……."

도희는 입술을 꾹 다물었다. 한 손으로 핸들을 쥔 준원은 무표정으로 말을 이었다.

"3개월만 우선 만나보기로 했지만, 일단은 남자 친구인데…… 내 눈에 거슬리지 않겠어요?"

창밖으로 고개를 돌린 도희는 잠시 말이 없었다. 작게 한숨을 쉰 도희가 씁쓸한 미소를 지었다.

"소중한 친구예요."

도희는 가라앉은 음성으로 말을 이었다.

"이성적으로 좋아하는 감정은 전혀 없지만, 가족도 친구도 없다시피 한 저한테는……."

누리와 함께 삼총사가 되어 무려 15년 동안 친구였던 사이였다.

"잃고 싶지 않은 친구예요."

그렇기에 절대 멀어지고 싶지 않은 존재였다.

준원이 도희를 태우고 가 버린 뒤, 홀로 남은 이언은 자신의 차를 타고 집으로 향했다. 멍하니 뒷좌석에 앉아 빠르게 바뀌는 창밖 풍경을 바라보며 상념에 잠겼다.

'남자 친구입니다.'

서준원의 입에서 그 말을 듣는 순간, 한 대 얻어맞은 듯이 머리가 멍해졌었다. 지금껏 아주 오랜 세월 도희를 옆에서 지켜보면서, 그녀가 제대로 된 연애를 못 했다는 걸 그 누구보다도 잘 알고 있었다. 사람을 쉽게 믿지 않고, 절대 마음을 열지 않던 도희였는데…….

"어떻게……."

어떻게 이럴 수가 있는 걸까. 이제야 진짜 다시금 용기를 내어 다가가 보려고 했는데. 지레 겁먹고 도망치는 일 따위 하지 않으려고 했는데.

"……하."

이언은 욱신거리는 눈을 지그시 감았다가 떴다. 사실 지금까지 도희에게 제 마음을 전할 용기를 내지 못했던 것은 이미 아주 오래전에 고백했다가 차인 적이 있기 때문이었다.

지금으로부터 약 10년 전, 이언과 도희가 갓 스무 살 때였다. 막 대학생이 된 도희는 지금처럼 이목을 끌 만큼 예뻤고 주변에서는 남자들이 가만두지를 않았다. 그리고 도희는 고백해 오는 남자들은 모두 만났었다. 한 달이 채 안 돼서 전부 헤어졌지만 말이다.

"네 남친은 또 어디로 증발했냐?"

이언은 도희가 한 명만을 열렬히 사랑하는 순애보가 아니라서 좋았다. 그녀가 만난 모든 남자는 전부 의미 없이 지나가는 인연이었기 때문이다.

"헤어졌어, 어제."

"또? 왜?"

이번에는 사귄 지 일주일 만에 헤어진 것이었다. 이언은 기분이 좋아 씰룩거리는 입 모양을 가까스로 숨기며 물었다.

"자꾸 왜 이렇게 연락 안 되냐고 징징대잖아. 열 받아서 찼어."

"그 친구가 아직 네 연락 스타일을 모르는구나."

기본적으로 연락은 간단히 용건만. 전화는 3분 이상을 넘기면 안 되고, 문자도 12시간 후 답장을 해도 불만을 토로하지 않아야 했다.

"근데 그거 이해해 줄 사람이 앞으로 과연 있을까?"

"몰라. 납득 못 하면 헤어지면 되지, 뭐. 그게 뭐 대수라고."

"사실 이해하기 어려운 문제긴 해. 너랑 진짜 오랫동안 알고 지낸 사람이 아니면……."

이언은 은근히 어필하듯이 어깨를 으쓱했다.

"⋯⋯널 이해해 줄 수 있는 사람, 그렇게 멀리 찾아볼 필요 없지 않을까."

눈을 가느다랗게 뜬 이언이 말꼬리를 늘이며 의미심장하게 도희를 응시했다.

"생각보다 가까이에 있을 것 같은⋯⋯."

반은 진심이고 반은 장난이었다. 눈치채도 자연스럽게 넘어가면 되는 거고, 눈치 못 챈다 해도 별로 손해 볼 건 없었다.

"응? 아아⋯⋯."

그러나 그 말에 잠시 멈칫했다가 잇는 도희는 그런 이언의 속을 이미 다 내다보고 있는 듯했다.

"안 돼."

도희는 작게 웃으며 말했었다.

"나 너 잃기 싫어, 이언아."

10년 전, 도희가 이언에게 했던 그 말은 진심이 담긴 한마디였다. 그 한마디는 10년이라는 세월 동안 이언의 가슴에 트라우마처럼 남아 족쇄가 되어 따라다녔다. 한 달을 채 넘기지 못하는 그녀의 숱한 과거의 남자 중 하나가 되어 사라지는 건 너무도 두려운 일이었다. 그 덕에 이언은 도희에게 고백은커녕 좋아하는 마음을 티 한번 내지 못하고 홀로 10년을 더 짝사랑해 왔다.

"⋯⋯."

도희는 그렇게 생각하지 않을지 모르겠지만, 이언은 이미 그때 차인 거나 마찬가지라고. 고백도 하기 전에 차인 거라고. 그렇게 생각했다.

"······하."

이언은 뜨거워진 눈가를 손으로 짓누르며 낮은 한숨을 씹었다.

"에이, 진짜······."

눈가로 촉촉한 열기가 몰려오자 힘없이 고개를 떨구었다. 세상 그 무엇보다도 도희가 소중해서 그녀의 말이 짐처럼 가슴에 남아 입 밖으로 꺼내 본 적조차도 없는 마음. 누군 10년간 바보처럼 이 모양 이 꼴로 있는데······ 갑자기 나타난 서준원은 너무도 쉽게 남자 친구가 되어 버렸다.

3년 전, 그녀가 다신 남자를 만나지 않겠다고 비연애를 선언한 이후 처음으로 생긴 남자. 꼬박 3년 만에 만난 남자니 도희도 이전과는 달리 가벼운 마음이 아닐 터였다.

"하······."

고백도 못 하고 두 번이나 차인 기분에 이언은 울컥 감정이 치솟았다. 가슴이 너무도 답답하고 괴로워서 숨이 잘 쉬어지지 않았다. 마음을 정리하고 싶어도 한번 사랑에 빠진 감정은 이제는 습관이 되어 버려 맘대로 그만둘 수가 없었다.

한편, 도희와 준원은 집으로 돌아가는 차 안에서 동거에 관한 이야기를 나누었다.

"이번 주에 필요한 짐만 챙겨서 들어갈게요. 내가 누구랑 같이 사는 게 너무 오랜만이라…… 좀 걱정이 되네요.”

도희는 만 18세 때 보육원에서 나와 반지하 방에서 독립을 시작했었다. 그 이후로는 줄곧 계속해서 혼자 살아왔으니 누군가와 한 지붕 아래에서 함께 산다는 건 걱정되는 일이 아닐 수 없었다.

“내가 고등학교 3학년 때부터 혼자 살았거든요. 그래서 좀 마음의 준비가 필요하달까.”

섣부른 결정이라는 생각은 들었으나, 철회하고 싶은 마음은 들지 않았다. 나직이 웃은 준원은 느슨하게 창문턱에 팔을 기대었다.

“똑같네요. 나도 고등학교 3학년 때부터 혼자 살았거든요.”

“팀장님도요?”

“네. 그때 아버지가 재혼하셨는데, 저보다 겨우 7살 많은 분을 데려오셨습니다.”

“와우, 7살……. 고등학교 3학년 때 7살 더 많은 거면…… 그분은 26살이었네요?”

젊다 못해 어린 여자가 돌연 아버지의 새 재혼 상대라며 나타난 기분을 도희는 짐작할 수조차 없었다.

“네. 아무래도 서로 달가울 수 없는 사이이고, 나이 차이도 얼마 나지 않아서 그분이 되게 불편해했습니다. 저도 같이 살고 싶지 않았으니 독립한 거죠.”

“그랬군요. 상황이 참…….”

도희가 작게 탄식했다. 아직 어린 나이에 죽은 어머니의 공백에 새 사람이 들어온 것만으로도 매우 심란했을 터였다. 하지만 거기에다가 겨우 19살 때 집안에서 쫓기듯 나와 독립했을 준원을 떠올리자 괜히 안쓰러운 마음이 들었다.

"저 왠지, 왜 팀장님 아버지께서 결혼을 상속 조건으로 거신 것인지 알 것 같아요."

잠시 생각하던 도희는 천천히 말을 이었다.

"미안하셨던 거 아닐까요? 제대로 된 가정을 만들어 주지 못해서."

"……."

"그래서 눈 감으시기 전에 결혼해서 번듯한 가정 꾸리고 사는 모습을 보고 싶으셨던 건 아닌지…… 그런 생각을 해요."

그녀의 말에 준원은 덤덤하게 답했다.

"글쎄요……. 진실은 잘 모르겠지만."

"……."

"사실 아버지와는 사이가 아주 나빠서. 상속 문제 아니면 서로 볼 일이 없습니다."

건조한 어조로 아무렇지 않게 뱉어진 말에 도희는 조금 먹먹한 기분이 되었다. 사이가 좋지 않은 부자 관계에서도 만나야 할 만큼, 준원에게 어머니 그림을 상속받는 것은 중요한 일이었기 때문이었다.

"근데 그 결혼을 조건으로 거신 상속 말이에요……."

도희는 이미 결혼할 의사가 없다고 밝혔고, 준원도 흔쾌히 괜찮다고 답했었다.

"진짜 어머님 그림, 포기해도 괜찮겠어요?"

심각하게 물어 오는 도희에 준원은 숨소리 같은 웃음을 터뜨렸다.

"중요한 문제였습니다. 인생에 주홍글씨가 새겨지는 문제를 아무나와 해도 상관없을 만큼, 어머니의 그림 소유권을 가져오는 건 중요한 일이었는데……."

아버지가 재혼한 여자, 이수연에게 어머니의 그림이 넘어가는 것만큼은 막고 싶었다.

"지금은 저한테 그보다 더 중요한 게 생겨서요."

차가 부드럽게 빨간 불에 정차하자 준원이 나긋하게 도희 쪽으로 고개를 돌렸다.

"이제 백도희 씨가 훨씬 더 중요합니다."

그 말에 견딜 수 없이 부끄러워진 도희가 시선을 바쁘게 돌렸다. 그가 저런 말을 할 때마다 어떻게 반응해야 하는지 몰라 당황하기 일쑤였다. 어설프게 창밖을 바라보며 동공을 굴리던 도희는 서둘러 화제를 돌렸다.

"그보다…… 시간이 제대로 흐를지 모르겠어요."

살짝 준원을 흘기며 말을 이었다.

"똑같이 행동하기로 해놓고 팀장님이 이언이한테 돌발행동했잖아요."

"그건 미안하게 생각합니다."

"에휴, 왠지 12시 되기 전에 또 오늘 아침으로 되돌아갈 것 같은데 말이에요."

꾸중은 멈출지 모르고 바쁘게 이어졌다.

"아니, 불과 두 달 전만 해도 나한테 처음과 똑같이 행동하라고 정색하면서 뭐라고 하더니, 이제는 본인이 나서서 다르게 행동하고."

"……"

준원은 유구무언일 따름이었다. 충동적으로 행동했던 것을 인정하지 않을 수 없었다. 말없이 핸들을 돌린 준원은 도희의 아파트 단지로 들어서서 부드럽게 차를 주차했다.

"팀장님은 오늘이 반복되어도 상관없나 봐요?"

여전히 불만을 터뜨리기 바쁜 도희를 보며 준원이 낮게 웃었다. 닫혀 있던 입술이 천천히 벌어졌다.

"원래는 싫어하는데……."

안전벨트를 푼 기다란 손가락이 느긋하게 움직였다.

"오늘은 또 한 번 반복돼도, 나쁘지 않을 것 같습니다."

자연스럽게 도희에게 밀려와 그녀의 여린 몸을 고정하고 있던 안전벨트를 풀었다.

"……네?"

"왜냐하면……."

예고 없이 준원이 상체를 낮추며 부드럽게 다가오자 놀란 도희의 눈이 미세하게 커졌다.

"이제 키스해야 할 타이밍이거든요."

호선을 그리는 입꼬리에 가슴이 떨렸다.

"원래대로라면."

"……아."

처음과 똑같이 행동하기로 했으니 차 안에서 나누었던 키스도 예외는 아니었다. 눈을 가늘게 뜬 도희가 픽 웃음을 터뜨렸다.

"그건 또 칼같이 지키려고요?"

어이가 없다는 듯 묻자 준원이 도희의 뺨을 매끄럽게 쓸었다.

"하루 종일 이 순간만 기다렸다면 믿을래요?"

가슴의 두근거림이 증폭하며 고막을 먹먹하게 만들었다.

"우리 내기합시다."

길쭉한 손가락이 도희의 머리카락을 부드럽게 쓸어 귀 뒤로 넘겼다.

"……무슨 내기요?"

"지금 시간이 11시 40분······."

제 손목시계의 분침을 확인한 준원이 말끝을 길게 늘였다.

"전날 타임 루프가 12시 되기 직전에 일어났으니까, 내기하죠."

"······."

"우리가 지금 키스하고 나면······."

준원의 커다란 손이 도희의 머리를 살살 어루만졌다.

"시간이 흐르고 내일이 올지, 아니면 또 아침으로 되돌아갈지."

낮게 울리는 웃음소리와 함께 도희는 제 허리를 끈적하게 보듬는 손길을 느꼈다.

"난 시간이 흐르고 내일이 오는 쪽에 걸겠습니다. 백도희 씨는?"

"음······ 난 그럼 아침으로 되돌아가는 쪽에 걸게요."

검은 눈동자가 저를 뚫을 듯 바라보자 도희는 떨리는 손가락을 오므렸다.

"그래요. 내가 이기면, 지금부터 내일 아침까지······ 내 마음대로 하겠습니다."

입술 위를 스치는 뜨거운 숨결을 느끼며 도희가 픽 웃었다.

"그럼 난 하루 종일, 24시간 내 마음대로 할래요."

누가 봐도 도희가 유리한 상황이었으나 준원은 고개를 끄덕였다.

"좋습니다."

도희의 머리를 한 손으로 끌어당긴 준원의 입술이 벌어졌다. 길쭉한 손가락 틈새로 도희의 붉은 머리카락이 실타래처럼 뒤엉켜 흘러내렸다.

"눈 감아요."

느슨하게 고개를 튼 준원이 도희의 입술을 부드럽게 베어 물었다.

놀랍도록 부드러운 감촉에 도희의 속눈썹이 파르르 전율했다.

자연스럽게 벌어진 입 안으로 길게 들어온 준원의 혀가 도희의 안쪽 여린 점막을 더듬으며 부드럽게 헤집었다. 여린 목덜미로 내려간 커다란 손바닥은 그녀의 목을 강하게 끌어당기며 더욱 견고하게 입술을 겹쳐왔다. 몇 번이고 비벼지는 촉촉한 입술의 감촉에 도희의 심장은 점점 더 세게 고동쳤다.

정제되지 않은 날것의 숨결이 어둑한 차 안을 휩쓸며 무더운 열기를 만들어 냈다. 제 안을 더욱 비집고 들어오는 준원의 물컹한 혀에 도희는 뻐근하게 턱을 벌렸다. 점차 격양되는 분위기와 함께 여린 몸은 점점 더 창가 쪽으로 내몰리고 그 위를 준원의 몸이 장악하듯 압박했다.

허리를 감싸 안고 있던 손이 위로 올라가더니 척추 하나하나를 짚는 듯이 내려갔다. 오싹한 감각에 터진 거친 숨과 함께 다시 입술이 진득하게 맞물렸다. 숨결이 떨어지자 도희의 입술은 도톰하게 부풀어 올라 있었다. 매끄럽게 손목시계로 내려간 시야 끝에 걸린 시간은 12시 01분이었다.

"시간이……."

도희는 말을 채 잇지 못했다. 타임 루프는 일어나지 않았다. 시간이 정상적으로 흐르고 내일이 온 것이었다.

"내기는 나의 승리네요."

준원은 만족스럽게 웃으며 미끌미끌해진 도희의 입술을 엄지로 쓸었다. 준원이 이언에게 한 돌발행동은 미래에 큰 변화를 일으키지 않았고, 그 때문에 시간은 또 아침으로 돌아가 반복되지 않고 정상적으로 흘렀다.

“…….”

내기에서 진 도희가 가만히 눈을 깜빡거리고 있자 준원이 웃으며 도희의 뺨에 쪽, 입을 맞추었다.

“지금부터 아침까지…….”

달콤하게 속삭이는 음성이 도희의 고막을 녹녹하게 적셨다.

“오늘 밤은 전부 내 마음대로 할 겁니다.”

무례하고도 정중한 경고였다.

살짝 움찔한 도희의 머릿속에는 온갖 음란한 생각들이 바쁘게 오고 갔다. 절로 벌어진 입술에서는 바보처럼 더듬거리는 말이 튀어 나갔다.

“어…… 어떤 걸 하려고…….”

준원은 말없이 웃으며 멀어졌다. 기어를 바꾼 그는 느슨하게 핸들을 쥐고 도희의 아파트 지하 주차장으로 들어섰다. 어두운 주차장 입구를 헤드라이트가 밝히며 들어가자 도희의 눈이 동그랗게 뜨여졌다.

“왜 굳이 지하 주차장까지 들어와요?”

“궁금해서요. 백 과장 집.”

“네…… 네?!”

“백 과장이 평소에 생활하는 곳이 어떤 느낌일지 알고 싶거든요.”

“뭐예요, 뜬금없이? 안 돼요!”

아침에 출근할 때 집 청소를 제대로 하고 나왔는지도 가물가물한데 사람을 들일 수는 없었다. 결사반대하는 마음으로 소리쳤으나 준원은 꽤 강경한 태도로 나왔다.

"내기에서 졌으면서 말이 많네요."

"……은근히 재수 없는 스타일인 거 알죠?"

"잘 알죠. 백 과장한테만 재수 없다는 말 꽤 많이 들었는데."

"허, 말이나 못 하면……."

말싸움으로 이기기를 포기한 도희가 고개를 내젓자 준원이 낮게 웃었다. 능숙하게 안쪽 빈 공간에 차가 주차되고, 준원은 차 문을 열고 내렸다. 도희가 불만을 품은 표정으로 조수석에서 내리자마자 준원은 그녀의 손을 부드럽게 붙잡았다.

"몇 층이에요?"

세상 자연스러운 스킨십에 동요하는 쪽은 도희였다. 손을 잡는 게 어찌나 자연스러운지, 하나하나 의식하는 제가 바보같이 느껴졌다.

"참, 최고층 좋아한다고 했죠?"

"네. 제일 꼭대기인 17층이에요."

활짝 열린 엘리베이터 문 사이로 걸어갈 때까지도 준원은 잡은 손을 놔줄 생각이 없는 듯 보였다. 그는 작은 손을 슬쩍 들여다보며 입을 열었다.

"항상 생각하는데, 백도희 씨는 손이 참 작네요."

손가락이 부러질 듯 가느다란 하얀 손은 꽤 신기하게 느껴졌다. 그러나 태어나서 손 작다는 얘기를 한 번도 안 들어 본 도희한텐 황당한 말일 뿐이었다.

"저한테 손 작다고 하는 사람 처음이에요."

"그래요?"

"네. 저 손 사이즈 되게 큰 편인데. 키도 그렇고……."

중얼거리며 고개를 들어 준원을 올려다보는데, 문득 한참 위에 있는 그의 정수리에 말끝을 흐렸다. 픽 웃은 준원이 작은 손을 잡아 들어 올려 작게 흔들었다. 길고 커다란 손에 붙잡힌 하얗고 가는 도희의 손은 너무도 대조적으로 보였다.

"백도희 씨가 크다고요?"

"……팀장님이 좀 과하게 큰 거예요."

그는 저보다 한참 작은 손이 귀엽다는 듯이 웃음을 흘렸다. 170이 조금 안 되는 큰 키에 손도 꽤 큰 편에 속했지만, 서준원의 앞에서는 뭐든 작아 보일 수밖에 없었다.

띵, 때마침 17층에 도착한 엘리베이터의 문이 스르륵 열렸다. 뜨겁게 도희의 손을 잡은 준원의 손은 현관문 앞에 도착해서야 떨어졌다.

"생각보다 짐이 별로 없네요?"

"혼자 사는데 뭘 많이 갖고 살겠어요. 거기 소파에 앉아 있어요."

집에 들어서자마자 도희는 빠르게 집 안을 스캔해 문제가 될 만한 것들을 구석에 처박아 치웠다. 빛의 속도로 정리를 마치고 약간 어색하게 주방으로 향했다.

"뭐…… 밤이니까 커피는 좀 그렇고. 녹차라도 드려요? 아니면 맥주?"

집에 친구가 아닌 남자를 들이는 것 자체가 난생처음이었다. 게다가 마음대로 하겠다는 경고가 있었기에 괜히 더 긴장되고 가슴이 진정되지 않았다.

"아, 맞다. 차 갖고 왔지……. 그럼 탄산수?"

이런 마음을 들키고 싶지 않았던 도희는 더 아무렇지 않은 척 목소리를 내었다.

　"아무거나 괜찮아요."

　반면 준원은 얼굴색 하나 변하지 않고 태연하게 소파에 앉았다. 그런 그를 흘끔 보던 도희가 대충 냉장고에서 생수를 하나 꺼내 들이밀었다.

　"정말 아무거나네요. 물이라니."

　"싫으면 집에 가요. 피차 내일 아침에 출근해야 하는데 밤 열두 시에 굳이 남의 집은 와서."

　"남의 집은 아니죠."

　도희가 투덜거리자 준원이 웃으며 답했다.

　"백도희 씨 집이잖아요?"

　도희의 심장이 두근거렸다.

　"물이라도 고맙게 마실게요."

　떨리는 가슴을 들키기 싫어 고개를 돌렸다. 준원은 그런 도희를 웃음기 젖은 눈으로 바라보며 투명한 물이 찰랑거리는 생수병을 단번에 따서 입가로 가져다 댔다. 한 모금 목을 축이기가 무섭게 도희는 칼같이 철벽을 세웠다.

　"그거 다 마시면 집에 가는 거예요?"

　"글쎄요. 엄연히 내기에서 정정당당하게 이겼는데."

　"거참, 진짜 귀찮네요. 여러모로……."

　도희가 퉁명스레 중얼거리자 준원이 나지막이 웃었다.

　"누가 나한테 귀찮다고 한 거 처음입니다. 은근히 상처인데."

　"상처 입은 사람 표정이 그 모양이에요? 별생각 없으면서."

항상 미지근하고 감정 기복이 거의 없는 그는 딱히 집착한 것도 없어 보였다. 이제껏 살면서 다른 누군가를 귀찮게 했을 리도 없으니 당연한 일이었다.

"난 잠깐 방에서 옷 갈아입고 올게요."

"같이 들어갈까요?"

"……내쫓기고 싶은가 봐요?"

"여기서 기다리겠습니다. 편하게 씻고 나와도 돼요."

　웃으며 두 손을 들어 보이는 준원을 흘기며 도희는 욕실 안으로 들어갔다. 괜히 밀려오는 긴장을 누르고 샤워한 후 편한 옷으로 갈아입고 거실로 돌아갔다. 딱히 볼 것도 없는 집 안을 둘러보고 있던 그는 자연스럽게 소파에 도로 앉으며 손짓했다.

"이리 와요."

　밤 12시도 넘은 시간에 집에 돌아갈 생각은커녕 이제 시작이라는 듯한 표정이다. 도희가 살짝 떨어져서 앉자, 준원이 어깨를 으쓱했다.

"왜 그렇게 멀리 떨어져서 앉아요? 옆에 앉아요."

"오늘따라 요구가 너무 많네요. 내기는 괜히 해서……."

　사서 고생하는 느낌을 떨칠 수 없었다. 느슨하게 허벅지에 힘을 줘 일어나는데 일순 몸이 뒤흔들리며 한쪽으로 훅 끌어당겨졌다.

"앗……!"

　준원이 도희를 끌어당겨 제 허벅지 사이에 풀썩 앉혔다. 도희는 반사적으로 일어나려 했으나 그 틈을 놓치지 않고 굵직한 팔은 가느다란 몸을 꽉 끌어안아 가두었다. 졸지에 그의 품에 가둬신 도희가 빠르게 뛰기 시작한 제 심장을 느끼며 침을 꼴깍 삼켰다.

"옆에 앉으라면서요. 이게 옆이에요?"

"맘이 바뀌었어요. 그러게 진작에 옆에 앉았으면 좋았잖아요?"

"솔직히 말해요. 뭘 하고 싶은 건지."

첫 만남에 밤부터 보내고 점차 역순으로 흐르는 진도는 오히려 더 큰 긴장을 불러일으켰다. 차라리 대놓고 침대로 가자고 말하는 게 맘이 편할 것 같았다.

"오늘은 백도희 씨 집에 처음 방문한 날이니까……."

어차피 목적은 뻔한…….

"얘기 좀 나누다가, 백도희 씨 잠들면 집에 갈 예정이에요."

보기 좋게 빗나갔다. 괜히 혼자 음란 마귀에 씐 기분으로 도희는 툴툴거렸다.

"이렇게 끌어안고 있는데 어떻게 잠이 와요?"

"편하지 않나요?"

"아주 많이 불편해요."

말은 그랬지만 꽤 포근한 품이었다. 준원은 그런 도희의 마음을 읽은 듯 도희를 더욱 제 품으로 세게 끌어안았다. 커다란 품에 쏙 들어오는 작은 체구가 맘에 드는 듯 그는 숨소리 같은 웃음을 흘렸다.

등 뒤로 닿는 그의 뜨거운 가슴 근육이 노골적으로 느껴지자 온몸에 열기가 오르는 듯했다. 고개를 내리자 팔뚝에 도드라진 힘줄이 시각을 자극하여 숨이 턱턱 차올랐다. 단단한 팔이 저를 옥죄어 올수록 도희의 심장은 빠른 속도로 내달렸다.

코끝에서 풍겨오는 어른스러운 남자의 향수 냄새에 도희는 정신을 차릴 수가 없었다. 몰려오는 생경한 감각에 당황스러운 기분을 감출 수 없었다.

"그…… 우리 관계 말인데요."

뭐라도 말을 해야 할 것 같아, 도희는 이 기회에 준원에게 하려던 말을 넌지시 건넸다.

"앞으로 진심으로 서로를 사랑하게 되면, 바로 말해 주기로 해요."

처음부터 말하고자 하는 바였다. 이랬다저랬다 들쑥날쑥하는 감정에도 최후의 방어선을 만들어 놓은 것이다.

"그 상대가 우리 서로든, 아니면 제3자일지라도요. 만약 다른 사람을 사랑하게 되면 그 즉시 깔끔하게 놓아주는 거로."

도희는 이 관계가 부담스러워지는 게 싫었다. 어차피 진심으로 서로 사랑하는 때가 아니라면 결혼하지 않겠다고 말했으니, 쿨한 척 미리 밑밥을 깔아 놓아야 끝낼 때도 편할 터였다.

"지독한 말을 하네요. 만나 보기로 한 지 첫날부터 그런 말을."

준원이 헛웃음 쳤다. 시작하자마자 제3자를 사랑하게 된다는 해괴한 가정을 끌고 들어오는 화법은 좀 너무하다 싶었다. 제가 생각해도 좀 과했나 싶어, 뻘쭘해진 도희는 제 볼을 긁적거렸다.

"혹시 복수하는 거예요?"

"아니거든요. 누가 그런 거 가지고 복수를……."

복수라기보다는 최후의 방어선인데. 순식간에 쿨병 걸린 뒤끝 긴 사람이 된 기분이었다. 불만스럽게 작은 소리로 계속 꿍얼거리자 준원이 웃었다.

"아, 왜 그렇게 웃어요? 짜증 나……."

"귀여워서요."

그는 도희의 뺨에 가볍게 입을 맞추며 속삭였다.

"오늘따라 눈을 못 떼겠네요."

이 정도면 일부러 여자 꼬시는 학원이라도 다니는 게 아닌가 싶은 준원의 발언이었다. 예전이면 영혼 없이 뱉는 말이라고 느꼈겠지만, 이제는 어느 정도 진심으로 느껴져서 더 큰일이라고, 도희는 생각했다.

"어쨌든 농담하는 거 아니니까 진지하게 들어요. 진심으로 사랑하게 될 때, 솔직히 말해 주기로 해요. 그게 서로가 아닌 다른 사람 일지라도요."

"……."

"우리가 하는 건 보통 사람들이 하는 평범한 연애가 아니니까, 서로에 대한 예의잖아요, 그게."

"알겠어요."

준원은 의외로 흔쾌히 고개를 끄덕였다.

"나는 어차피 평생 살면서 단 한 번이라도 사랑이란 걸 하게 된다면……."

"……."

"그 상대는 백도희 씨밖에 없을 거 같습니다."

"……자꾸 일부러 그러는 거죠? 어떻게 해서든 장난치려고만 하고."

"왜요? 백도희 씨도 어느 정도 끌리고 있지 않나요?"

도희의 상체를 끌어안고 있던 준원은 돌연 그녀의 가슴께를 손으로 턱 짚었다. 화들짝 놀란 도희가 일순 돌처럼 굳었다.

"심장 소리도 이렇게 큰데."

"아니, 뭘 당당하게 만지고 있어요?"

금방 정신을 차렸으나 화끈 빨갛게 달아오른 얼굴은 숨길 수 있는 부분이 아니었다. 도희는 준원의 손등을 꼬집어서 심장 소리를 듣겠다는 명목으로 노골적으로 올라와 있는 손을 제거했다.

"사랑의 정의가 뭔지, 사실 난 잘 모르겠습니다."

"음…… 단순한 감정은 아니라고 생각해요."

나이 서른 먹도록 사랑을 해 본 적이 없으니 그저 뜬구름 잡는 얘기였다. 같이 사랑을 알아가기로 했지만 어려운 건 매한가지였다.

"물론 흔한 감정이지만요. 주변을 보면, 모두가 쉽게 사랑을 주고받으니까."

"그렇죠. 일상 같은 거니까요."

"네. 보통 사람들한텐 흔하고 평범한 거여도, 나한텐 거창하게 생각되더라고요. 굳이 남녀 간의 사랑이 아니더라도, 부모 자식 간의 사랑이나, 사람 간의 끈끈한 정, 남녀에서도 안달복달 목매달고 뭐, 그런 거……."

"……."

"뭔가 대단해 보이거든요. 내가 갖지 못한 거라 그런지."

도희는 담담히 말을 이으며 슬쩍 고개를 뒤로 돌려 준원의 얼굴을 보았다. 무표정한 그를 마주하자 순간 움찔하며 심장이 내려앉았다.

"……."

하여간 저 표정……. 대체 무슨 생각을 하고 있는지 알 길이 없었다. 어려서부터 사회생활 하면서 꽤 닳고 닳아 이제 웬만한 인간의 속은 훤히 들여다보게 되었으나, 이 남자만큼은 꽤 미스터리였다. 이렇게까지 속을 모르겠는 남자는 정말 처음이었다. 웃다가도 금방 무표정이 되고, 그 무표정으로 빤히 쳐다볼 때는 긴장에 숨이 막힐 것만 같았다.

"우리 이제 호칭을 좀 바꿔 볼까요?"

복잡한 도희의 생각과 달리 준원은 꽤 평범한 말을 꺼냈다.

"편하게 성 떼고 이름으로 부를게요."

다시 입꼬리가 부드럽게 말려 올라갔다.

"도희 씨."

두근, 두근, 도희는 얼굴로 몰리는 후끈한 열기를 느끼며 입술을 달싹였다.

"그렇게 부르지 마요. 나 닭살 돋으니까."

"그래요? 보기엔 안 돋았는데."

준원은 장난스레 웃으며 도희의 하얀 목덜미에 살짝 입술을 묻었다. 뒷목에 와닿는 촉촉하고 말랑한 감촉에 움찔한 도희가 어깨를 움츠렸다. 가느다란 목덜미 위에 포근하게 눌린 입술이 비벼지며 발음했다.

"도희 씨도 편하게 이름으로 부르세요."

살결이 비벼지자 오싹한 감각과 함께 손끝이 아릿했다.

"싫어요. 나 오글거리는 거 못 하는데 자꾸⋯⋯."

"원래 연애는 오글거리는 재미로 하는 거라면서요."

"누가 보면 연애 엄청 많이 한 줄 알겠네요. 누구 사랑해 본 적도 없다면서."

"그래서 더 특별하게 느껴진 것 같습니다. 한 사람을 고집해 본 건 처음이니까."

도희는 속이 바싹 타들어 가는 것 같았다.

왜 이렇게 긴장이 되는 거지? 백도희답지 않게 자꾸 우물쭈물 어색해하는 게 스스로도 답답했다. 입술이 자꾸만 바싹 말라 와서 도희는 준원이 한 모금 마신 생수병을 들어 입가에 가져다 댔다. 조급하게 입 안으로 물을 밀어 넣는데, 귓가로 어둑한 음성이 파고들었다.

"같이 마실까요?"

유혹적인 음성이었다. 성큼 다가온 준원의 입술은 도희의 입술을 틀어막듯이 빈틈없이 포개졌다. 움찔한 도희의 입술이 벌어지자 차가운 물이 준원의 입 안을 축축하게 적시며 흘러 들어갔다. 두 입술 사이로 생긴 통로를 향해 물과 함께 미끌미끌한 타액이 흘렀다. 겹쳐진 입술 틈새를 비집고 흐른 물줄기는 도희의 하얀 턱을 타고 목덜미까지 또르르 굴러떨어졌다.

갑작스러운 키스에 도희가 감았던 눈을 뜨자 부드럽게 휜 눈으로 만족스럽게 눈웃음 짓고 있는 준원이 보였다.

"맛있네요, 그냥 물인데도."

준원이 길쭉한 손가락으로 도희의 턱을 매끄럽게 쓸어 물기를 닦아 주었다.

"다 젖었네……."

그 순간 얼굴이 화끈 달아오르며 알 수 없는 감정이 밀려들어 왔다. 심장은 터질 것처럼 뛰고 머리는 취한 듯 어질어질했다. 이런 감정이 처음이라 당황스러워 어떻게 해야 할지 갈피를 잡지 못했다. 이대로면 어떻게 돼 버릴 것만 같아, 도희의 방어기제가 발동했다. 저도 모르게 벌떡 그의 품에서 일어난 도희는 한 손으로 얼굴을 가리고 말했다.

"피곤해서 잘래요."

"벌써요?"

"뭐가 벌써예요, 1시인데. 팀장님도 빨리 집으로 돌아가세요. 내일 출근해야죠."

준원은 설핏 웃음을 터뜨리며 자리에서 천천히 일어나 도희의 허리에 팔을 감았다.

"그럼 재워 줄까요?"

"네…… 네?!"

"잠들 때까지 옆에 있다가 갈게요."

"변태도 아니고 그런 짓은 왜 해요……!"

도희가 경악했다.

"그런 짓 할 거면 당장 집에 가요!"

"내 맘대로 하기로 하지 않았나?"

"……."

다시는 그런 내기 따위 하지 않겠다고 굳게 다짐했다.

"정 싫으면 가겠습니다. 편하게 말해요."

"됐어요, 지켜보든 말든 맘대로 하세요. 난 잘 거니까."

괜히 툴툴거리며 제 방으로 향해 침대에 누웠다. 준원을 등지고 벽을 본 자세로 누운 채 눈을 꾹 감았다. 그는 정말 잠들기 전까지 떠날 생각이 없다는 듯 계속 옆에 걸터앉아 도희를 지켜보고 있었다. 그 뜨거운 시선 때문에 긴장한 도희의 손바닥은 땀으로 촉촉해졌다. 언젠간 가겠지, 미칠 것 같았지만 눈을 감고 자는 척을 계속했다.

그렇게 얼마가 지났을까. 도희의 등을 토닥이며 쓸어 주던 준원은 그녀의 이마에 드리운 머리카락을 부드럽게 쓸어넘겼다.

"도희 씨. 자요?"

낮은 음성이 도희의 고막을 달보드레하게 적셨다. 긴장한 도희는 준원의 물음에 어떻게 해야 할지 갈피를 잡지 못했다.

……어떡하지? 안 잔다고 할까? 그냥 계속 이대로 자는 척할까?

아니, 자연스럽게 잠들었다가 깬 척할까?

‘뭘 어떻게 해야 해……!’

그야말로 멘탈 붕괴 0.1초 전. 꿋꿋이 눈을 감고 자는 척하는 채로 속 시끄럽게 고민하고 있는데, 준원의 따스한 손길이 뺨에 와닿았다.

"잘 자요."

소중하게 볼을 문지르며 쓰다듬자 도희의 속눈썹이 미세하게 떨렸다.

"내일 봐요."

쪽. 귓가로 나비의 날갯짓처럼 미약하고도 작은 마찰음이 퍼졌다. 동시에 도희의 심장 박동은 더욱더 널뛰며 빨라졌다. 뚜벅, 뚜벅, 묵직한 발걸음이 서서히 멀어지자 도희가 감은 눈을 더욱 질끈 힘주어 감았다.

이내 현관문이 열리는 소리가 들리고, 쿵, 도어 록이 닫히는 소리가 귓가를 두드렸다. 그제야 긴장이 풀린 도희는 경직된 몸에 힘을 풀었다. 갑자기 근육이 이완된 탓에 몸이 노곤해졌지만, 가슴은 여전히 가쁘게 뛰었다. 기분이 너무도 이상야릇해서 미쳐 버릴 것만 같았다.

"아……."

찰나의 순간 그녀는 깨닫고 말았다. 지금은 사랑이 아니라고 한들 결국 서준원을 사랑하게 될 수밖에 없다는 것을.

"미쳤어, 정말……."

사랑이란 감정이 정확히 무엇인진 모르겠지만, 이대로라면 도무지 저 남자를 사랑하지 않을 자신이 없었다. 그리고 결국엔 서준원보다 자신이 훨씬 더 그를 좋아하게 될 거란 걸, 조금 전 온몸으로 깨닫고 말았다.

"말도 안 돼……."

싫었다. 결국 자신이 더 저 남자를 사랑하게 될 거라는 것이. 이 관계의 끝에서는 자신이 그에게 매달리게 될지도 모른다는 추측이.

아니, 어쩌면 이미…….

"아, 진짜……."

도희는 그 모든 생각에 자존심이 상해서 견딜 수가 없었다. 절대 먼저 사랑에 빠지지 않겠다고, 한낱 감정에 굴복하지 않겠다고 굳게 다짐하는 밤이었다.

준원이 집으로 돌아간 뒤, 도희는 뜬눈으로 밤을 지새웠다. 터질 것처럼 요동치는 심장은 좀처럼 진정이 되지 않았고, 눈을 감으면 서준원에 관한 생각이 뭉게뭉게 꽃을 피웠던 탓이었다.

체감상 2시간도 못 잔 듯한 기분으로 출근하여 좀비처럼 꾸역꾸역 오전 시간을 보내고 오후가 되니 더욱 죽을 맛이었다. 대충 점심을 때운 도희는 지예와 새봄과 함께 휴게실에서 커피를 마시며 숨을 돌렸다.

"저 요즘 짝사랑하는 사람 생겼잖아요."

아직 한창 청춘인 듯한 새봄은 꿈을 꾸는 듯한 음성으로 지예와 도희에게 좋알거렸다.

"누구?"

"이 밑에 카페 알바생이요! 제가 좀 금사빠긴 한데 이번엔 진짜 제대로 반해 버렸어요!"

지예의 물음에 새봄은 흥분해서 콧김을 내뿜으며 소리쳤다.

"알바생? 아, 그 핑크 머리?"

"네네. 진짜 귀엽고 멋있지 않아요?!"

"음…… 아이돌처럼 생기긴 했더라."

가물가물한 카페 알바생의 얼굴을 더듬어 기억해 낸 도희가 건성으로 고개를 끄덕였다.

"아, 전 너무 쉽게 사랑에 빠져서 문제예요. 그래서 양아치들만 도대체 몇 명을 만났는지."

"……대체 어떻게 그렇게 쉽게 반하는 거야?"

도희는 신기할 따름이었다. 그래서 저도 모르게 평소에 하지도 않는 질문을 해 버렸다.

"그 사람에 대해 잘 모르잖아. 어떻게 확신하는 거야?"

"음…… 일단 저는 반하는 데 걸리는 시간은 딱 하루면 충분해요!"

"하루?"

"네. 그리고 반하면, 그 사람 뒤에 후광이 비쳐요."

후광이 왜 비쳐……? 알 수 없는 설명을 듣는 도희의 얼굴이 점점 더 해괴해졌다.

"막, 콩깍지 제대로 씌어서 반짝반짝 광이 나는 거죠! 눈이 부셔서 쳐다볼 수가 없어요."

새봄은 생각만으로도 좋다는 듯 두 뺨으로 얼굴을 감싸고 히죽거렸다. 도희는 도저히 알 수 없다는 듯 고개를 내저었다.

"하긴 과장님은 모르실 거예요. 딱 쿨한 연애만 했을 스타일이니까요!"

"맞아, 맞아. 남자였으면 이미 여자 한 트럭은 울렸지."

"뭐야. 그게?"

지예와 새봄의 장난스러운 말에 도희가 헛웃음 쳤다. 어쨌거나 저쨌거나 후광이라니. 무슨 만화도 아니고 그딴 게 현실에 있을 리가…….

"백 과장."

그 순간, 왼쪽에서 밝은 빛이 확 뿜어져 나와 도희의 고개가 절로 돌아갔다.

"여기 있었군요. 이 기획서 말인데……."

놀랍게도 서준원은 등 뒤에 조명을 켠 듯이 후광을 번쩍번쩍 비추면서 전지전능한 신처럼 등장했다. 심장이 철렁한 도희는 눈이 부실 정도로 빛나는 그를 황당한 얼굴로 쳐다보았다. 제 눈이 드디어 맛이 간 건가 싶어 비비는 순간…….

"으악, 눈부셔!"

"엄마야!"

"……?"

도희의 옆에 있던 새봄과 지예가 눈을 질끈 감고 일제히 눈부시며 소리쳤다.

"앗, 죄송해요! 제가 실수로 핸드폰 플래시 조명을……!"

준원의 뒤에서 핸드폰을 하며 걷다가 실수로 핸드폰 조명을 켠 인턴 남아현이 당황하며 플래시를 껐다.

"……큼."

순간 정말 제 눈이 미친 줄 알았던 도희가 민망함에 헛기침했다. 포커페이스를 유지하려고 했으나, 쪽팔려도 이렇게 쪽팔릴 수가 없는 상황이었다.

"네. 팀장님. 기획서 왜요?"

아무렇지 않게 목소리를 내었으나 속은 여전히 시끄러웠다. 분명히 조명이 꺼졌는데도 서준원의 얼굴만 환하게 보이는 듯한 착각이 일었다.

……미친 게 틀림없다.

그래. 정말 미친 게 틀림없다.

그렇지 않고서야 이게 현실일 리 없다.

"……허."

침대에 누운 도희는 부리부리하게 뜬 눈으로 제 휴대전화 화면을 노려보았다.

지금은 목요일 밤, 11시 35분. 그날 밤 이후로 서준원에게서는 3일간 연락이 없다. 물론 도희도 먼저 그에게 연락하지 않았으니 서로 쌍방책임이기는 했다.

"뭐지……?"

회사에서 매일 지겹게 만나긴 하지만, 그냥 업무적인 대화만 할 뿐이었다. 어쩌다 회사에서 단둘이 있을 시간이 나도 그냥저냥 미적지근. 문자는 그냥 팀원들이 모여 있는 단체 채팅방에서 나누는 업무 내용이 전부.

"뭐냐고, 대체……?"

왜 연락 하나가 없는 걸까. 물론 이쪽도 먼저 하지 않았으니 딱히 할 말은 없었지만……. 아무리 그래도 그날 밤 그렇게 저돌적으로

유혹을 해 놓고, 이렇게 손바닥 뒤집듯이 태도를 바꾸는 건 좀 당황
스럽지 않은가. 태어나서 이런 기분 갖게 하는 남자는…….

"정말 너 새끼가 처음이야."

도희는 이를 바득 갈았다. 지금까지 한 달도 채 못 만났던 숱한 과
거의 남자들은 열 받게 1분마다 연락해서 사람을 귀찮게 들들 볶아서
화가 치밀었었다. 약 12시간 후쯤 답장해도 이해해 주는 남자가 있다
면 좋겠다고, 서준원은 그런 면이 나와 딱 맞겠다고 생각했는데…….

"아무리 그래도 3일간 연락 없는 건…… 좀……!"

심지어 이제 내일모레면 서준원의 집으로 이사까지 가게 된다. 살림
까지 합치고 동거하는 마당에 이게 뭔 마른하늘에 날벼락이란 말인가.

"아, 됐어. 됐어!"

연락은 그렇다 치고, 하다못해 퇴근 후 같이 저녁 먹자는 말쯤은
할 수 있는 게 아닌가. 애초에 약간 정상 아닌 남자한테, 정상을 바
란 게 황당한 일일 수도 있다.

"만약 내일도 어떤 말도 행동도 없으면 그냥 취소야!"

동거도 사귀기로 한 것도 전부 다 취소할 거니까!

다음 날, 굳게 다짐한 도희는 결연한 태도로 회사에 출근했다. 아
침 회의에 참석해서도 부리부리한 눈으로 서준원을 노려보았다.

"차유나 셰프의 매니지먼트인 A&B에서도 저희 기획안을 매력적
으로 생각하고 있었습니다."

하동현 대리는 차유나 셰프의 소속사 측과 얘기 나누었던 내용을

전달했다.

"언제까지 결정될지 확답받으라고 했는데, 계속 같은 말만 반복하는 느낌이군요."

"아, 그……."

준원의 말에 당황한 하 대리가 뒷머리를 긁으며 말을 이었다.

"월요일에 직접 매니지먼트 관계자와 차우나 셰프가 본사로 와서 미팅 후에, 그 자리에서 확답 주겠다고 합니다. 사실상 오케이는 한 것 같은데……."

"백 과장, 프레젠테이션 준비는 마쳤죠?"

준원은 하 대리의 말을 끊고 도희에게 질문했다.

"네. 완벽히 마무리 지었습니다."

"중요한 건인 만큼, 본부장님도 미팅에 참석하실 수 있습니다. 신경 써서 준비해주세요."

"네. 알겠습니다."

도희의 심기가 불편하든 말든, 준원은 별로 신경 쓰지 않는 듯 무심해 보였다. 아니, 애초에 기분 상한 것조차 눈치채지 못한 걸 수도…….

"……하아."

도희는 저만 들릴 만큼 작게 한숨 지었다. 이래서야 그와 저 사이에 진심 어린 사랑 따위가 생길 수 없다고 확신했다.

시간이 흐르고 퇴근 시간이 되자 도희는 화장실에서 메이크업을 고치며 다시금 굳게 다짐했다.

'오늘이 진짜 마지막이야.'

오늘도 서준원이 혼자 쏙 퇴근하고 연락 하나 없다면, 그냥 깔끔하게 끝내기로 두 주먹을 쥐고 결심했다. 절대 먼저 굽히고 다가갈 생각은 없었다.

'그야…… 자존심이 상하니까.'

꼼꼼히 립스틱을 바른 도희는 굳은 표정으로 다시 사무실로 돌아왔다. 이미 퇴근 준비를 전부 마쳐 놨던 터라 제 자리의 가방을 들며 자연스레 목소리를 내었다.

"저 먼저 퇴근할게요."

서준원 쪽을 바라보고 말하면 너무 티 내는 것 같아서 어중간하게 시선을 처리하며 말했다.

"이제 퇴근하겠습니다. 다음 주에 뵐게요."

저도 모르게 두 번이나 강조하며 몸을 일으켰으나, 들려오는 건 아직 퇴근하지 않은 지예와 새봄의 대답뿐이었다.

'……뭐야?'

그제야 텅 비어 있는 팀장 자리를 발견한 도희는 황당한 얼굴이 되었다. 분명히 화장실 가기 전까지만 해도 있었던 것 같은데, 온데간데없이 사라지고 없는 것이었다.

"양 대리, 팀장님 어디 가셨어?"

"네? 아, 방금 퇴근하셨는데요?"

"뭐라고?!"

계속되는 어이없는 상황에 놀란 도희는 저도 모르게 큰 소리를 냈다.

"아, 깜짝이야! 왜, 왜 그렇게 놀라세요?"

되려 놀란 지예가 벌렁거리는 가슴을 붙잡고 묻자 당황한 도희가 제 목을 어색하게 문질렀다.

"어. 아니. 내가 요즘 목이…… 큼, 큼. 아파서. 좀 목을…… 풀어 본 거야."

"네?"

"음. 아. 아. 이제 괜찮네."

세상 부자연스럽게 변명한 도희는 억지로 미소 지었다.

"그럼 나는 갈 테니까, 고생들 해."

"네. 다음 주에 뵐게요. 과장님."

겨우 올리고 있는 입꼬리에 경련이 오는 듯했다. 억지로 미소를 지은 채 또각, 또각, 걷던 도희는 엘리베이터에 올라타자 싸늘하게 식었다.

"……파국이야. 파국……."

앙다문 잇새로 분노에 찬 음성이 흘러나왔다.

그래, 끝내자고! 어디 시작도 전에 끝내보자! 도희는 치밀어 오르는 분노를 주체하지 못하고 빠른 속도로 내려가는 엘리베이터 층수를 노려보았다. 이윽고 지하 3층에 도착하자 그녀는 씩씩거리며 내렸다. 서준원에게 끝내자고 연락하기 위해 핸드폰을 마구 따닥따닥하며 주차해 놓은 제 차로 걸어가던 찰나였다.

"때려치우자……고!"

움찔한 도희의 말꼬리가 흐려졌다. 주차장 구석의 사각지대에 서 있던 준원이 도희의 손을 확 끌어당겨 잡은 탓이었다. 흠칫 놀란 도희가 사선으로 시선을 올리자 준원의 웃는 얼굴이 시야에 들어왔다.

"뭘 때려치워요?"

부드럽게 입꼬리를 올린 미소에 은은하게 걸린 보조개. 쓸데없이 과하게 잘생긴 이 남자의 미소는 그야말로 모든 걸 무장해제 시켰다.

"표정이 왜 그래요?"

"……."

도희는 한 대 얻어맞은 사람처럼 멍하니 서서 웃는 준원을 멍청하니 올려다보았다. 준원은 곱게 눈웃음치면서 잡은 도희의 손을 부드럽게 쓰다듬었다. 이내 살짝 주위를 살피더니 도희의 작고 하얀 손등에 부드럽게 쪽, 입을 맞추고 떨어졌다.

"드디어 주말이네요. 백도희 씨가 우리 집에 이사 오기로 한……."

찰나였지만 그의 입술이 닿았던 손등 피부가 불에 덴 듯 화끈거렸다.

"기대되네요."

도희의 심장이 쿵 내려앉았다. 저도 모르게 꿀꺽 마른침을 삼켰다.

"……."

정말로 때려치우고 싶었는데. 나 아무래도…… 상여우한테 제대로 잘못 걸렸나 봐.

준원이 도희를 재우고 자신의 집으로 돌아갔던, 화요일 새벽.

"도희 씨, 자요?"

준원은 사실 도희가 자지 않는 것을 다 알고 있었다. 그 물음은 정말 자느냐고 묻는 게 아니라, 그녀의 의향을 묻는 것이었다.

집으로 돌아갈까요? 아니면, 같이 있어 줄까요?

고민을 하는지 미동도 하지 않는 도희를 보며 조금 웃음이 나왔었다.

"잘 자요. 내일 봐요."

그래서 물러나 적막한 집으로 돌아갔다. 느지막이 씻고 잠을 청한 것은 2시경이었다. 그리고 그날 밤, 준원은 지금으로부터 20년 전 준원이 13살일 때의 꿈을 꾸었었다.

어김없이 어머니가 주연으로 나오는 꿈이었다. 정서가 불안했던 준원의 어머니 전희선은 종종 술을 진탕 마시고 알 수 없는 소리를 뇌까리곤 했고, 그중에는 결코 자식에게 해서는 안 되는 말들도 더러 섞여 있었다.

'아들. 그거 아니? 네 아빠는 아주 무책임한 사람이야.'

준원은 계속 집에 들어오지 않는 어머니의 작업실에 자주 놀러 갔으나, 그때마다 그녀는 항상 슬픔과 절망에 빠진 얼굴이었다.

'자유로웠던 나를 이 작업실에 묶어 놓고, 완전히 나 몰라라 하지. 하지만 재미있는 건 뭔지 아니?'

영혼이 자유로웠던 전희선에게 사랑과 결혼, 가정은 구속이었다.

'그 남자는 무책임하게 날 버려뒀지만, 난 널 책임지기 위해 이 가정에 주저앉았단다.'

술에 취한 그녀는 준원을 제 무릎 위에 앉히고서 아무렇지 않게 독기를 품은 말들을 속삭였다.

'네가 생기지 않았다면, 난 지금쯤 유학도 가고…… 자유롭게 여행도 다니면서 살았을 텐데…….'

전희선의 내면에 점철된 슬픔과 불행은 어린 준원에게도 평생 잊을 수 없는 상처를 남겼다.

'준원아.'

전희선은 준원을 쓰다듬으며 물었다.

'우리 준원이는 엄마를 사랑하니?'

그 질문에 어린 준원은 조금의 고민도 없이 고개를 끄덕이며 사랑한다고 외쳤다. 하지만 이어지는 건 어머니의 기괴하고도 쓸쓸한 미소였다.

'거짓말.'

눈은 울고 있는데 입은 웃고 있는 채로 저를 바라보던 그 악에 찬 얼굴을…….

'너도 네 아빠와 똑같은 애야.'

준원은 평생 잊을 수가 없다.

"……!"

확 눈꺼풀을 들어 올린 준원은 오래전 꿈에서 깨어났다. 20년이 지나도 잊히지 않는 지독한 기억은 악몽으로 자리 잡아 수없이 되풀이되고는 했다.

식은땀으로 젖은 상체를 일으킬 힘도 없었던 준원은 무의식적으로 손을 뻗어 비어 있는 옆자리를 더듬었다. 한 명이 홀로 자기에는 너무도 커다란 침대에 그는 마치 옆에 누군가가 있는 듯 한쪽에 쏠려서 있었다. 잘게 떨리는 손끝을 쥐었다가 펴며 깊게 한숨을 내쉬었다. 해가 뜨기 직전의 이른 새벽, 찾아오는 것은 견딜 수 없는 짙은 어둠과 공허함이었다.

'우리 준원이는 엄마를 사랑하니?'

귓가에 어른거리는 것은 꿈에서 들었던 어머니 전희선의 목소리였다.

'거짓말. 너도 네 아빠와 똑같은 애야.'

낙엽만 굴러가도 직장인들이 까르르 웃는다는 금요일 밤. 준원의 집에서는 도희와 준원의 관계에 관한 이야기가 치열하게 오고 갔다.

"자, 사인해요."

　도희는 도도하게 미리 준비했던 항목들이 적힌 종이를 제시했다.

"이게 뭔데요?"

"우리가 3개월간 동거 및 연애를 하면서 지켜야 할 수칙들이에요."

　서준원에게 휩쓸리지 않으려면, 도희에게도 최후의 방어선은 있어야 했다.

"자, 봐요. 제1조. 동거 및 연애를 지속하는 기간은 3개월이며, 이후에 진심으로 서로를 사랑하게 된다면 관계를 지속한다."

　이건 도희가 상처받지 않기 위해 먼저 선수 쳐서 긋는 선이었다.

"그리고 제2조, 서로의 사생활을 존중하고 그에 대해 절대 묻지 않는다."

　난 당신의 사생활이 궁금하지 않고, 일거수일투족을 알고 싶을 만큼 당신을 좋아하지 않는다고. 그렇게 먼저 선수 쳐서 말하고자 하는 것이었다.

"제3조, 의무적인 데이트와 보고성 연락은 생략하며, 쌍방의 합의가 있을 때만 진행한다."

　도희는 조금의 망설임도 없이 세 항목을 당당하게 선언했다. 희생하는 부분 없이 연애로부터 오는 이익만 취하자는 내용의 수칙들이었다. 그리고 이건 전부 예전에 서준원이 펼쳤던 논리였다. 그의 반응이 궁금해서 살짝 올려다보았으나, 아니나 다를까 그는 조금의 표정 변화도 없이 무표정이었다.

"이건 언제 준비했어요?"

"어제요. 어떻게 보면 이건 일종의 시간과 감정, 비용이 소모되는 일인데, 철저하게 상호 합의를 해야죠."

주도권을 뺏기고 굴복해 상처받고 매달리는 추한 연애 따위 조금도 하고 싶은 생각이 없었다. 명확히 선을 긋고 그 안에서만 그와의 관계를 즐기겠다고 결심했다.

"뭐, 솔직히 귀찮을 때도 있을 거고, 혼자가 아닌 삶이 익숙하지도 않고, 아직은 혼자만의 시간을 갖고 싶기도 하고……."

"……그렇군요."

"네. 사귀는 사이라고 해서 사사건건 참견하고, 캐묻는 건 별로 매력적이지 않잖아요?"

줄곧 무표정한 준원은 대체 무슨 생각을 하는 것인지 도무지 알 수 없었다. 하지만 웃지 않는 걸 보니, 수칙이 그리 마음에 들지 않는 듯 보였다. 그렇게 생각하니 괜히 우쭐해진 기분이 된 도희는 그를 가만히 바라보며 웃었다.

혹시 서운하니? 상처받았어?

"좋습니다."

준원이 무신경하게 대답하자 도희의 눈이 똥그랗게 뜨여졌다.

"역시 우리는 결이 비슷해서 그런지, 이런 쪽은 의견이 잘 맞네요."

"……."

"사생활은 서로 존중해 주는 게 좋죠. 모든 걸 공유할 필요는 없으니까요."

……분명히 맞는 말인데. 심지어는 내가 수칙이랍시고 먼저 제시한 내용인데. 도희는 가슴 속에서 무언가가 무너져 내리는 기분이었다.

"또 다음 수칙은요?"

그는 조금의 높낮이도 없는 음성으로 물어 왔다. 참 한결같은 남자였다. 들었다 났다, 이랬다저랬다, 장난감처럼 놀아나고 싶지 않아 선수 쳤지만, 이 미지근한 남자에게는 전혀 타격을 입히지 못한 듯 보였다.

"마지막 수칙…… 4조."

도희는 미세하게 가라앉은 음성으로 마지막 조항을 천천히 읽어 내려갔다.

"서로가 아닌, 다른 사랑하는 이가 생긴다면……. 즉시 서로에게 그 사실을 밝히고 관계를 종료한다."

마지막 수칙을 읽은 도희가 고개를 들어 올리자 무표정하게 입을 다물고 있는 준원과 눈이 딱 마주쳤다.

"……음."

잠시 두 사람 사이에 어색한 기운이 감돌았다. 준원은 입을 열지 않고 가만히 도희를 바라보았고, 그 따가운 시선에 도희는 왠지 죄인이 된 기분에 빠져들었다. 살짝 어색하게 뒷목을 긁적거리며 할 말을 찾았다.

"혹시 조정이 필요하면……."

"아닙니다. 그렇게 하죠."

준원은 단호하게 대답했다.

"이미 얼마 전에 그렇게 하기로 합의했으니까, 마지막 조항도 그대로 진행하면 될 것 같습니다.”

조금의 표정 변화도 없이 덤덤하게 답하는 모습에 되려 도희의 가슴이 옥죄어 왔다. 그가 저런 태도로 나올 때마다, 정말 저를 좋아하기는 하는 건지 하는 의심이 머리를 밀고 들어왔다. 욱신거리는 심장을 숨기며 도희는 힘겹게 입을 열었다.

“그리고, 그 어머니 그림 상속 관련해서 말인데요……..”

시한부 암 환자인 준원의 아버지는 준원이 결혼을 하면, 어머니 전희선 화백의 그림 31점을 모두 준원에게 상속한다는 유언을 써 주기로 했다.

“결혼이 굳이 중요한 건 아니지 않나요?”

“네?”

“중요한 건 아버님의 눈에 어떻게 보이느냐잖아요. 결혼했느냐, 안 했느냐가 아니라.”

무슨 뜻인지 명확한 이해가 어려워 준원이 한쪽 눈썹을 들어 올렸다.

“오케이. 이건 나한테 맡겨요. 서른 평생 험한 바닥에서 몇 년을 굴렀는데 이 정도 연기는 껌이지.”

도희는 자신만만한 태도로 말을 이었다.

“내가 책임지고 아버님 설득시켜서 상속 유언장 쓰시게 해 드릴게요.”

“어떻게 하게요?”

씩 올라가는 입꼬리에는 조금의 주저함도 없었다.

“작전명. 아버님이 홀딱 반한 며느리.”

쇠뿔도 단김에 빼랬다고, 도희는 바로 다음 날 준원의 아버지가 입원해 있는 병원으로 준원과 함께 병문안하러 갔다.

　"아버님, 사모님. 안녕하세요!"

　도희는 티 없이 맑게 활짝 웃으며 인사했다. 준원의 아버지 서윤건이 입원해 있는 VIP 병동에는 그의 현재 법적 부인인 이수연도 함께였다. 준원이 데려온 낯선 여자에 윤건과 수연은 일제히 놀랐다.

　"저 준원 씨 여자 친구 백도희라고 합니다. 같은 회사에서 과장으로 일하고 있어요."

　"어, 그래……. 여자 친구?"

　"네! 말씀 정말 많이 들었는데 꼭 뵙고 싶어서, 오늘 준원 씨 졸라서 이렇게 찾아뵈러 왔어요."

　싹싹한 모습에 준원의 아버지 서윤건은 아픈 와중에도 허허, 너털웃음 지었다. 능수능란하게 연기하는 도희의 옆에서 준원은 그냥 가만히 있으라는 도희의 지시에 따라 병풍처럼 있었다.

　"허허, 이놈이 날 닮아서 눈이 참 높구만."

　"아휴, 과찬이에요. 아버님. 하하."

　"내가 몸이 시원찮아서 이런 곳에서나 만나고 미안하네."

　멀뚱히 석상처럼 가만히 앉아 있는 준원 옆에서 도희는 온갖 아부란 아부는 전부 떨며 좋은 인상을 심도록 노력했다.

　"저기, 그런데 준원이가 지금까지 여자 친구 있다는 얘기는 전혀 안 했는데……."

　그때, 서윤건의 침대 옆에 앉아 있던 이수연이 의심하는 듯한 말투로 물어 왔다.

"둘이 언제부터 사귄 거죠?"

도희는 찰나의 시간 동안 이수연의 머리부터 발끝까지를 빠르게 스캔했다. 그녀는 현재 서윤건의 현처로, 준원의 어머니 전희선 화백의 그림을 노리고 있는 사람이었다. 서윤건이 준원에게 그림 전부를 상속한다는 유언을 쓰지 않고 세상을 떠난다면, 전희선 화백의 그림 31점은 준원과 이수연이 나눠 가져야만 했다. 즉, 그녀는 상속과 관련되어 대치하고 있는 주적이라는 뜻이었다.

"하하, 이제 1년 정도 됐어요."

"1년이나요?"

"네. 우리 준원 씨가 원래 무뚝뚝하고 티를 잘 안 내는 성격이잖아요. 그래서 아마 말씀을 못 드린 것 같은데……."

도희가 준원의 팔을 툭 쳤다.

"그래도 너무 했어. 자기."

"네?"

갑자기 몰아붙이는 메소드 연기에 살짝 움찔한 준원이 되물었다. 도희는 환하게 웃는 낯으로 시선을 보내며 말을 맞추라는 듯 압박을 넣었다.

"아…… 네. 만난 지 1년 됐습니다. 서로 좋아합니다."

준원의 말에도 이수연은 의심의 눈초리를 거두지 않았다. 어서 화제를 바꾸어 이목을 돌려야겠다고 생각한 도희는 오늘 요리해야 할 주된 인물인 서윤건에게 다시금 주목했다.

"어머, 그런데 지금 보니까 아버님 눈매가 우리 준원 씨랑 똑 닮았어요."

"하하, 그래?"

"네. 너무 멋있으세요. 영화배우 하셔도 됐겠어요."

"하하하. 젊은 아가씨가 성격이 참 싹싹하고 좋네."

"별말씀을요. 좋게 봐 주셔서 정말 감사합니다."

병실에 누워 손가락 하나 까딱 못 하는 아버지의 앞에서 도희는 불꽃 같은 연기를 멈추지 않았다.

"그래서 아버님, 사실 저희가 만난 지 1년이 되어서 이제 슬슬 결혼을 생각 중인데요……."

슬쩍 운을 띄우자 서윤건은 반색하며 크게 기뻐했다. 평생에 숙원인 아들의 결혼을 해결할 수 있다니 이보다 행복한 순간은 없었다. 세상 흐뭇한 표정인 준원의 아버지에 반해, 그 옆에 앉은 이수연은 피가 다 빨린 듯이 창백한 표정이었다. 이제 술술 일이 풀릴 일만 남았다고 생각하며 도희는 입꼬리를 들어 올렸다.

준원은 도희가 신호를 줄 때만 이따금 말을 얹을 뿐이었다. 기본적으로는 도희의 능수능란한 독무대였다.

"아이고, 우리 새아가가 어린 나이에 고생을 많이 했구만."

도희는 일찍 부모님이 돌아가셨다고 거짓으로 꾸며 내어 서윤건의 동정표를 샀다. 이미 준원의 아버지 서윤건은 도희에게 홀딱 빠진 후였다.

"네. 그래서 저는, 우리 준원 씨와 하루빨리 결혼해서, 가정 이루고 서로 의지하면서 씩씩하게 살고 싶어요."

어차피 상속에 관한 유언장을 쓰게 하려면 아버지를 설득하는 게 요지였다.

"그래. 그래. 난 우리 새아가 같은 아이가, 저 정신 못 차리는 놈을 데려간다면야 고마울 따름이지."

"하하, 아닙니다. 저야말로 준원 씨를 만나게 해 주셔서 아버님께 너무 감사드리는걸요."

"……."

준원은 무표정으로 가만히 도희를 돌아보았다. 잠시 그의 가슴에 미세하게 일어난 동요를 도희는 전혀 눈치채지 못하고 말을 이었다.

"그런데 제가 부모님이 두 분 다 돌아가셔서……. 아무래도 혼주석을 비워 놓기가 조금……."

"아, 그러고 보니 그렇겠구나."

"네. 형제자매도 없고 친척분들도 연락이 잘 닿지 않는 상황이라……."

도희는 차분한 음성으로 차근차근 공작을 펼쳤다.

"혹시, 결혼식을 생략하면 어떨까요?"

오예, 드디어 말을 꺼냈다. 훌쩍. 도희가 열심히 감성팔이를 하고 있는 와중에 어디선가 느닷없이 코 먹는 소리가 들려왔다.

'뭐지……?'

도희가 황당하게 고개를 돌아보니 우는 소리의 주인은 놀랍게도 서윤건의 현재 부인인 이수연이었다. 그녀는 갑자기 눈물을 흘리며 도희의 양손을 붙잡고 인자한 시어머니 흉내를 내기 시작했다.

"어린 나이에 얼마나 힘들었을까."

……뭐야, 이 여자?

똥 씹은 표정으로 노려볼 때는 언제고 아예 눈물을 흘리며 공감하고 앉았다. 도희는 그 추태가 의심스럽고 껄끄러웠으나 어쩔 도리가 없었다.

"가족이라고 생각하고 편하게 대해요. 날 친엄마같이, 또 친언니같이 생각해 줘요."

이수연의 엄청난 연기력에 박수를 드리고 싶은 수준이었다. 도희가 뭐라고 답을 하려는 순간, 윤건이 북받친 얼굴로 말을 꺼냈다.

"우리 아들놈이 말은 안 해도 많이 외로웠을 텐데, 우리 새아가같이 예쁘고 똑똑한 아가씨가 곁에 있어 줘서 얼마나 다행인지 모르네."

서윤건은 진심으로 며느리로서 도희가 마음에 쏙 든 모양이었다. 벌써부터 새아가라고 호칭한 것만 봐도 이미 시아버지 마음속에 저장이었다.

"다만, 결혼식을 안 하는 대신……. 혹시 내 부탁 하나 들어줄 수 없겠나?"

"네! 당연히 가능해요! 말씀만 하세요, 아버님."

윤건은 무거운 마음을 다잡고 천천히 목소리를 내었다.

"내가 이제 오래 살아 봐야 한두 달일 것 같은데……."

잔뜩 쉰 윤건의 목소리가 낮게 울렸다.

"혹시 앞으로 한 달 동안 아침마다 둘이 셀카를 찍어서 보내 줄 수 없겠나?"

……세, 셀카? 갑자기 셀카라고? 상상치도 못한 말이었으나 도희는 일단 고개를 끄덕이고 보았다.

"아…… 그럼요, 당연히 가능하죠!"

윤건은 만족스럽게 웃으며 고개를 끄덕였다.

"한 달만, 부디 부탁하네."

매일 아침 셀카 한 장씩 꼬박 한 달. 유언장을 써 주는 조건이 원만하게 변경되는 순간이었다.

"연기대상감이네요."

서윤건의 병실에서 나와 VIP 휴게실로 향한 준원이 도희에게 음료를 건네며 말했다.

"내가 말했잖아요. 이 정도는 껌이라고."

생각보다 일이 쉽게 풀렸던 덕에 도희는 우쭐한 기분이 되었다. 어깨를 으쓱한 도희가 작게 웃음을 터뜨리며 준원에게 귀를 대라는 듯 손짓했다.

"그리고 내가 아까 적당히 스캔해서 견적을 내어 봤는데……."

손등을 펼친 도희가 준원의 귓가에 소곤소곤 귓속말했다. 그 말에 웃음이 터진 준원이 작게 실소하며 고개를 끄덕였다. 그리고 그 순간, 병실에서 나온 이수연이 부드럽게 웃으며 준원과 도희에게로 천천히 걸어왔다.

"준원아. 아버지께서 긴밀하게 할 말이 있다고 하시네? 들어가 봐."

진한 립스틱을 바른 입술이 길게 늘어졌다. 수연의 말에 준원이 말없이 고개를 돌려 도희를 바라보았다.

"갔다 와요."

괜찮으니 들어가 보라는 듯 손짓하며 웃었다. 준원이 병실 안으로 들어서자 이수연과 도희는 단둘이 되었다. 불혹의 나이였으나 갖은 시술과 관리 덕분에 이수연의 외모는 30대 중후반 정도로밖에 보이지 않았다. 수연은 특유의 우아한 미소를 지은 채로 도희에게 또각, 또각, 걸어왔다.

"백도희 씨라고 했죠?"

낮게 깔린 음성이 아까와는 완전히 뒤바뀐 분위기였다.

"우리도 잠깐 얘기 좀 할까요?"

"부르셨습니까?"

손가락 하나 까딱할 힘 없어 시체처럼 누워 있는 서윤건을 보며 준원은 무미건조한 음성을 내었다. 윤건은 그런 그를 보며 눈에 바짝 힘을 주었다.

"준원이 너, 이번에는 틀림없이 진심인 거겠지?"

그의 물음에 준원은 대답이 없었다.

"난 그 아가씨가 마음에 든다. 또 유나한테처럼 상처 주지 말고 제발……."

"……."

"준원아. 이 애비는…… 진심으로 네가 잘살았으면 좋겠다. 그저 평범하게만 살아갔으면 좋겠어."

"……."

"사랑하고 사랑받고, 때로는 울고 웃고 싸우기도 하면서. 그렇게 평범하게…… 남들처럼만 살아갔으면 더 이상의 소원은 없다. 삶에 더 미련이 없어."

물기 젖은 간절한 음성이었으나 준원은 별 감흥 없는 듯 무표정이었다. 살날이 얼마 남지 않은 아버지가 울컥 올라오는 감정을 누르며 진심으로 뱉은 말에도 준원은 조금의 표정 변화조차 없었다.

"아버지."

준원은 아무 감정 없는 얼굴로 덤덤하게 입을 열었다.

"곧 돌아가실 분이, 산 사람 일에 참견이 과하시네요."

서윤건의 동공이 거칠게 흔들렸다.

"제가 알아서 할 일입니다. 관여하지 마세요."

잠시 할 말을 잃은 듯 윤건은 실핏줄이 곤두선 눈으로 준원을 노려보았다. 진심으로 건넨 충고였기에 가슴에 든 멍은 더더욱 크기를 키웠다. 그와는 전혀 관계가 없다는 듯, 여유롭게 자리에서 일어난 준원은 허리 숙여 인사했다. 뒤돌아 문을 열고 나가는 준원의 뒷모습을 보며 윤건은 깊게 한숨을 내쉬었다. 벌써 오랜 세월이 흘렀으나 한번 틀어진 부자 관계는 나아질 기미가 없었다.

"하……."

23년 전, 그 사건 이후 어긋난 준원의 감정 체계 또한 늘 제자리걸음이었다. 어디서부터 잘못된 건지, 그 근간을 뿌리 뽑고자 하면 너무도 오랜 옛날로 거슬러 올라가야만 했다.

"도희 씨, 솔직히 말해 봐요."

한편, 단둘이 된 이수연과 도희는 팽팽한 분위기 속에 대치하고 있었다.

"서준원에게 얼마 받기로 했어요?"

다 안다는 듯한 말투였다. 무슨 말인지 이해할 수 없다는 듯이 미간을 좁히자 수연이 높은 소리로 웃었다.

"무슨 말씀이신지 잘 모르겠는데요."

"뭘 모르는 척해요, 선수들끼리."

"저기요, 사모님……."

"하하, 대체 얼마를 받기로 했길래 이렇게 버틸까……."

고아하던 웃음은 한순간 싸늘한 기운을 내뿜었다. 수연은 도희를 준원이 돈을 주고 산 연기자, 즉 가짜 애인이라고 확신하고 있었다.

2년 전에도 뜬금없이 여자를 데려와 결혼하겠다고 했으나 그 여자 또한 허수아비 아내 역할에 불과했었다. 이번에도 역시 가짜를 내세워 그림을 상속받겠다는 심산이 틀림없어 보였다.

"얼마를 받기로 했는지 모르겠지만, 무조건 난 그 두 배를 줄게요."

이대로면 서윤건이 세상을 떠나고 31개의 그림이 전부 서준원에게 넘어갈 터였다.

"그러니까 그 가짜 여자 친구 역할, 그만두세요."

26살에 상처한 홀아비에게 시집와서 14년간 철저하게 온실 속 화초 아내 역할에 충실했다. 그 긴 세월 동안 수연은 윤건의 재산이 당연히 전부 제게 상속될 거라고 생각했었다. 하지만 윤건은 준원에게 몇 번이고 상속받을 기회를 주려고 했고, 수연은 뒤에서 몰래 방해를 해 왔었다.

"저기요, 사모님."

가소롭다는 듯이 도희가 픽 웃자 수연의 미간이 좁혀졌다.

"친아들도 아니면서 시어머니 노릇이라도 하겠다는 거예요?"

상상도 못 한 공격적인 태도에 살짝 당황한 수연이 주춤했다.

"적어도 사람을 꾀려면 돈 봉투라도 내밀고 말하든가. 나중에 언제 그랬냐며 입 닦을지도 모르는 사람을 내가 왜 믿어요?"

그제야 도희의 의도를 파악했다는 듯 수연이 다시 여유롭게 팔짱을 끼었다. 평정을 되찾은 그녀는 다시 침착하게 말을 이었다.

"도희 씨, 생각보다 더 속물이었네요."

"그래서요?"

"맘에 든다고요. 처음 봤을 때부터 뭔가 통하는 게 있다고 생각했는데, 나랑 비슷한 타입일 줄 알았어요."

오히려 더 말이 통하겠다고 결론을 내린 수연이 만족스럽게 웃었다. 하얀 손가락을 펼쳐 들며 은근하게 속삭였다.

"세 배."

빨간 입술이 탐욕스럽게 늘어졌다.

"서준원이 제시한 금액보다 세 배를 줄게요. 어때요?"

도희는 말없이 수연을 빤히 바라보다가 웃음을 터뜨렸다. 이내 큰 소리로 웃으며 고개를 끄덕인 도희가 수연에게 한 발짝 더 다가갔다.

"좋습니다."

"그래요. 잘 생각했……."

"300억."

"뭐, 뭐?"

300억……?! 수연은 순간 제 귀가 잘못된 건가 싶어 눈을 동그랗게 떴다. 3억이라고 말해도 황당할 판인데, 300억이라니 그야말로 어처구니가 없었다.

"……그 애가 100억을 준다고 했다고요? 전 재산을 털어도 턱도 없을 텐데 무슨……."

"그게 아니고."

도희가 씩 입꼬리를 들어 올렸다.

"내가 그 남자한테서 발견한 가치가 100억이에요."

윤건의 병실에서 나와 벽 뒤에서 두 사람의 대화를 엿듣고 있던 준원이 설핏 웃음을 흘렸다. 형식상의 아내 역할을 부탁했던 이전의 여자들은 모두 이수연에게 매수당하거나 그녀의 회유에 넘어갔었다. 그러나 도희는 달랐다. 처음으로 준원이 끌린 여자였고, 현재 가장 신뢰하고 있는 사람이었다.

'그리고 내가 아까 적당히 스캔해서 견적을 내어 봤는데…….'

준원은 아까 도희가 제게 귓속말했던 것을 떠올렸다.

'저 이수연이란 여자, 내 밥이에요.'

마음은 여리지만 절대 지고는 못 사는 성격이란 걸 알고 있었다. 얼마나 강하고 멋있는 여자인지 또한.

"뭐…… 뭐예요?"

이수연은 황당하다는 듯이 되물었다. 이런 태도의 사람은 난생처음 본다는 듯 그녀의 눈이 휘둥그레졌다.

"그러니까 세 배면 300억은 줘야죠. 그래야 수지타산이 맞지."

"허, 진짜 무슨 말도 안 되는 소리를……!"

"쉿. 내 입맛이 좀 고급이라 그 아래는 안 받아요."

핸드백에서 지갑을 꺼낸 도희가 길쭉한 손가락으로 제 명함 하나를 뽑아 들었다. 도희가 가깝게 다가오자 수연은 저도 모르게 주춤 뒷걸음질 쳤다.

"300억 준비되면 여기로 연락 주세요."

검지와 중지 사이에 끼워진 명함을 수연의 재킷 앞주머니에 찔러 넣고 웃었다.

"그전까지는 바쁜 몸이니까 연락하지 마시고."

놀란 수연의 동공이 거칠게 뒤흔들렸다. 제 앞주머니에 꽂힌 명함과 도희의 얼굴을 번갈아 보던 수연은 떡 벌어진 입을 다물지 못했다. 그런 그녀를 보며 씩 하얀 이를 드러내며 웃은 도희가 그대로 뒤를 돌아 걸어갔다.

"뭐, 뭐 저런 미친 애가 다 있어……?!"

난생 듣도 보도 못한 캐릭터에 수연은 기겁했다. 경황없이 서 있던 그녀는 벌게진 얼굴로 도희의 뒷모습에 대고 삿대질했다.

"애! 애!"

뒤에서 저를 부르는 소리가 들려왔지만, 도희는 철저하게 무시하고 갈 길을 갔다. 병원 엘리베이터 쪽으로 향하자 벽 뒤에 있던 준원이 웃으며 나타나 도희와 걸음을 맞췄다.

"나를 100억에 상응한 가치로 봐 준 사람은 백도희 씨가 처음입니다."

"뭐야. 듣고 있었어요?"

"네. 상당히 감동이던데요."

"감동할 거 없어요. 정말 300억 주면 떠날 거니까."

장난스레 속삭이자 준원이 웃으며 도희의 손을 잡았다.

"분발하겠습니다."

그의 목소리가 도희의 귓가를 간지럽혔다.

"나와 함께하기로 선택한 거, 후회하지 않도록 해 줄게요."

두근거리는 심장은 도희가 제어할 수 있는 부분이 아니었다. 후회하지 않도록 해 준다니, 자신감 넘치는 선언에 차마 비웃음을 날릴 수가 없었다. 왜냐하면…….

'미쳤나 봐, 백도희…….'

오늘도 서준원에게 마음을 더 열어 버렸기 때문이었다.

토요일 오후, 예정대로 준원의 집으로의 이사는 순조롭게 진행되었다. 간단하게 생활에 필요한 짐만 추려서 들어온 도희는 저번에 들어가 보지 못했던 방으로 안내를 받았다.

"이 방을 백도희 씨가 쓰면 될 것 같아요."

준원의 방과 멀리 떨어진 방이었다. 침대나 화장대, 옷장 등 생활에 필요한 가구는 전부 있다는 그의 말대로 도희가 딱히 준비할 만한 것이 없었다.

"혹시 여기 누가 살았어요?"

왜 남자 혼자 사는 집에 가구가 전부 비치된 방이 하나 더 있는 걸까. 더욱이 전부 화이트와 페일핑크 톤으로 맞춘 밝은 인테리어는 모던한 서준원의 취향과도 거리가 멀어 보였다.

"그냥 빈방은 아니었던 것 같은데."

"……글쎄요."

준원은 잠시 침묵했다가 입을 열었다.

"2년 전에 한 2주 정도 지냈던 것 같은데, 혹시 불편하면 가구 전부 새로 맞춰 줄게요."

……뭐야, 저 대답. 누가 살긴 살았다는 것 같은데, 너무도 애매한

답에 뭐라고 반응해야 할지 갈피를 잡기 어려웠다.

'그런데 분명히 저번에 고등학생 때부터 혼자 살았다고 하지 않았나……?'

의구심이 머리를 들이밀었으나 절레절레 고개를 내저었다. 굳이 생각하지 않기로 했다. 안 그래도 복잡한 상황을 사서 힘들게 만들고 싶지 않았기 때문이었다.

"짐 정리 도와줄까요?"

"정중히 거절합니다. 연애 수칙 제2조 사생활 존중 아시죠?"

단호한 거절에 준원이 픽 웃었다.

"알겠어요. 난 거실에 있을 테니까 필요한 거 있으면 말해요."

준원이 거실로 향하고 도희는 짐들을 풀어 정리하기 시작했다. 일일이 박스를 뜯어 물건들을 채워 넣는 작업은 꽤 큰 체력 소모를 요구했다. 한참 동안 정리를 하다 보니 어느덧 창밖의 해는 뉘엿뉘엿 지고 있었다. 이어지는 고된 작업에 어깨를 두드리며 바닥에 주저앉았다.

"응? 이게 뭐지……?"

그 순간, 도희는 침대 밑 구석에 있는 작은 끈을 발견했다. 손이 닿지 않아 길쭉한 물건을 이용하여 빼내어 보니 이건 틀림없는…….

"……여자 머리끈?"

도희의 머리끈은 아니었고, 서준원의 것일 리는 더더욱 없었다. 역시 이 방은 누군가 썼던 방이 틀림없었다.

'그것도…… 여자.'

2년 전에 누군가가 2주 정도 지냈다고 서준원은 말했었다. 하지만 그게 누구인지는 끝내 밝히지 않았다.

"……하."

도희가 작게 허탈한 숨을 내뱉었다. 솔직한 심정으로는 서준원에게 대놓고 묻고 싶었다. 이 방을 어떤 여자가 썼었느냐고. 혹시 그게…… 2년 전 파혼했다던 차유나, 그 기집애였냐고. 내가 세상에서 제일 싫어하는 그 애와…… 같이 한집에 살았었느냐고. 그렇게 묻고 싶었다.

도희는 토요일 밤늦게까지 짐 정리에 몰두했다. 낮에 준원의 아버지를 만나고 오기도 했고, 여러 가지 많은 일이 있었던 데다가 지속해서 몸을 움직이다 보니 피로가 누적되었었다.

결국, 도희는 자정까지 짐 정리하다가 그대로 바닥에서 잠들어 버렸다. 다시 눈을 떴을 때는 햇살이 쨍쨍한 아침이었고, 도희는 침대 위에 혼자 바르게 누워 자고 있었다.

"……."

준원이 잠든 도희를 안아다가 침대로 옮겨 준 것이었다. 그렇게 생각하니 부끄러움과 황당함이 화끈 밀려왔다. 동거하기로 한 첫날 밤은 그렇게 허무하게 지나가 버린 것이다.

꼬박 반나절을 더 들여 짐 정리를 마무리한 도희는 준원과 함께 마트를 찾았다. 사람이 한 명 더 늘었기 때문에 식기와 음식 재료, 생필품을 추가로 사기 위함이었다.

"혹시 못 먹는 음식 있어요?"

"음……."

"맞다. 해산물 못 먹죠?"

일전에 부산으로 함께 출장 갔을 때 도희가 해산물을 못 먹는다고 말했던 걸 준원은 똑똑히 기억하고 있었다.

"네. 그리고 가지도 못 먹어요. 물컹물컹해서 식감이 기분 나쁘거든요. 피망이랑 파프리카도 싫어하고, 연근은 진짜 최고로 싫어해요."

"가지, 피망, 파프리카, 연근. 기억해 둘게요."

채소 판매대에 서 있던 준원은 잠시 들었던 파프리카를 내려놓으며 고개를 끄덕였다.

"그럼 특별히 좋아하는 음식은 있어요?"

"음…… 고기요. 소, 돼지, 닭 가릴 거 없이 다 좋아해요. 꽃등심, 갈매기살, 항정살, 삼겹살, 그리고 치킨?"

"그렇군요. 옆집 사는 초딩이 딱 그 입맛이던데."

"……혹시 한 대 때려도 돼요?"

물어봐 놓고 옆집 초등학생 취급을 하니 도희는 어이가 없었다. 카트 손잡이에 팔을 걸친 준원은 나직하게 웃으며 카트를 끌고 고기를 파는 코너로 향했다. 도희는 그런 그를 흘끔 바라보다가 눈치를 살피며 조심스레 입을 열었다.

"서준원 씨……. 지금까지 진지하게 누구 만나 본 적 없다고 했죠?"

"네."

"그럼…… 가볍게 스쳐 지나간 여자는 많은가 봐요?"

뜬금없는 질문에 준원이 한쪽 눈썹을 찡그렸다.

"몇 명이나 돼요?"

사실 물으면서도 가슴이 쿡쿡 찔려왔다. 물론 도희도 살면서 가볍게 스쳐 지나간 남자가 적지는 않았다. 단 한 사람한테도 진심은 아니었으나 어찌 됐건 여럿과 가벼운 관계를 맺었었다. 서준원이라고 저와 크게 다를 것 같지 않아 어색하게 목덜미를 긁적거리며 그의 대답을 기다렸다.

"글쎄요. 기억이 잘 안 납니다."

그러나 그의 대답은 도희를 맥 빠지게 만들었다. 잔뜩 긴장하고 있었으나 대답은 세상 성의가 없었다.

"그 눈은 뭐예요?"

"내 눈이 왜요?"

도희가 눈을 가늘게 뜨고 의심 가득한 눈으로 보자, 준원이 헛웃음 쳤다.

"그러는 백도희 씨는요?"

"……큼."

갑작스러운 반격에 살짝 당황할 뻔했으나 곧바로 포커페이스를 유지하며 도도하게 턱을 치켜들었다.

"저도 기억이 잘 안 나네요."

"그렇군요. 피차 똑같을 줄 알았습니다."

"……."

연애란 게 원래 이렇게 치졸하고 짜증 나는 일이었던가. 이름도 기억나지 않는 과거에 스쳐 지나갔던 인연들처럼, 그에게 내가 그저 그런 과거가 될지도 모른다는 예상이 도희를 찜찜하게 만들었다. 더욱이 전날, 방을 정리하다가 의문의 머리끈을 발견했으니 가슴은 더 답답해져만 갔다.

'진짜 누굴까. 그 머리끈 주인…….'

차유나일까? 아니면…….

"……."

어찌 됐건 확실한 건, 서준원에게 마음을 전부 줘서는 안 된다는 것이었다. 그에게 너무 의지해서도 안 되었고, 그에게 너무 많은 것을 바라서도 안 되었다. 보이지 않는 선, 사이를 가로막고 있는 투명한 벽. 그 영역을 넘어 침범하려고 할수록 바보가 되는 건 도희였다.

"백도희 씨."

그때, 상념에 잠긴 도희를 깨운 것은 준원의 목소리였다.

"이거 봐요. 지금 백도희 씨하고 똑같이 생겼어요."

퍼뜩 정신을 차린 도희의 고개가 준원에게로 돌아갔다. 그녀의 망막을 두드린 것은 황당하게도 빨간 앵그리 버드 인형이었다. 준원은 지나가다가 마주친 장난감 판매대에 있는 화가 난 빨간 인형을 들어 도희의 얼굴 옆에 갖다 대며 웃었다.

"……."

……이게 나랑 닮았다고? 이 빨간 덩어리가 나랑 똑같이 생겼다고?

"오, 점점 더 닮아가네요."

도희의 얼굴이 붉으락푸르락 변하자 준원이 한마디 덧붙였다. 도희가 씩씩거리며 준원을 쏘아보자 준원은 인형을 내려놓고 항복을 선언하듯이 두 손을 펼쳐 보였다.

"농담이었는데 다큐 되겠네요. 취소하겠습니다."

"……근데 왜 자꾸 백도희 씨라고 불러요?"

"네?"

"아니, 저번에 성 빼고 부르겠다고 본인이 말해 놓고 계속 백도희 씨라고 부르니까……."

도희는 저도 모르게 꿍얼거리며 따졌다.

"좀…… 신경이 쓰…… 읍……."

그러다가 문득 움찔 말끝을 흐렸다. 이렇게 말하면 마치 '도희 씨'
라고 불러 달라고 말하는 것 같지 않은가. 막상 처음 불러 줄 땐 오
글거린다고 싫어하는 척했는데, 이제 와서 말을 바꾸려니 좀 뻘쭘해
졌다.

"아, 몰라요! 빨리 사고 집에 가죠?"

결국 성급히 화제를 돌렸다.

"황금 같은 주말을 이렇게 마트에서 낭비하려니까 기분이 영 별
로네요. 빨리 갑시다!"

씩씩 성을 내며 준원에게서 카트를 뺏어 든 도희가 엄청난 속도로
마트를 가로질렀다. 그런 그녀가 귀여워 준원은 저도 모르게 나직이
웃음을 터뜨렸다.

"같이 가요."

"팀장님이 빨리 오세요."

도희의 뒤를 따라가며 은근한 목소리로 불러 보았다.

"도희 씨."

"이제 와서 그렇게 부르면 누가 좋아할 줄 알고요?"

"도희 씨?"

"대답 안 할 거예요."

"같이 가자니까요."

준원의 회유에도 도희는 꿈쩍하지 않고 뒤를 돌아보지 않았다. 굳
건하게 성난 도희의 뒷모습을 보던 준원이 한마디 툭 던졌다.

"도희야."

그 말에 여린 심장이 쿵 내려앉았다. 놀란 도희가 저도 모르게 카트를 끌던 자세 그대로 석고상처럼 멈춰 섰다. 성큼 그녀의 옆으로 다가온 준원이 단단한 팔을 뻗어 둥근 어깨를 감아 당겼다. 다시 카트는 준원의 차지가 되었으나 멍하니 영혼이 가출한 도희는 그걸 눈치채지도 못했다.

"……뭐라고 했어요, 방금?"

준원은 대답 대신 어깨를 으쓱했다.

"방금 뭐라고 했잖아요."

"아무 말도 안 했는데요?"

"누굴 바보로 알아요?"

"그럴 리가요. 도희 씨로 알지."

장난스레 웃으며 내려다보는 시선이 오늘따라 다정하게 느껴졌다. 또 심쿵 해 버린 도희는 황급히 고개를 홱 돌렸다.

"진짜 약았다. 약았어."

절레절레 고개를 내저은 도희는 저도 모르게 헛웃음을 흘렸다. 어이는 없지만 잠시 꽁했던 기분은 언제 그랬느냐는 듯이 풀리고 말았다. 그렇게 장을 전부 다 보고 계산대로 향했는데, 순간 저 멀리서 익숙한 얼굴이 시야에 들어왔다. 누구인지 바로 알아챈 도희는 괜히 찔려서 저도 모르게 뒤를 돌았다.

"어? 도희야?"

그러나 이미 도희를 발견한 누리는 알은체를 하며 다가왔다.

"너 왜 여기에 있어?"

"……."

"어…… 근데 너, 옆에는……헉."

도희의 어깨에 팔을 두르고 있는 남자를 알아본 누리가 경악했다.

"서, 서준원 씨?!"

준원의 집 근처 마트에서 우연히 누리를 만날 확률이란 얼마나 되는 걸까. 알고 보니 누리가 만난다던 새 남자 친구는 준원의 바로 옆 아파트에 살고 있었다. 딱히 서준원과 사귀게 된 게 비밀은 아니었지만, 괜히 우연히 적발된 바람에 도희는 들킨 기분에 사로잡혔다.

"와우, 진짜 충격이다. 둘이 같이 살기로 했다니……."

준원은 집으로 돌아가고, 도희는 근처 카페에서 누리의 쏟아지는 궁금증과 추궁을 들어야만 했다.

"너희 언제 그렇게까지 발전한 거야. 대체?"

"그냥, 어쩌다 보니까……."

뭐라고 설명을 해야 할지도 애매했다. 정말 어쩌다 이렇게 된 건지 도희조차도 신기할 따름이었으니까.

"아, 그래서 강이언이……."

"어?"

"아, 아냐. 아무것도."

누리는 얼마 전부터 이언의 상태가 급격히 악화하여 무슨 일이 있었던 건가 궁금하던 차였다. 친구로서 이언을 밀어준다고 큰소리쳤지만, 결국 게임은 이미 시작도 전에 끝이 나 버린 셈이니까.

"근데 강이언 얘는 왜 내 연락을 계속 무시하냐? 누리 너는 연락 돼?"

"나? 나야 되긴 하지."

"뭐?! 그럼 이 자식이 나만 씹는 거야, 지금?"

문득 일주일 내내 제 문자를 읽지도 않는 이언을 떠올린 도희가 짜증스레 핸드폰을 들었다. 잠시 눈치를 살피던 누리가 씩 웃으며 물었다.

"강이언 뭐 하는지 궁금해?"

끄덕끄덕 고개를 아래위로 흔들자 코트 주머니에서 핸드폰을 꺼낸 누리가 이언에게 전화를 걸었다. 길게 이어지는 연결음 끝에 터진 달칵 소리와 함께 잔뜩 격양된 이언의 음성이 들려왔다.

-어. 연누리 왜!

"너 뭐 하냐, 지금?"

-게임! 나 강등전이니까 용건 없으면 끊어!

그 뒤로 배경음처럼 깔리는 것은 미친 듯이 키보드를 두드리는 소리와 총을 쏘는 듯한 소리였다.

-야! 킬 해! 킬 하라고! 아, 진짜! 답답해 돌아가시겠네!

갑자기 수류탄 던지는 소리도 들리는가 싶더니 잔뜩 성난 이언의 고함이 귓가를 찔렀다.

-왜 줘도 못 먹냐고!!! 그따위로 할 거면 랭 돌리지 마!!! 접어!!!

흥분해서 고래고래 소리치는 소리와 함께 책상을 마구 두들기는 소리가 수화기를 통해 쩌렁쩌렁 들려왔다.

-너 판수충이냐? 계정 샀냐? 샀지? 아오, 씨 저…… 강등전인데 말아 먹……!

뚝. 스피커폰으로 전부 도희에게 들려준 누리가 전화를 끊고 웃었다.

"보다시피 게임 폐인."

"하······ 강이언, 저 자식 저거 또 저러네."

경기에서 대차게 말아먹거나, 주변에 심각한 문제가 생기면 이언은 모든 활동을 그만두고 집 안에 틀어박혀 게임에만 몰두하고는 했다. 이번에는 도희에게 남자 친구가 생겼다는 충격에 세상과 단절을 선포한 것이었다. 훈련이고 뭐고 모든 걸 포기하고 밥도 먹지 않고 게임만 한다는 걸 잘 알고 있었기에 도희와 누리는 일제히 고개를 절레절레 흔들었다.

"누가 보면 골프가 부업이고 프로게이머가 본업인 줄 알겠다."

"실력 딸려서 프로게이머는 못 하지. 프로 골퍼는 해도."

지금쯤 귀가 가렵다며 긁고 있을 이언을 생각하며 도희와 누리가 쿡쿡 웃었다.

"야, 근데 너 서준원 씨한테 입주 선물 같은 건 안 해 줘?"

"뭐? 입주 선물?"

"응."

"야, 무슨······. 안 해, 그런 거."

"왜? 어쨌든 그 아파트 웬만한 사람들은 얼씬도 못 하는 고급 아파트인데. 거기 매매로 20억도 넘을걸?"

"그······렇긴 하지."

"맞아. 이렇게 들어와 사는 거 아니면 언제 그런 데 살아 보겠어? 거기 아파트 심지어 제대로 한강 뷰잖아."

또 한 번 장난기가 발동한 누리는 슬슬 시동을 걸었다.

"도의적으로 선물 하나 해 줘야지!"

"······진짜 그래야 하나?"

"그럼!"

한평생 외롭게 살다 죽을 것 같던 도희가 남자랑 동거한다니, 세상 재미있는 건수를 하나 잡은 누리는 이왕 놀릴 거 제대로 놀려 보기로 했다.

"야, 잘 됐다."

대박적인 타이밍!

짝, 손뼉을 내려친 누리는 옆에 내려놓았던 쇼핑백을 들었다. 그 안에 들어 있는 하얀 선물 상자를 꺼내 손가락으로 톡톡 두드렸다.

"이거 셔츠거든. 원래 내가 남친한테 주려고 산 건데, 너 줄게."

"뭐?"

도희는 느닷없는 제안에 얼굴을 구겼다.

"갑자기 뜬금없이?"

"응, 이거 얼마 안 해. 지연 언니가 공짜로 준 거라서, 난 또 다른 거로 사면 되니까 이거 서준원 씨 갖다 줘."

누리는 세상 무해하게 웃으며 도희에게 쇼핑백을 건넸다.

"네가 산 것처럼 해서 선물해, 오늘."

"……"

"이거 요즘 남자들 사이에서 유행하는 스타일이라, 아마 되게 좋아할걸?"

……뭔가 좀 찝찝한데.

도희는 약간 껄끄러운 느낌이 들었지만 일단 쇼핑백을 받아들었다.

"아, 괜히 받아 왔나……."

집에 도착한 도희는 현관문 앞에서 한참을 고민하며 서성였다. 입주 선물이라니, 아무리 생각해도 좀 오버하는 것 같아서 줄지 말지 고민이 되었다.

아니, 준다고 해도.

"뭐라고 말하면서 주지……?"

동거 기념 선물이에요? 입주한 기념으로 준비해 봤어요?

"같이 살기로 한 기념으로……."

벌컥. 그때 돌연 현관문이 열리자 놀란 도희가 까무러쳤다. 현관문 바로 앞에서 계속 중얼거리는 소리를 듣고 준원이 문을 연 것이었다.

"안 들어오고 뭐 해요?"

"네?! 아, 그, 그게……."

혹시 내가 중얼거리는 소리 다 들은 거 아냐?

당황한 도희는 잠시 어버버거리다가 에라 모르겠다, 냅다 쇼핑백을 그의 품으로 던지듯이 안겨 주었다.

"이, 입주 선물이에요!"

"네?"

"선물이라고요! 나 씻고 나올 테니까 풀어 봐요!"

괜히 쑥스러워서 짧게 소리치고는 곧바로 욕실로 직행했다. 번갯불에 콩 볶아 먹는 속도로 쌩하니 사라져 버린 도희에 준원이 물음표를 띄웠다. 들고 있던 쇼핑백을 자세히 살피던 준원이 설핏 작게 웃음을 터뜨렸다.

"갑자기 선물이라니……."

항상 허를 찌르는 게, 한 치 앞도 예상이 어려운 여자였다. 준원은 나직하게 웃으며 쇼핑백 안에서 하얀 상자를 꺼냈다. 그러나 고급스럽게 포장된 리본을 풀어 안을 열어 본 순간, 웃음기 젖은 준원의 입가가 굳었다.

"……."

상자 안에 들어 있는 것은 남성용 팬티였다. 한가운데에 코끼리가 대문짝만하게 그려진 팬티는 야한 게 아니라 흉했다. 그리고 그 아래에 있는 작은 쪽지에 쓰여 있는 멘트는, 그 서준원조차도 당혹스럽게 했다.

〈코끼리 와써욤 ^0^ 뿌우뿌우.〉

……이건 대체 무슨 의미일까.

외부 충격에 늘 무덤덤한 준원마저도 이 불순한 의도가 가득 담긴 선물에 당혹감이 찾아왔다. 이어지는 것은 심각한 고뇌의 시간이었다. 코끼리 팬티를 들었다가 놨다가, 이리저리 살펴보며 혹시나 다른 진중한 의미가 있는지 파악하기 위해 노력했다.

하지만 결론은 나지 않았고 당혹감과 의문만 크기를 키우며 증폭할 뿐이었다. 무엇보다도 가장 이상한 것은 이 쪽지.

"코끼리 왔어요…… 뿌우뿌우."

아무리 생각해도 이 쪽지를 백도희가 썼다는 게 상상이 가질 않았다.

"뭐지……?"

입주 선물이라고 이걸 줬다는 건……. 입어 달라는 건가?

준원은 넋을 놓고 심각하게 팬티를 바라보고 있다가 결론이 나지 않아 도로 상자에 넣었다.

얼마 가지 않아 샤워를 마친 도희가 아직 말리지 않아 촉촉한 머리카락을 늘어뜨리고 욕실에서 나왔다. 약간 수줍은 기분으로 준원에게 다가온 도희는 슬쩍 건네듯이 물었다.

"풀어 봤어요, 선물?"

"아, 네."

"그…… 친구 말로는 요즘 남자들 사이에서 유행하는 스타일이라고 하던데."

누리의 말을 철석같이 믿고 있는 도희는 당연히 쇼핑백의 내용물을 셔츠라고 생각하고 말했다.

"음…… 그랬군요."

하지만 진실은 코끼리 팬티였다.

"유행하는 스타일이라……."

……대체 이 팬티가 어느 행성의 어떤 남자들 사이에서 유행하는 스타일인 걸까. 준원은 최대한 조심스레 포문을 열었다.

"그런데…… 우리가 아직 이런 걸 주고받을 정도로 허물없는 사이는 아니지 않나요?"

"네?"

순전히 셔츠라고 믿고 있는 도희는 준원이 이런 이상한 반응을 보이는 게 조금 기분이 나빴다.

"그냥 선물인데 엄청난 사이에서만 줄 수 있는 건가요? 남도 아닌데…… 이런 것도 주고받으면 안 되는 사이예요, 우리가?"

약간 상처받은 도희가 묻자 준원은 순간 살짝 당황했다.

"아니, 그게 아니라…… 이걸, 정말 입어 달라고요?"

화가 난 얼굴 앞에서 차마 뭐라고 말해야 할지 몰라 준원은 입술을 달싹였다. 아직 이런 이상한 속옷을 입고 뭔가를 할 정도로 스스럼 없는 사이는 아니라는 뜻이었는데, 도희는 그걸 오해한 듯 보였다.

"그럼 선물인데 입어야지, 안 입을 거예요?"

제대로 기분이 상해 버린 도희는 준원이 들고 있는 쇼핑백으로 손을 뻗었다.

"싫으면 줘요. 그냥 다른 사람 주게."

"다른 사람 누구요?"

"뭐…… 남자 거니까."

고민하던 도희는 가장 먼저 떠오르는 이름을 뱉었다.

"강이언……?"

"입을게요."

"네?"

강이언 한마디가 무슨 주문이라도 되는 듯 준원은 곧바로 입겠다고 대답했다.

"입겠습니다. 내가 입을게요."

도희가 황당함에 되묻자 준원은 다시금 다급하게 쐐기를 박았다. 이 코끼리 팬티를 입는 한이 있어도 도희가 강이언에게 속옷을 주는 일은 막고자 하는 의지였다.

'뭐야……?'

내용물을 당연히 셔츠로 알고 있는 도희는 그런 준원의 반응이 이상할 뿐이었다.

"그럼 지금 입어 봐요. 사이즈 맞나 봐야 하니까."

"지……금요?"

"네. 왜요? 싫어요?"

싫다고 말했다가는 저 선물이 이언에게 돌아갈지도 모르는 상황이었다. 잠시 고민하던 준원은 일생일대의 결심을 내리고 고개를 끄덕였다.

"알겠습니다. 잠깐만 기다려요."

……뭘 저렇게 심각하게 말하는 거야? 무슨 사생결단이라도 내린 사람처럼 진지하게 말한 뒤 방으로 들어가는 준원 때문에 도희는 고개를 갸웃했다. 의아한 기분으로 소파에 앉아서 준원을 기다리는데, 한참 후에 닫혔던 방문이 열렸다.

"왜 이렇게 늦게 나와…… 으악!"

저게 뭐야……?!

갑자기 웃통을 벗고 반나체로 등장한 준원 때문에 놀란 것도 잠시, 그의 괴상망측한 코끼리와 눈이 마주친 도희는 놀라 벌떡 자리에서 일어났다. 저도 모르게 눈을 반쯤 가리며 사춘기 소녀처럼 비명을 질렀다.

"왜 갑자기 벗고 나와요?! 그리고 왜 그런 끔찍한 팬티를……!"

"도희 씨가 준 거잖아요?"

"네?! 뭔 소리……!"

빨개진 얼굴로 뒷걸음질 치며 발뺌하자 준원이 하얀 선물 상자를 들어 보여 주었다.

〈코끼리 와써용 ^ㅇ^ 뿌우뿌우.〉

그리고 그 안에 들어 있는 괴상망측하기 짝이 없는 쪽지.

"……이씨."

누가 봐도 연누리가 쓴 글귀에 얼굴이 화악 달아오른 도희는 그제야 상황 파악을 할 수 있었다.

'연누리 이 미친……! 죽었어!'

하여간 제정신 아닌 기집애! 연누리 말만 믿고 뜯어 보지도 않고 준 내가 미쳤지!

도희가 간과한 것은 누리의 감당되지 않는 똘기였다.

"잠깐만요! 그거 누리가 준 건데요. 걔가 장난을 친 거예요!"

당황한 도희는 두 손을 팍 펼쳐 들고 빠르게 속사포로 준원에게 해명했다.

"저한테 셔츠라고 서준원 씨 갖다 주라고 했거든요? 근데 장난으로……!"

살짝 말끝을 늘인 도희의 시선이 아래로 내려갔다.

"장난으로 그런 것 같은데요……."

떡 벌어진 어깨와 우람한 가슴 근육, 탄탄한 복근은 쓸데없이 과하게 멋있었다. 그런 거기에 갑자기 뿌려진 아기 코끼리 팬티는 난생 듣도 보도 못한 비주얼 쇼크를 선사했다.

'연누리 이 기집애는 도대체 취향이……!'

히익. 도희는 계속해서 준원이 제게 성큼성큼 다가오자 저도 모르게 두 손으로 방어 자세를 취했다.

"스톱! 정지! 이상한 코끼리 달고 다가오지 말아요!"

"입으래서 입었더니 다가오지 말라고 하고. 목적이 뭐예요?"

"아니, 그러니까 연누리가 장난을 친 거라니까요……!"

"혹시 감상이 목적인가요? 잘 보이는 곳에 서 있을까요?"

"아, 내 말 좀 들어요!"

이미 누리의 장난이라는 도희의 말을 전부 알아들었지만, 준원은 토마토처럼 빨갛게 물든 뺨이 귀여워서 놀리기에 박차를 가했다.

"맘에 들면 만져 봐도 돼요."

"미쳤어요? 뭘 만져요!"

경기를 일으키며 소리쳤지만, 자꾸만 본능적으로 그쪽으로 가는 시선을 막을 수가 없었다. 대체 누가 저런 이상한 팬티를 애초에 만들 생각을 한 걸까. 윙크하고 있는 깜찍한 아기 코끼리와 자꾸만 눈이 마주치자 도희는 결국 눈을 질끈 감아 버렸다.

"어때요. 마음에 들어요?"

준원은 단단한 팔로 잘록한 허리를 끌어다가 제 아랫배에 딱 붙였다. 졸지에 코끼리와 키스하듯 달라붙은 도희는 몰려오는 열기와 함께 입술을 달싹거렸다. 혼미해진 정신으로 바보처럼 어버버하던 그녀는 저도 모르게 준원의 입을 이마로 박치기했다. 퍽.

"아……."

묘하게 느껴지는 데자뷔와 함께 준원은 제 입가를 손으로 가리며 앞니에 가해진 충격에 하릴없이 멀어졌다. 당황한 도희는 우왕좌왕하다가 제 젖은 머리를 상기했다.

"저……는 머리 말리고 나올게요!"

준원이 고통스러워하는 틈을 타 도희는 쏜살같이 한마디를 내뱉었다. 뒤에서 준원이 부르는 소리가 들렸으나 못 들은 체하고 욕실로 직행했다.

최대한 느릿느릿 나무늘보에 빙의해서 머리를 말린 도희는 욕실

문 앞에서 잠시 망설이다가 거실로 나왔다. 다시 옷을 제대로 갖춰 입은 준원은 소파에 앉아 도희를 가늘어진 눈으로 보고 있었다.

"……입 괜찮아요?"

도희가 약간 뻘쭘하게 물으며 다가왔다.

"글쎄요. 어때 보여요?"

"아니, 내가 그러려고 그런 건 아닌데, 좀 당황해서……."

"알고 있습니다. 전에도 장난쳤다가 중요 부위를 맞았던 경험이 있어서."

"그러니까 누가 자꾸 장난치래요? 내가 원래 당황하면 본능적으로 물리적 공격이 나가는 사람이라고요."

"언제는 칼보다 펜이 친숙한 뇌섹녀 타입이라면서요?"

"……네. 칼보다는 펜이 친숙한데, 펜보다는 주먹이 더 친숙한 사람이라 그럽니다."

준원이 픽 웃음을 터뜨리자 도희도 실소를 흘렸다.

"근데 진짜로 이가 막 흔들리거나 하지 않죠?"

"음. 좀 흔들리는 것 같기도 하고……."

"그래요? 아, 해 봐요."

가까이 다가간 도희가 준원의 얼굴을 양손으로 붙잡아 당겼다. 준원이 입을 벌리자 도희가 진지하게 살펴보며 고개를 갸웃했다.

"겉보기에는 별문제 없어 보이는……."

쪽. 입 안을 심각하게 들여다보고 있는 그녀에게 준원은 돌연 짧게 입맞춤했다. 놀란 도희가 휘둥그레 눈을 뜨자 준원이 곱게 웃음 지었다.

"농담이에요, 진짜 괜찮으니까 걱정 마요."

"……누가 걱정을 했다고."

당황한 도희는 콩닥거리는 심장을 외면하며 멀어졌다.

"큼…… 간수 잘해요. 나이 먹어서 치아 안 좋으면 고생이니까."

설렌 걸 들키기 싫어서 아무 말을 뱉었다. 커다란 눈동자를 이리저리 굴리던 도희는 벽에 붙은 시계를 발견하고 어색한 음성을 내었다.

"아, 이제 잘 시간이네요."

부자연스럽게 중얼거리며 뒷목을 만지작거렸다.

"아직 밤 10시인데요?"

"그러니까 자야죠. 내일 출근도 해야 하고……."

어지럽게 배회하던 도희의 시선이 문득 준원과 마주하자 움찔했다. 화들짝 놀란 도희가 불에 덴 듯 몸을 돌렸다.

"그럼 잘 자요."

준원의 집에 들어온 첫날 밤이었던 어제는 짐 정리하다가 그대로 지쳐 잠들었었다. 허무하게 지나가 버린 전날을 제외하면 사실상 도희가 맨정신으로 맞는 동거 첫날 밤은 오늘이었다.

"……아."

쑥스러운 기분에 한마디를 남기고서 방으로 들어가려는 찰나였다. 허리로 부드럽게 감기는 단단한 팔근육의 감촉과 함께 어깨로 촉촉한 숨이 젖어 들었다. 저도 모르게 호흡을 멈춘 도희의 귓가로 준원의 묵직한 음성이 매끄럽게 흘러 들어갔다.

"오늘은 내 방에서 같이 잘래요?"

"네…… 네?"

심장이 쿵 내려앉은 도희가 반사적으로 입술을 툭 벌렸다. 그러나 곧 목덜미로 와닿는 뜨거운 입술의 감촉에 아랫입술을 사리물며 떨리는 숨을 삼켰다.

"우리 같이 살기로 한 첫날을, 어제 그렇게 날렸는데……."

낮은 저음이 갈구하듯 도희의 고막을 함빡 적셨다.

"이렇게 할까요?"

"……뭘."

"오늘이 우리가 동거하기로 한 첫날인 거로…… 다시 정하는 거예요."

소곤소곤 속삭이는 음성에 도희의 근육은 긴장으로 수축했다.

"무엇보다 오늘은 선물로 코끼리 속옷……."

"아, 제발!"

그 얘기는 꺼내지 말라는 듯, 확 몸을 돌린 도희가 빨개진 얼굴로 준원의 입을 틀어막았다.

"그건 누리가 장난친 거라고 했잖아요. 제발 좀 그만 잊어요……!"

손바닥에 닿는 준원의 입술이 길어지며 설핏 웃음을 터뜨리자 도희의 가슴이 쿵쿵 뛰었다. 애써 침착하려고 노력했으나 내려다보는 준원은 까만 눈동자에 도저히 진정이 되지 않았다.

"알았어요."

쪽, 준원은 제 입을 막고 있는 작은 손바닥에 키스하며 웃었다. 부드럽고 촉촉한 감각에 머리부터 발끝까지 전류가 찌릿 흐르는 듯한 오묘한 기분에 사로잡혔다.

"도희 씨는, 당황하는 모습이 귀여워요."

누가 봐도 유혹하는 듯한 말과 함께 작은 손가락은 준원의 입술 사이로 포근하게 젖어 들었다. 물컹하고 뜨거운 혀가 손가락 끝을 살짝 건드리자 도희의 머리가 어질어질해졌다. 사실 서준원이란 남자에 대해 진심으로 확신하기 전까지 이런 상황은 피하려고 생각했는데…….

꿀꺽, 도희가 마른침을 삼켰다.

'……이건 틀렸어.'

이렇게 섹시한 남자를 거부할 재간은 차마 없었다. 그는 그 사실을 스스로도 잘 알고 있는 듯 여유롭게 웃으며 다가왔다. 비스듬히 각도를 틀며 그의 고개가 내려오자 도희는 반사적으로 떨리는 눈을 감았다. 뜨겁게 포개어 오는 입술에 도희의 눈꺼풀이 파르르 전율했다. 탐색하듯 윗입술을 한번 훔친 준원은 부드럽게 내려가 아랫입술을 빨아들였다.

"……괜찮겠어요?"

포근하게 핥고 떨어진 입술이 무엇을 묻는 것인지 도희는 잘 알고 있었다. 순간 살짝 주저했던 도희는 곧 묘한 끌림에 사로잡혔다.

가느다란 팔을 뻗어 그대로 준원의 굵은 목을 옭아매어 끌어당겼다. 적극적으로 부딪힌 도희는 자연스레 준원의 입술을 벌리며 진한 키스를 퍼부었다.

밀려오는 화끈한 열기와 함께 준원의 눈이 미세하게 커졌다. 그러나 잠깐이었다. 곧 준원은 능숙하게 도희의 침입을 환영하며 그녀의 입술을 집어삼킬 듯이 턱을 비틀었다. 폭풍우 같은 키스에 젖어 혼미해진 정신을 차려 보니, 어느덧 도희의 두 발이 중력을 어기고 허공 위로 떠 올랐다.

"……아."

가볍게 도희를 안아 든 준원은 도희의 이마에 쪽, 입술을 맞추며

느릿하게 침실로 향했다. 푹신한 침대 위에 도희를 조심스럽게 내려 놓은 준원이 낮게 웃었다. 두 사람의 배경은 어느새 어둑한 침실로 변했고 도희의 눈동자가 미세하게 떨렸다. 벌어진 티셔츠 틈으로 보이는 그의 근육들이 시각을 아찔하게 자극하며 괴롭혔다.

"서준원 씨…… 앗."

자연스럽게 위를 장악하며 올라온 준원이 도희의 뺨에 입술을 꾹 눌렀다. 보드레한 볼에서 시작한 무더운 숨결이 귓바퀴를 타고 은밀 하게 미끄러져 목덜미를 함빡 적셨다. 혈관을 따라 길게 흐르는 촉촉한 감각에 도희는 심장이 멎어 버릴 것만 같았다.

"1년 전 생각이 나네요."

그는 하얀 살결 위에서 웃으며 속삭였다. 로브 속으로 보드랍게 들어온 서늘한 손이 제 어깨를 어루만지는 걸 느끼며 도희가 지그시 눈을 감았다가 떴다.

"……나도 떠올라요. 그때 서준원 씨가 했던 말."

"어떤 말이요?"

"타인의 마음을 보지 않는 건…… 비겁해 보일지는 몰라도 속 편한 일이라고."

도희가 접어 두었던 기억 속에서 꺼낸 말은 꽤 의외였다. 침실의 어둠 속에 잠긴 준원의 얼굴을 보며 도희는 긴장된 숨을 삼켰다.

"그 말…… 혹시 아직도 유효해요?"

같이 사랑이란 것을 알아나가기로 했으나, 그는 여전히 종종 알 수 없는 벽을 칠 때가 많았다. 그럴 때마다 도희는 혼자 상처받아 똑같이 선을 그으려고 노력했었다. 하지만 언제까지나 이런 형태가 이어질 수는 없었다. 혹여나 그가 마음의 문을 열 생각이 전혀 없다면

이 관계에 승산은 없었다. 이대로 가면 종착점은……

"글쎄요."

뻔했다.

"난, 도희 씨가 먼저 마음을 열고 꺼내서 보여 주고……."

검은 눈으로 도희를 내려다보며 낮게 속삭였다. 준원의 커다란 손이 도희의 허리를 부드럽게 쓸어 올렸다. 실크가 맨살에 비벼지는 감촉과 함께 도희의 호흡이 거칠어졌다.

"날 끌어 주면 좋겠는데."

은밀하게 벌어진 입술이 퇴폐한 발음을 만들어 냈다. 노골적인 시선에 도희의 심장 박동이 위태롭게 어긋났다.

"늘 애매한 대답만 하네요……. 사람이 좀 치사해요."

지금, 이 순간마저도 정신은 흐트러지고 있었다. 탈주하는 이성과 함께 밀려오는 긴장은 도희가 제어할 수 있는 범주가 아니었다.

"지금 도희 씨에게 해 줄 수 있는 말은 하나뿐이에요."

준원의 길쭉한 손가락이 도희의 입술을 매만졌다.

"나에게 가장 특별한 사람입니다."

그가 부드럽게 아랫입술을 머금고 떨어지자 도희의 가슴이 두근거렸다.

"오랫동안 계속 보고 싶은 사람이기도 하고……."

달뜬 흥분이 온몸을 에워쌌다.

"매일 봐도 예쁜 사람이에요."

부드럽게 휘는 눈매에 도희의 가슴이 빠르게 뛰었다. 제 몸으로 와닿는 뜨거운 시선에 온몸이 타들어 갈 것만 같았다. 준원의 입술이 하얀 쇄골로 날아들자 도희가 반사적으로 어깨를 움츠렸다.

"1년 전엔 시간이 되돌아가서, 없었던 일이 되었으니까."

입술을 문 채 비스듬히 올라온 까만 시선이 도희를 뚫어지라 응시했다.

"우리가 같이 밤을 보내는 건……."

준원의 숨소리 같은 웃음이 터졌다.

"오늘이 처음이 되겠네요."

도희가 얼굴이 화끈 달아올랐다. 분명히 처음이 아니지만 처음이 되어 버린 역설적인 하룻밤, 두 번째 첫날밤의 시작이었다.

어둠 속에 끈적하게 늘어지는 분위기와 함께 도희의 숨이 턱 막혀 왔다. 등 뒤로 푹 눌린 매트리스의 감촉은 너무도 포근했지만, 제 몸 위를 장악하고 있는 거대한 체구에 견딜 수 없는 압박감을 느꼈다. 어두운 침실 속에서도 그런 도희의 마음을 꿰뚫어 본 준원이 낮게 웃으며 도희의 귓가에 입술을 가져다 댔다.

"혹시 긴장했어요?"

고막을 축축하게 적시는 끈적한 음성은 아주 매혹적인 저음이었다. 예민한 귓바퀴로 뜨거운 입술이 스치자 신경이 바짝 곤두섰다.

"누가…… 긴장을 했다고."

다 알면서 놀리듯이 그의 입술이 길어지며 웃음을 흘렸다. 귓불을 폭 물었다가 놓은 입술이 부드럽게 물 흐르듯 내려가 쇄골을 살짝 깨물었다.

"심장은 이렇게 빨리 뛰는데?"

도희의 두 뺨이 발그레 홍조를 띠었다. 그의 입술과 도희의 심장의 가까운 거리감에 그녀의 정신은 흐무러졌다. 포옥 눌린 입술이 살결 위에서 느릿하게 벌어지자 도희의 고개가 뒤로 넘어갔다.

"난 긴장돼요. 적당히 떨리기도 하고……."

부드러운 손길이 다정하게 어루만져 온다. 곧바로 도희의 입술을 삼킨 그가 흐드러지게 도희를 빨아들이며 서서히 점령해 갔다. 진득하게 뒤엉키는 촉촉한 숨결과 함께 꿀처럼 달콤한 감각이 홍수처럼 폭발했다.

"설레는 것 같아요."

떨어진 입술이 야릇한 숨을 뱉으며 속삭였다. 흥건해진 입 안을 삼킨 도희는 그를 향해 내달리는 제 심장을 들키기 싫어 고개를 획 돌렸다.

"거짓말……."

"정말 거짓말이라고 생각해요?"

다 알면서 놀리는 입술이 얄궂었다. 느슨하게 허리를 들어 올린 준원은 천천히 입고 있던 티셔츠를 벗었다. 곧바로 시각을 자극하는 것은 팽팽하게 부풀어 올라 야성이 넘치는 근육이었다. 운동으로 단련된 탄탄한 근육들은 저마다의 위치에서 완벽한 자태를 뽐내고 있었다.

저도 모르게 숨이 턱 막힌 도희가 멍하니 그의 몸을 바라보고 있는데, 돌연 그가 작은 손을 낚아채 제 가슴 위로 지그시 올려 두었다.

"……."

도희의 눈동자가 미세하게 흔들렸다. 뜨겁고 단단한 그의 가슴 근육 너머로 느껴지는 심장 박동은 제 것과 그리 다르지 않았다.

"도희 씨는 가끔 날 오해하고 있는 것 같아요."

그는 지금, 나로 인해 심장이 뛰고 있다.

"내가 입으로 뱉는 말들은 정말 느낀 그대로의 진심일 뿐인데."

"……표정이 늘 한결같으니까, 무슨 생각하는지 모를 때가 많아서 그래요. 의도를 몰라서 답답할 때도 많고요."

솔직한 심정을 털어놓았다. 항상 무표정에 이따금 던지는 미소조차도 의중을 몰라 어려울 때가 많다고.

"별로 대단한 의도는 없습니다."

잘록한 허리로 단단한 팔이 감기며 상체가 부드럽게 끌어당겨졌다. 어깨로 입술이 잠기며 커다란 손이 골반을 보듬자 놀란 도희가 입술을 깨물었다.

"지금 같이 자자고 한 것도……."

도희의 팔에 아슬아슬하게 걸쳐 있던 슬립 가운이 침대 아래로 툭, 떨어졌다.

"그냥 도희 씨가 예뻐서, 키스하고 싶으니까, 안고 싶으니까……."

훤히 드러난 가녀린 어깨로 그의 강렬한 시선이 와닿았다.

"그래서 침대로 데려온 것뿐입니다."

노골적인 시선에 온몸이 타들어 갈 듯이 화끈거렸다.

"……서준원 씨는, 여러 의미로 참 대단한 사람이에요."

"갑자기 왜요?"

"매번 창피한 소리를 아무렇지 않게 하니까요."

말은 그렇게 해도 선홍색으로 예쁘게 물든 뺨에서 비치는 속내마저 감출 수는 없었다. 준원이 낮게 웃었다. 부러질 듯이 가느다란 손목을 느슨하게 들어 올린 준원이 예쁘게 도드라진 뼈를 입술로 감싸며 키스했다. 터질 것처럼 박동하는 가슴을 느끼며 도희는 긴장된 음성을 내었다.

"……우리가 이렇게 함께하면, 미래에는 훨씬 더 나은 사람이 될 수 있을까요?"

확신도 예상도 아닌 단순한 소망이었다. 지금 우리의 관계가 먼 미래에서 보았을 때, 부디 후회하지 않기를, 독이 되지 않기를. 설령 과거의 추억 한 조각으로 남아 바스러지더라도.

"글쎄요. 좀 더 인간적인 삶은 살 수 있을 것 같습니다."

이 순간만큼은 우리 모두 처음으로 감정에 솔직했다고. 덕분에 더 나은 사람이 되었다고 고개를 끄덕일 수 있기를.

"……난 농담 아니고, 정말로 3개월 안에 사랑이라고 결론 나지 않으면, 끝낼 거예요."

"그렇다면 하루빨리 도희 씨를 진심으로 만들어야겠군요."

손목에 길게 키스한 그가 도희의 손을 잡고 그대로 들어 올려 매트리스 위로 꾸욱 눌렀다.

"서준원 씨나 스스로를 진심으로 만들어요."

새침한 일침에 준원이 도희의 겨드랑이 위쪽 여린 살에 입술을 묻으며 입꼬리를 올렸다.

"노력해 보겠습니다."

숨소리 같은 미소가 살결에 쏟아지며 부서졌다. 도희의 입술 틈새로 거친 호흡이 흘렀다. 그는 이제 언어가 아닌 행동으로 도희에게 말을 건넸다.

길쭉한 손가락과 촉촉하게 젖어 뜨거워진 입술은 깨지기 쉬운 유리를 보듬듯이 부드럽게 움직였다. 아로새기는 듯한 강렬한 자극에 도희의 여린 살점은 부들부들한 카스텔라처럼 부풀어 올랐다.

준원의 손과 입술이 만들어 내는 아찔한 화음에 맞춰 흡사 악기가 된 도희의 뺨은 발그레하게 열을 띠며 물들었다. 은밀하고 녹녹하게 파고드는 감각에 정신을 잃을 것만 같다.

집요하게 괴롭혀오는 입술, 그리고 긴 손가락과 거친 호흡. 길게 뻗어지는 숨 한 조각까지…….

"잠깐만……."

가빠진 숨이 턱 끝까지 차올라 그대로 준원의 머리를 짚었다. 그 모든 게 미칠 것 같아 타임을 외쳤다. 입술을 뗀 그가 느슨하게 허리를 들어 올리고 도희의 뺨을 부드럽게 쓰다듬었다. 도희를 가만히 내려보다가 쪽, 입술에 가볍게 입을 맞추었다.

"아름답네요……."

그의 입꼬리가 나른하게 늘어졌다.

"도희 씨."

이대로 기절해 버릴 것만 같았다. 그가 작년에 제게 했던 말과 똑같은 말이었다.

"변함없이 예뻐요."

머릿속은 뒤죽박죽 엉망진창이었으나, 감정은 제어할 겨를도 없이 울컥 거품처럼 솟아 버렸다. 1년 전과는 또 달랐다. 그 어느 남자와의 관계에서도 이런 기분을 겪어 본 적이 없었다.

"……아!"

도희가 흐읍, 여린 숨을 삼켰다. 강렬한 기운이 거칠게 진동하자 두 눈을 질끈 감았다. 깊숙이, 더 깊숙이. 제 안으로 스며든 서준원이란 남자의 존재감이 여린 가슴을 전부 헤집어 놓았다. 곧이어 예고 없이 파고드는 것은 한없이 초라한 상념이었다.

'……이 남자의 눈에서, 진심 어린 사랑이 느껴질 날이 올까?'

그가 확실한 답으로 날 안심시켜 줄 날이 올까? 더는 그의 진심을 의심하지 않을 날이 올까……. 내가 과연, 이 남자를 진심으로 사랑한다고 느껴질 날이 올까.

'하지만 확실한 건…….'

지금 이 남자의 품에 안겨 있는 시간이 더없이 안심된다는 것이었다. 타인과 하나가 되어 느껴지는 안정감은 이루 말할 수조차 없었다. 맞닿는 감촉이, 따스한 체온이, 혼자가 아니라는 것을 강렬하게 인식시켜 주었다.

성공에 점점 더 가까워질수록 짙어졌던 마음 한구석의 공허함이 서준원이라는 남자로 차곡차곡 겹겹이 채워져 갔다. 이 순간만큼은 30년 동안 묵혀 왔던 인생의 짐을 내려놓는 기분이었다.

'좋아…….'

계속 이렇게 같이 있고 싶어. 이 정도면 사랑이 아닐까?

도희는 저도 모르게 그런 생각을 했다. 감고 있던 눈을 뜨자 흐릿해진 시야로 준원의 얼굴이 들어왔다.

'사랑이…….'

그의 까만 눈동자와 마주한 순간 도희의 심장이 쿵 내려앉았다.

'사……랑이…….'

숨이 턱 막혀 올라왔다. 순간 얼굴이 화끈 달아올랐다. 항상 건조한 준원의 검은 눈동자가 지금, 이 순간만큼은 본능적 욕구와 뒤엉켜 어둑하게 타오르고 있었다. 그가 나를 원하고 있다. 그 사실 하나가 도희를 이성을 완전히 끊어지게 만들었다.

"도희 씨."

준원은 도희의 허리를 감아 끌어당기며 도희의 작게 벌어진 입술에 키스했다.

"목소리를 들려 줘요……."

"……무……슨……."

"나도 도희 씨가 내 이름을 편하게 불러 주는 걸, 듣고 싶습니다."

멍하니 넋을 놓고 있던 도희가 준원의 어깨를 잡고 있던 손을 올려 그의 목을 꽉 껴안았다. 체액에 젖은 입술이 그의 어깨에서 비벼지며 발음했다.

"……준원 씨."

작은 목소리에 나직하게 웃은 준원이 도희의 이마에 상냥하게 입을 맞추었다.

"기쁘네요. 그렇게 불러 주니까."

……친절하고 다정한 눈빛.

'그래…….'

난 이 눈이 건조해지는 순간이 무서웠던 거야. 그래서 일부러 선을 긋고 마음 없는 척, 상처받지 않은 척, 스스로의 감정과 기분을 부정하고 벽을 세웠어.

'하지만 더는…….'

"하아……!"

일순 도희의 눈이 크게 뜨여졌다. 끊어 낼 수 없는 본능으로 머리가 가득 차서 더 이상 생각 따위를 할 수 없었다.

'이제 아무 생각도 못 하겠어…….'

나는 지금, 사랑에 다가가고 있는 걸까. 지금은 그저 이 기분과 감정에 오롯하게 집중하고 싶다.

'아무것도…… 생각하고 싶지 않아.'

지그시 떨리는 눈을 감고 준원을 끌어안았다. 길고 긴 열락의 화염은 끝날 기미가 없이 밤새도록 이어졌다. 그간 홀로 보냈던 수없이 많은 밤과는 완전히 다른, 영원히 잊지 못할 두 번째 첫날밤이었다.

커튼 틈으로 흘러들어오는 어스름한 햇살에 도희는 가늘게 눈을 떴다. 멍한 정신으로 주위를 둘러보다가 문득 제 허리를 어루만지는 커다란 손을 느꼈다. 저도 모르게 흠칫 놀라 고개를 들어 올리자 준원의 웃는 얼굴이 보였다.

"일어났어요?"

도희가 살짝 얼굴을 붉혔다. 먼저 일어난 그가 자는 도희를 가만히 바라보며 구경하고 있었던 탓이었다. 대체 언제부터 일어나서 보고 있었던 걸까?

지치지도 않고 뚫어져라 와닿는 시선에 도희가 고개를 홱 돌렸다.

"왜 아침부터 보고 있는 거예요?"

나무라는 듯이 말해도 그는 여유롭게 웃으며 도희의 뺨에 입을 맞추었다.

"1년 전에 보지 못했던 아침 얼굴을…… 보고 싶었을 뿐입니다."

촉촉하게 문대어 오는 달콤한 감촉과 함께 그의 길쭉한 손가락이 척추 하나, 하나를 더듬는 듯이 쓸며 올라갔다. 전날의 여운을 되새기는 듯한 행동에 도희의 머릿속으로 간밤의 기억이 불쑥 파고들었다.

길고 길었던 키스와 느릿하게 속도를 조율하던 손길, 닿는 부위마다 몰리는 열감과 축축한 피부의 감촉이 아직도 생생했다. 엄청난 속도로 뛰던 심장 박동이 온몸으로 번져, 그야말로 살아 있다고 느끼는 순간이었다.

그 기억을 더듬자 다시금 두 뺨이 빨개지며 몸에 열이 올랐다. 회상만으로도 후끈 달아오른 스스로가 당혹스러워 도희가 다급히 몸을 일으켰다.

"아, 오늘 PT 미리 가서 준비해야 하는데, 빨리 일어나야……."

창피함에 도피하려던 몸은 준원의 굵직한 팔에 의해 저지되었다. 허리에 감긴 단단한 손이 잘록한 허리를 훅 끌어당겨 침대에 도로 눕혀 안았다. 놀란 도희의 눈이 커졌다.

"어땠어요?"

"……뭐가요?"

"난 좋았습니다. 1년 전보다 더."

하얀 얼굴은 곧 터질 것 같은 토마토처럼 새빨개졌다.

"무슨……."

"아침에 자는 도희 씨 얼굴까지도 볼 수 있어서, 굉장히 만족스러웠습니다."

낯뜨거운 소리와 함께 쏟아지는 끈적끈적한 눈빛에 도희가 재빨리 눈을 피했다.

"얼굴색 하나 안 바뀌고 그런 말을……."

사그라드는 말꼬리와 함께 도희의 입술이 오므라들었다.

"……뭐, 나도 나쁘지는 않았어요."

밀려오는 뻘쭘함에 얇은 검지로 볼을 긁적였다. 커다란 눈동자가 이리저리 바쁘게 구르는 걸 귀엽게 보던 준원이 낮게 웃었다.

"나쁘지는 않은 정도라……."

"……큼."

……사실 미치도록 좋았다. 도희의 서른 평생 모든 경험 중, 이 남자와의 밤이 그 무엇과도 비교할 수 없이 단연 최고였다.

너무…… 너무 잘해서 약간 화가 날 정도.

"알겠습니다. 앞으로 더 기분 좋게 해 줄게요."

이 남자보다 먼저 사랑에 빠지지 않겠다고 굳게 결심했는데.

'난 틀렸어, 이미…….'

결국 지난밤, 도희는 이 남자에게 한 발짝 더 진심으로 다가가게 되었다.

"이제 빨리 출근 준비해요, 우리."

"같이 씻을까요?"

"됐거든요. 하룻밤 잤다고 그렇게 허물없이 지낼 생각 없어요."

"두 번 잤는데요."

준원이 툭 던진 장난에 도희가 눈을 흘겼다.

"설마 그거 농담이랍시고 한 건 아니겠죠?"

"역시 재미없었나요?"

"네. 심각하게."

"도희 씨 배꼽 빠지게 만드는 게 내 최종 목표인데 큰일이네요."

"헐, 뭐래. 배꼽 지킴이 아니고요?"

어이가 없어서 살풋 웃음을 터뜨리자 곧바로 준원이 건수를 잡아 놀렸다.

"지금 웃었다. 그렇죠?"

"아니거든요. 어이가 없어서 웃은 거거든요?"

"실소도 웃음이죠. 바로 그 부분을 노렸어요."

준원이 픽 웃으며 말하자 결국 도희는 소리 내어 웃음을 터뜨리고 말았다. 두 사람의 웃음소리가 어우러져 아침 햇살이 한가득 들어오는 침실을 울렸다.

꼬박 1년하고도 2개월 만에 다시금 맞은 두 번째 첫날밤. 그리고 처음으로 함께 얼굴 보며 맞이하는 몸과 마음이 고스란히 충만한 아침이었다.

첫날밤만
세 번째

VOL. 2   Three First Nights

CHAPTER 9

나비효과

9

나비효과

시간은 늑장 부리기 빠듯한 시간으로 달려가고 있었지만, 준원과 도희는 여전히 침대 위에서 떠날 기미가 없었다.

"이제 진짜 일어나야죠, 얼른."

말은 그렇게 해도 도희 역시 이 여유로운 순간을 좀 더 즐기고 싶었다. 말없이 도희를 가만히 바라보던 준원이 얇은 허리의 곡선을 따라 뜨겁게 어루만지며 낮게 웃었다. 살결 위를 쓸어내리는 손길에 움찔한 도희의 입술이 벌어졌다.

"……아, 뭐 하는 거예요, 아침부터."

민망해진 도희가 한쪽 팔로 가슴을 가리며 벌떡 상체를 일으켰다.

"나라도 먼저 일어나야…… 아!"

탈출을 꿈꿨으나 또다시 준원에 의해 저지당했다. 그가 도희의 팔을 잡고 확 끌어당겨 침대에 도로 눕힌 탓이었다.

힘줄이 도드라진 단단한 팔은 도희의 허리를 한쪽 팔로 확 끌어당겨 제 복부와 뜨겁게 밀착시켰다. 놀란 도희가 숨을 집어삼켰다. 아침부터 느껴지는 뜨거운 열기에 정신이 어질어질한 와중에 도희의 부드러운 등의 곡선을 따라 내려가던 손이 골반을 보듬듯이 끌어안 았다. 두 몸이 완전히 밀착하자 도희의 심장이 터질 것처럼 뛰었다. 일어나려고 해도 허리를 꽉 끌어안은 그의 단단한 팔은 도무지 놓아 줄 기미가 없었다.

"시간은 이 정도면 넉넉한데……."

느슨하게 벽시계를 확인한 검은 눈동자가 끈적하게 굴러 도희에 게로 향했다. 곧 붉은 머리카락 사이를 파고든 길쭉한 손가락이 그 대로 도희의 뒷머리를 끌어당겨 입술을 삼켰다.

아랫입술과 윗입술을 번갈아 빨던 그가 더욱 견고하게 입술을 맞 물려 왔다. 묵직하게 파고드는 그의 열기가 온 입을 헤집어 놓자 도 희의 숨이 거칠어졌다. 들쑥날쑥 불안정해진 호흡을 따라 커다란 손 이 도희의 하얀 목덜미를 더듬거렸다. 이내 떨어진 입술은 손의 경 로를 따라 부드럽게 턱을 타고 미끄러졌다.

"아니, 잠깐만……."

제 목덜미로 젖어 드는 뜨거운 숨에 도희의 살결이 파르르 떨렸 다. 쪽, 여리게 번지는 마찰음과 함께 도희의 머릿속은 새하얗게 물 들었다. 훤히 밝은 아침이었기에 본능적으로 창피함이 몰려왔으나, 이 남자는 부끄러움이라는 단어 자체를 모르는 듯했다.

"선택지를 줄 테니 골라요."

어둑하게 달아오른 음성이 도희의 귓가를 흠뻑 적셨다.

"아침을 먹을지, 아니면……."

"……."

"한 번 더 할지."

그러니까 이렇게 부끄러운 소리를 하지. 내려다보는 까만 눈동자에 정신이 혼미해진 도희는 떨리는 입술을 깨물었다가 놓았다.

"아침…… 아니, 한 번……. 아니, 아침……."

눈앞이 팽팽 돌고 새하얗게 물드는 통에 도희는 스스로 뭐라고 말하는지도 모르는 상태가 되었다.

"하, 한 번 더 먹을게요!"

"……."

"……."

황당한 말실수와 함께 1초 정적이 흘렀다. 당황한 도희의 얼굴이 달아올랐다.

"……잘못 말했어요. 아침 먹자는 얘기였어요."

이성과 본능이 섞여 이상한 형태로 잘못 튀어나온 것이었다. 본능은 좀 더 즐기라고 말했지만, 이성은 그러다가 하루 종일 야한 생각만 할 거라고 안 된다고 말하고 있었다. 황급히 수습하니 준원이 픽 웃으며 도희의 머리를 쓰다듬었다.

"알겠어요. 그럼 일단 씻고 나와서 같이 아침 먹어요."

그렇게 말한 준원은 침대에서 일어나 욕실로 뚜벅뚜벅 걸어갔다. 그리고 그 뒷모습을 마주한 도희는 저도 모르게 넋을 잃고 한참을 멍하니 바라보았다.

떡 벌어진 어깨에 잘 빠진 등 근육이 목덜미부터 허리까지 정교하게 이어져 있었다. 그야말로 나무랄 데 하나 없는 완벽한 육체를 침을 삼킬 새도 없이 홀린 듯 보다 보니 저도 모르게 입 안이 촉촉해졌다.

그때, 돌연 준원이 확 뒤를 돌아보자 흠칫 놀란 도희가 부자연스럽게 딴청을 피웠다.

"궁금한 게 있는데요."

"네? 아, 네."

"혹시 먹고 싶다는 게, 아침이 아니라 나는 아니죠?"

살짝 뜨끔한 도희가 벌게진 얼굴로 소리치며 베개를 잡아 던졌다.

"아, 뭔 말도 안 되는 소리예요!"

여유롭게 탁, 베개를 잡은 준원이 도로 침대에 던져 놓으며 실소했다.

"얼굴에 욕망이 가득하길래."

"……쓸데없는 소리 하지 말고 씻고 나오기나 해요."

뽀로통하게 중얼거리자 준원이 어깨를 으쓱하며 욕실로 들어갔다. 그가 완전히 시야에서 사라지고 나서야 도희는 하아, 깊은숨을 몰아쉬었다.

그리고 그 순간, 협탁에 올라와 있던 준원의 휴대전화가 짧게 진동했다. 자연스레 시선이 흘러 그의 액정화면 위로 꽂혔다.

[오빠. 나, 유나. 번호 그대로지?]

차유나로부터의 문자였다. 순식간에 차게 식은 도희의 눈매가 날카로워졌다.

[다름이 아니라, 우리 이따 미팅할 때 서로 티 내지 말자고 말하고 싶어서. 약혼했던 사이라는 거.]

"……뭐라는 거야, 이 미친 애는?"

어이가 없어 콧방귀를 뀌었다. 정작 메시지 목록을 보니 준원은 그녀의 문자에 한 번도 응답해 준 적이 없어 보였다.

"SNS에서 좀 알아준다고 자기가 무슨 핫한 인물이야, 뭐야? 어디 듣보잡이 연예인 병에나 걸려서."

열 받은 도희는 저도 모르게 준원의 휴대전화를 낚아채 답장을 보냈다.

"네 코나 닦으세요. 이 뽀사진 불가사리……."

라고 문자를 보내려다가 멈칫했다.

"맞다. 서준원 말투로 보내야지. 이러면 너무 나인 거 티 나잖아."

잠시 열을 삭인 도희가 퍼뜩 정신을 차리고 다시 제대로 문자를 보냈다.

그 시각, 차유나는 임시로 묵고 있는 호텔에서 준원에게 문자를 보내 놓은 뒤, 한참을 똥 마려운 강아지처럼 서성이고 있었다. 곧 띵동, 하고 울린 문자 소리에 용수철처럼 달려가 핸드폰을 열어 보았다.

[그쪽의 코나 닦으십시오. 불가사리 씨.]

"……뭐야?"

제 눈을 믿을 수 없어 몇 번을 감았다가 떴다가를 반복했다. 얼빠진 얼굴로 문자를 보던 유나가 핸드폰을 뒤집으며 이리저리 각도를 달리하여 살펴보았다.

"이거 완전히 백도희 말투인데……."

어이가 없어 헛숨을 터뜨렸다.

"이 시간에 왜 같이 있는 거야?"

이른 아침부터 같이 있다는 건, 그 의미가 불 보듯 뻔했다. 하지만 불과 얼마 전에 레스토랑에서 우연히 만났을 때, 분명히 준원은 그저 회사 동료일 뿐이라고 못을 박았었다. 그럼 그 잠깐 사이에 관계에 진전이라도 있었던 걸까?

"······하아."

속이 답답해진 유나는 제 가슴을 두어 번 두드리며 깊게 한숨을 내쉬었다. 홀린 듯 카메라 앨범을 들어간 유나는 2년 전에 촬영했던 준원과 저의 웨딩 사진을 가만히 바라보았다. 이 웨딩 촬영도 유나가 반드시 해야 한다고 강력하게 밀어붙여서 했던 것이었고, 촬영 당일 준원은 단 한 번도 카메라를 보며 웃지 않았었다. 떨리는 엄지로 미지근하게 열 오른 액정을 문지르다가 눈을 지그시 감았다가 떴다.

"······만약 내가 지쳐서 먼저 나가떨어지지 않았으면, 오빠는 언젠가 날 사랑해 줬을까?"

애초에 쇼윈도 부부를 조건으로 합의 보았던 결혼이었지만, 시간이 흐르면 자연스럽게 정이 들지 않았을까?

"······하긴, 그럴 리가 없지."

내가 자기 눈앞에서 다른 남자랑 뒹굴어도 눈 하나 깜빡 안 하던 사람인데.

"하지만 이젠 나도 다 필요 없어······."

평생 사랑받지 못하더라도 괜찮으니까, 다시금 준원과 가장 가까운 사람이 되고 싶다.

"나중에 후회하는 거보단, 부딪혀 보는 게 나으니까."

준원과 도희는 식탁에 마주 앉아 여유롭게 아침 식사를 했다. 된

장찌개와 계란말이, 몇 가지 밑반찬이 전부인 단출한 식탁이었으나 도희는 신기한 듯 사진을 여러 장 찍었다.

"아, 그러고 보니 우리 밥 먹기 전에 아버님께 보낼 사진 찍어야 해요."

전희선 화백의 그림 31점에 대한 상속권을 준원에게 주는 대가로 한 달간 매일 아침 셀카를 찍어서 보내야 했다.

"자, 여기 봐요."

셀카 모드로 변경해서 팔을 길게 뻗은 도희가 화면에 준원과 저가 모두 담기도록 각도를 맞추었다.

"아, 좀 웃어 봐요."

"웃고 있는데요?"

"가짜 웃음 같잖아요. 좀 자연스럽게 미소를 지어 보라고요."

"너무하네요. 갑자기 내 웃음을 부정하다니."

"활짝 웃으라는 의미죠. 이왕이면 웃는 얼굴로 찍는 게 좋잖아요."

한 번 더 단단히 주의를 준 도희가 다시 사진을 찍었다. 찰칵.

"오케이, 이걸로 보낼게요?"

"네. 이제 어서 먹어요."

사진을 전송한 도희가 수저를 들었다.

"잘 먹겠습니다."

숟가락으로 갓 지은 현미밥을 퍼 올린 도희가 입에 넣고 우물거렸다.

"도희 씨는 원래 아침 먹는 스타일이에요?"

"전 원래는 안 먹어요. 뭐, 귀찮아서 못 먹었다고 해야 하나."

애초에 요리에는 재능도 없을뿐더러 회사부터 집까지 거리가 상당했기에 아침에 일어나서 출근하는 것만으로도 벅찼다.

"이 집에서 같이 사니까 회사 가까운 점이 진짜 좋네요. 아침 먹을 시간도 생기고."

준원의 입꼬리가 미미하게 올라갔다.

"맛있어요?"

"네. 음식 솜씨 진짜 쓸 만하네요. 혼자 살 때도 이렇게 아침마다 해서 먹었어요?"

"그런 날도 있고, 아닌 날도 있고요."

"난 10년간 혼자 살면서 한 번도 아침에 밥해 먹은 적 없는데. 여러모로 대단하네요."

도희는 바쁘게 수저를 움직이며 밥을 먹는 데 열중했다.

"어쨌든 오늘은 밥 많이 먹고 정신 똑바로 차려야 해요. 차유나 그 기집애가 본사로 미팅 오는 날이니까."

"차유나하고 사이 안 좋다고 했죠?"

"뭐, 그렇죠. 서로 만나서 살인 안 나면 다행인 원수지간이에요. 걔 얼굴 보고 혈압 올라 쓰러지지 않으면 다행인 정도."

하동현이 낸 차유나 셰프와의 콜라보레이션 기획이 통과만 되지 않았어도 이런 끔찍한 사태는 없었을 텐데. 평생 만나기 싫은 원수와 비즈니스적으로 엮이다니, 통탄스러운 일이 아닐 수 없었다.

"팀장님도 껄끄럽지 않겠어요? 감정 없는 약혼이었다고 해도 일단은 결혼할 뻔한 여자인데."

"별로 아무렇지도 않아요. 이제는 완전히 남이니까."

"음. 사실 우리 셋이 한 장소에 비즈니스 때문에 엮인다는 것 자체가 코미디인데. 하동현은 왜 그런 아이디어를 내서……."

도희는 불만을 쏟아 내며 계란말이를 입에 물고 오물거렸다. 아무 생각 없이 열심히 밥을 먹던 도희는 문득 시선을 느끼고 슬그머니 고개를 들어 올렸다.

"……."

준원은 먹는 도희를 뚫어져라 응시하고 있었다. 조금의 흔들림도 없이 진득하게 와닿는 시선에 도희는 살짝 당황했다. 괜히 열이 오르는 기분에 꿀꺽, 침을 삼켰다.

"……왜요? 내 얼굴에 뭐 묻었어요?"

하도 빤히 보니, 이유가 그거 외엔 떠오르지 않았다.

"네. 묻었네요."

"어디요?"

"이리 와 봐요. 내가 닦아 줄게요."

준원이 손짓하자 도희가 상체를 가까이 기울였다.

"아……!"

그 순간, 준원은 순식간에 도희의 턱을 잡아 끌어당겼다. 비스듬히 고개를 틀어 아랫입술을 한 번 빨고 떨어진 준원이 낮게 웃었다. 다시 겹친 입술 사이로 가볍게 키스한 그가 입술 틈을 촉촉하게 핥으며 떨어졌다.

"뭐 하는 거예요?"

놀란 도희는 벌렁거리는 가슴을 느끼며 태연한 척 물었다.

"글쎄요. 모닝 키스?"

"아니, 밥 먹다가 느닷없이, 뭐 이런 족보도 없는……."

쪽.

"아, 사람이 말하고 있는데 왜 자꾸……."

쪽. 또 한 번 입술이 짧게 자국을 남기고 떨어졌다. 말을 하려고만 하면 뜬금없이 입을 맞춰 오는 통에 도희는 불만도 제대로 쏟을 수가 없었다. 이 와중에 살짝 설레 버린 자신이 자존심 상해 도희의 얼굴이 붉으락푸르락 달아올랐다.

"이제 키스든 뽀뽀든 할 때 허락받고 하세요!"

"매번 할 때마다요?"

"네. 매번 물어보고 하라고요. 막 하지 말고.

"음…… 그래요."

준원이 어깨를 으쓱했다.

"매번 물어보고 하죠, 뭐."

도희는 그때 미처 알지 못했다. 그 말이 원흉이 될 줄은.

동거를 시작하고 나서부터 하도 뜬금없이 키스를 해 오기에, 도희가 홧김에 던진 말이었다. 그리고 그 말이 원흉이 될 줄은 꿈에도 몰랐다.

"키스해도 됩니까?"

시도 때도 없이.

"키스할래요?"

느닷없이 갑자기.

"키스해도 돼요?"

밑도 끝도 없는 상황에.

"그만 물어봐요, 그만!"

도희는 손을 뻗어 준원의 입을 틀어막았다. 출근 준비를 마치고 집 밖에 나설 때까지 계속 물어보는 탓에 노이로제가 걸릴 것 같았다.

"무슨 아침부터 지하 주차장까지 내려오는데 3번이나 물어봐요?"

"싫어요?"

"아니, 싫다기보단……."

나란히 주차되어 있는 도희와 준원의 차로 걸어간 두 사람이 마주 보고 섰다. 도희는 골치 아프다는 듯 한 손으로 머리를 짚었다.

"그냥 취소할게요. 물어보지 않아도 돼요. 전처럼 그냥 해요."

계속 물어보고 하니 차라리 이편이 낫겠다 싶었다. 그러나 그 말이 끝나기 무섭게 은근하게 웃으며 다가오는 엉큼한 얼굴. 요구하는 바가 명확한 접근에 도희는 하는 수 없이 받아 준다는 듯 지그시 눈을 감고 기다렸다.

"……응?"

그런데 한참이 지나도 입술엔 아무것도 와닿지 않았고, 이상함을 감지한 도희가 눈을 떴다. 마술처럼 시야에서 온데간데없이 사라진 준원에 도희의 눈이 똥그랗게 뜨여졌다. 곧바로 옆에서 시동 거는 소리가 들려오더니 준원이 차를 타고 쌩하니 지하 주차장을 빠져나가 버렸다.

"저 자식이……!"

또 놀림당한 것이었다. 멀어지는 차를 노려보고 있으니 열린 창문 틈으로 준원이 손을 뻗어 몇 번 휘적거렸다. 분개해서 씩씩거리던 도희는 그의 차가 사라지자마자 핑크빛으로 달아오른 제 얼굴을 감싸며 자리에 주저앉았다.

"하……."

나 어떡해, 진짜.

정말 나이 서른에 늦깎이 첫사랑을 하게 생긴 도희였다.

준원과 도희는 이제 같이 동거도 하는 사이였지만, 회사에서는 칼 같이 비즈니스적으로만 서로를 대했다. 두 사람 모두 일에 진지한 사람들이었고 공과 사의 구별이 확실했기 때문이었다.

"팀장님, 프레젠테이션 준비 마쳤습니다."

오늘은 차유나 셰프가 직접 본사로 찾아와 KSS 그룹과의 간편식 콜라보 프로젝트를 진행할지 말지에 대한 최종 결정을 하는 날이었다. 도희는 감정의 흐트러짐 없이 일적으로만 차유나를 대하겠다고 굳게 다짐하며 주먹을 꽉 쥐었다.

준원과 도희, 양지예 대리와 김새봄 등 회의실에는 프로젝트에 참여하는 인원들이 모였다. 곧 하동현 대리가 연락을 받아 로비로 마중을 나갔고, 얼마 지나지 않아 또각, 또각, 구두 굽이 부딪히는 소리와 함께 차유나가 모습을 드러냈다. 회의실로 들어선 그녀는 긴 머리카락을 한쪽으로 넘기며 웃었다.

"안녕하세요. 셰프 차유나입니다."

한국에 들어와 개업한 레스토랑이 SNS에서 대박을 터트리면서, 유나는 텔레비전에도 간간이 모습을 보이며 준연예인급으로 활약하고 있었다. 그녀의 옆에 서 있던 남자가 차유나 셰프의 매니지먼트 관계자라며 명함을 건넸다.

"네, 처음 뵙겠습니다. KSS그룹 서준원 팀장입니다."

준원과 유나는 짜기라도 한 것처럼 서로를 철저하게 모른 척하며 인사를 건넸다. 잠시 꼴사납다는 눈으로 유나를 바라보던 도희도 곧바로 비즈니스 미소를 안면에 가득 띄웠다. 그나마 차유나가 공과 사는 구분하는 듯해서 다행이라는 마음으로 도희는 준비했던 프레젠테이션을 시작했다.

"……해서, 여기에 차유나 셰프님의 레시피를 더하는 것입니다."

능숙하게 발표를 이어 나갔으나 유나는 도희의 PT를 듣는 둥 마는 둥 하며 준원만 흘끔흘끔 훔쳐보기 바빴다.

"이제껏 간편식에서 볼 수 없었던 유일무이한 콜라보레이션이 될 것이라고 확신합니다."

도희는 치밀어오르는 화를 누르고 억지웃음을 띄우며 마지막까지 발표를 완벽하게 마쳤다.

"괜찮네요. 저에게도 메리트 있는 기획이라고 생각해요."

제대로 듣지도 않았으면서 부드럽게 웃으면서 준비했던 말을 건네는 유나 때문에 도희는 속이 더 답답해졌다.

"결정은 언제까지 될까요? 이미 일정이 많이 늦어져서, 빠르게 결정해 주시면 좋겠습니다."

준원이 건조한 음성으로 묻자 내심 상처받은 유나는 테이블 아래에서 주먹을 꼭 쥐었다. 계속 준원을 흘끔거리느라 바빴던 유나에 비해 준원은 그녀의 쪽에는 관심조차 없어 보였다.

'아무리 그래도 어떻게 결혼할 뻔했던 여자를…… 저렇게 남처럼 대할 수 있는 거지?'

아직도 2년 전 기억에 매여 있는 유나와 달리 준원은 전부 다 잊은 듯 보였다. 유나는 울컥한 감정을 누르며 차분히 목소리를 내었다.

"바로 이 자리에서 결정할게요. 하겠습니다."

유나의 말에 준원은 고개를 끄덕였고, 하 대리는 반색하며 손뼉을 쳤다.

"하하, 셰프님! 감사합니다. 제가 더 열심히 서포트 할 수 있도록……."

"다만."

유나가 하 대리의 말을 끊으며 생글 웃었다.

"이건 전부 도희 언니 때문에 하는 거란 것만 알아주시면 좋겠어요, 모두."

갑작스러운 발언에 회의실의 모두가 술렁였다. 일순 싸늘해진 도희의 표정을 포착한 유나가 부드럽게 미소 지으며 머리를 귀 뒤로 넘겼다. 잠시 어리벙벙하게 있던 하 대리가 슬쩍 유나에게 질문을 던졌다.

"아, 맞다. 백도희 과장님하고 아는 사이라고 하셨죠? 저하고 전화하셨을 때."

"네. 언니가 말 안 했나 봐요?"

처음 듣는 얘기에 회의실의 모두가 궁금증을 띄웠다. 아는 사이라면 왜 처음부터 알은척을 하지 않았는지부터 시작하여, 어떻게 아는 사이인지 등 여러 호기심이 산발적으로 피어올랐다. 그 틈에서 유나는 상냥한 미소를 띤 채 도희를 똑바로 쳐다보며 말을 이었다.

"저희 되게 친한 사이예요. 중학교, 고등학교도 같이 나왔거든요."

……저 미친년이 뭐라고 지껄이는 거야?

도희는 온몸에 피가 마르는 기분이었다. 도희에게 학창 시절이란 차유나가 퍼뜨린 소문 때문에 고아에 도둑년이라고 손가락질받았던 최악의 시기였을 뿐이었다. 10대의 끝자락을 완전히 망쳐 놓았던 주범이 더없이 친했다는 헛소리를 늘어놓자 도희는 이성을 잃을 것만 같았다.

"어머, 중고등학교 동창! 그러셨구나! 과장님이 말씀을 안 하셔서 몰랐어요."

양 대리가 웃으며 싹싹하게 반응했으나 그럴수록 도희의 표정은 점점 더 어두워질 뿐이었다.

"네. 가족처럼 자랐거든요. 하하, 자매 같은 사이죠."

의중을 알 수 없는 말에 준원의 미간에도 실금이 그어졌다. 살짝 고개를 돌려 바라본 도희의 표정은 굳어 있었다. 그 얼굴에 준원이 이제 유나가 쓸데없는 말을 하지 못하도록 저지하려는 찰나였다.

"언니가 공부를 되게 잘해서, 고등학교 때까지 저희 재단에서 후원을 받았거든요."

유나는 태연하게 아무렇지 않은 표정으로 해맑게 말을 이었다.

"그래서 저희 집안과는 굉장히 인연이 깊어요."

도희의 심장이 쿵, 내려앉았다. 자존심이 갈기갈기 찢어발겨지는 소리가 들려왔다.

"아, 잠깐…… 이거 말하면 안 되나?"

유나는 말실수한 척 입을 가리며 울상을 지었다.

"죄송해요. 취소할게요."

도희의 심장이 발작하듯 쿵, 쿵, 쿵, 쿵, 뛰었다. 지난 7년간, 회사에서 완벽하게 쌓아 왔던 도희의 고고한 이미지가 무너지는 소리였다. 그간 결함 하나 없는 완벽주의자로 철저하게 스스로를 만들어 왔고, 덕분에 아래에서는 존경을 받았고 위에서는 총애를 받았다. 회사에서만큼은 그 누구도 도희를 불쌍해하지 않았고 오히려 동경이나 인정하는 눈으로 바라봤었다.

그런데 이들 앞에서 후원을 받았다고 말을 하다니……. 순식간에 찬물을 끼얹은 듯 싸해진 회의실에는 잠시 침묵이 감돌았다.

"……알겠습니다. 그럼 이렇게 진행하는 거로 하고, 오늘 마무리하겠습니다."

준원이 서늘한 정적을 뚫고 어수선해진 자리를 갈무리했다.

폭풍우가 한바탕 몰아쳤던 미팅이 끝나고, 도희와 유나는 사람이 없는 한적한 옥상에서 단둘이 대립했다. 도희는 살기를 띤 눈으로 유나를 노려보며 씹듯이 뱉었다.

"야, 이 미친년아. 네가 거기서 후원 얘기를 해?"

"어머, 언니 왜 화를 내?"

유나는 생글생글 웃으며 말을 이었다.

"미안하긴 한데, 내가 없었던 일 얘기한 건 아니잖아. 그냥 사실을 말한 건데."

"하……."

도희는 차오르는 분노에 주먹을 꽉 움켜쥐었다. 고등학생 시절, 유나와의 기억이 떠오르며 꽉 앙다문 이가 떨려 왔다.

"11년 전에도 넌 똑같이 이따위로 굴었어. 내가 부모 없는 년에 너희 집에 빌어먹는 거지라고, 개 같은 소문 내고 뻔뻔하게 굴었지."

그 소문 때문에 도희의 학창시절은 완전히 망가졌었다. 당시 그런 헛소문을 낸 걸 따지니 당시 유나는 얼굴색 하나 바뀌지 않고 환히 웃으며 뻔뻔하게 응수했었다.

'그게 왜 헛소문이야?'

'뭐?'

'언니 부모 없는 것도 반지하 방에서 사는 것도 맞잖아? 게다가 우리 집 후원받아서 사는 거 아니었어?'

그때 곧장 유나의 멱살을 쥐었으나, 끝내 날리지 못했던 주먹이 여태 미련으로 남았다.

"하……."

하얗게 질릴 정도로 꽉 움켜쥔 도희의 주먹이 파르르 떨렸다.

"예나 지금이나 똑같이 싸가지가 없구나, 넌."

유나가 픽 웃었다.

"언니도. 예나 지금이나 한결같이 재수 없네."

헛숨을 터뜨린 도희의 미간이 험악하게 좁아졌다. 두 사람 사이에 잠시 적막이 흐르며 팽팽한 기류가 오고 갔다. 묘한 분위기 속에 서로를 가만히 노려보다가, 유나가 웃으며 입을 열었다.

"준원 오빠랑은 무슨 사이야?"

"그걸 네가 알아서 뭐 하게?"

"신경 쓰이니까."

하, 도희가 헛웃음 쳤다. 역시나 이 콜라보레이션을 수락한 데에는 준원과 한 번이라도 더 엮이고자 하는 마음이 있었던 것이었다.

"알잖아. 준원 오빠하고 나, 결혼하려고 했던 사이란 거."

"어, 알지. 이해관계 때문에 서로 아무것도 요구하지 않는 조건으로 한 형식뿐인 약혼이란 것도."

도희의 말에 잠시 움찔했던 유나가 애써 표정 관리하며 반박했다.

"그래? 근데 예전에 레스토랑에서 마주쳤을 땐 모르는 눈치던데?"

"뭐야?"

"그땐 몰랐잖아, 솔직히. 준원 오빠 주변 사람 중에 모르는 사람이 없을 정도로 큰일이었는데 말이지……."

"……"

"하긴, 그때 준원 오빠가 언니랑 그냥 회사 동료 사이라고 말한 거 보면, 역시 그렇게 가까운 사이는 아닌가 봐."

유나의 도발에 도희가 목소리를 내리깔았다.

"야."

한마디 던지며 성큼 가깝게 다가온 도희가 유나를 씹어먹을 듯이 내려다보았다.

"너 적당히 해."

돌연 느껴지는 위압감에 주춤한 유나가 저도 모르게 한 발짝 뒷걸음질 쳤다.

"그렇게 살살 남 속 긁고 깎아내리면서, 네 자존감 채우는 그 더러운 짓거리 그만하라고."

"……"

"아직도 사춘기야?"

도희의 말에 유나가 두 주먹을 꽉 쥐고 부들부들 떨며 그녀를 노려보았다.

"그럴수록 더 티 나. 너 자존감 바닥인 거."

그 말이 유나의 내면에 숨겨진 약점을 마구 들쑤셨다. 얼굴이 벌겋게 달아오른 유나의 안면 근육이 형편없이 일그러졌다.

"이 미친……!"

이성을 잃은 유나가 번쩍 손을 들어 올려 도희의 뺨을 내리치려는 순간, 유나의 머리 위로 어둑하게 그림자가 드리웠다. 준원이 옥상 문을 열고 두 사람에게 다가온 것이었다. 문을 등지고 있던 유나는 미처 그가 오는 것을 보지 못했고 말이다.

"오빠……."

당황한 유나의 동공이 거칠게 흔들렸다. 서둘러 도희의 뺨을 치려고 치켜들었던 손을 내리며 고개를 내저었다.

"아니야, 이건……."

짜악! 그 순간 손바닥이 뺨을 후려치는 소리가 옥상을 쩌렁쩌렁하게 울렸다.

도희가 유나의 오른쪽 뺨을 거세게 후려친 것이었다. 골이 울릴 정도로 전해져 오는 엄청난 충격에 놀란 유나의 눈이 휘둥그레졌다. 왼쪽 뺨을 손으로 가리며 도희를 황당하게 보았으나 도희는 여유롭게 손을 털며 유나를 내리깔아 보았다.

"칼을 뽑았으면 무라도 썰어야지. 손을 올렸는데 귀싸대기를 갈기지 않고 왜 멈칫해?"

가소롭다는 듯한 말에 유나는 벌게진 얼굴로 입만 벙긋벙긋했다. 부들부들 떨리는 손을 올렸다 내렸다를 반복하며 흘끔 준원의 눈치를 살폈다.

"왜. 서준원 씨 때문에?"

"……."

"내숭이라도 떨어야겠어? 착한 척 좀 해야 쓰겠니?"

잠시 이성을 잃었던 유나가 작은 주먹을 꽉 움켜쥐었다. 안간힘을 써서 마음을 다스리며 입을 열었다.

"왜 그래, 언니……."

유나는 억지로 입꼬리를 비틀리듯 들어 올렸다.

"아까부터 왜 그렇게 화가 났어……. 미안하다고 했잖아, 경솔하게 말한 거."

하, 도희가 헛숨을 터뜨렸다. 서준원 보는 앞이라고 불쌍한 척 피해자인 척 연기하는 꼴이 같잖았다.

"기분 상하게 해서 정말 미안한데, 아무리 그래도 뺨 때리는 건 아니잖……."

짜악. 하얀 손이 왼쪽 뺨을 후려갈겼다. 순식간에 양쪽을 전부 얻어맞은 유나가 황당함에 파들파들 떨리는 눈동자로 도희를 쳐다보았다.

"주둥이 다물어. 시끄러우니까 이빨 보이지 마."

"……하."

"이제야 대칭이 좀 맞네. 한쪽 뺨만 처맞으니까 이쪽만 빨개서 보기가 영……."

"이게 보자 보자 하니까……!"

완전히 이성을 잃은 유나가 저도 모르게 큰 소리를 내며 손을 다시금 확 들어 올렸다.

"왜. 너도 한번 때려 보시게?"

그러나 그 손은 도희의 말에 멈칫했다.

"서준원 씨 보는데, 너 할 수 있겠니?"

그 말에 옆에 무표정으로 서 있는 준원을 바라본 유나가 잔뜩 약이 오른 표정으로 도희를 노려보았다. 뺨 두 쪽이 얼얼터지는 와중에도 준원은 조금의 표정 변화도 없이 가만히 서서 관망할 뿐이었다.

"……"

결국 이번에도 역시 유나의 손은 스르르 아래로 내려갔다. 두 주먹을 꽉 쥐고 이를 갈던 유나는 이내 곧바로 태세 전환했다.

"아, 아파……."

울먹거리며 준원을 돌아보며 호소했다.

"준원 오빠, 이건 좀 심하지 않아? 나 너무 아픈……."

"내려가서 계약서에 사인해."

"……어?"

눈물을 글썽이며 감정에 호소했지만 준원은 무덤덤하게 제 할 말만 했다.

"계약서에 사인하고 가라고. 네 매니지먼트 담당자가 밑에서 기다리고 있으니까."

무슨 일이 있었냐는 듯, 조금의 흐트러짐도 없이 계약서 타령을 하는 준원에 유나는 얼빠진 얼굴을 했다. 옆에 서 있던 도희마저도 준원의 평범하지 않은 반응에 혀를 내둘렀다.

"하, 진짜 코미디가 따로 없네……."

더 이상 이 미친 공간에 있고 싶지 않았던 도희는 차갑게 실소하며 준원을 지나쳐갔다.

"백 과장……."

준원이 뒤따라가 도희의 손을 붙잡았다. 그 모습에 충격을 받은 유나의 동공이 뒤흔들렸다.

'붙잡았어……?'

서준원이 가는 사람을 잡았다고?

믿을 수 없는 광경이었다. 서준원이란 남자는 절대 가는 사람을 붙잡는 성격이 아니었다. 유나가 결혼 일주일 전에 홧김에 헤어지자고 말했을 때도, 붙잡긴커녕 이유조차 묻지 않고 아무렇지 않게 등을 돌린 남자였다.

근데 그런 서준원이 백도희를 붙잡았다고?

"……."

충격받은 유나는 넋을 놓은 표정으로 도희와 준원을 멍하니 바라보았다. 도희는 건들지 말라는 듯 준원의 손을 뿌리치고 옥상을 빠져나갔다.

"잠깐만, 오빠!"

도희를 따라 내려가려는 준원의 옷자락을 유나가 황급히 움켜쥐었다. 아무런 감정도 담기지 않은 무표정으로 내려다보는 시선에 오싹 소름이 돋은 유나가 잡았던 손을 얼른 놓았다.

"오, 오빠……. 나 지금 맞은 거 못 봤어? 저 언니가 나 때렸잖아, 지금!"

"그래서."

"……어?"

"편들어 달라고?"

"아, 아니 나는……."

"애초에 뺨 두 대 맞은 거 따지기 전에, 아까 네가 한 행동부터 돌아보지 그래."

놀란 유나의 동공이 거칠게 요동쳤다. 준원이 제 편을 들어 줄 거라고 기대하지는 않았지만, 적어도 중립은 지킬 줄 알았다. 그런데 이건 무슨 일인가, 누가 봐도 지금 그는 도희의 손을 들어 주고 있었다.

"오빠. 나 좀 봐봐……. 나 차유나야."

"……."

"우리 그래도 제일 가까웠던 시절도 있잖…… 아……."

섬뜩할 정도로 건조하고 차가운 눈빛에 유나가 말꼬리를 흐렸다. 마치 2년 전, 유나가 준원에게 결혼을 깨자고 말했던 날의 눈빛과 똑같았다. 아무런 감정이 담기지 않은, 싫은 감정조차 전무한 그야말로 무표정. 그에게 분노조차 일으킬 수 없는 미미한 존재라는 사실을 견딜 수 없어 끊임없이 괴로워했던 2년 전의 기억이 되살아나는 듯했다.

"쓸데없는 짓 그만해. 이렇게 일에 사적인 감정 섞을 거면 필요 없으니까 그만둬."

"……."

차가운 말에 유나가 어금니를 사리물었다. 도무지 허물어뜨릴 수 없는 벽 같은 사람, 서준원. 2년이란 세월이 지났으나, 그는 정말 한결같이 다가설 수 없는 남자였다.

한편 계단을 내려가는 도희는 분노가 치밀어서 미쳐 버릴 것만 같았다. 아까 차유나가 던진 후원을 받았다는 떡밥은 아마도 떠들기 좋은 가십거리가 되어 이 사내에서 씹히고 굴려질 게 뻔했다.

입사 후 7년째, 만만하게 보이지 않기 위해, 더 위로 올라가기 위해, 사내에서 얼마나 이미지 관리에 힘썼는지 모른다. 혹시 모를 뒤탈을 만들지 않기 위해 회사의 그 누구에게도 제 사적인 얘기를 하지 않으며 철저하게 사생활을 관리했었다. 몸값을 올리기 위해 능력뿐 아니라 외모와 이미지조차도 신경 썼고, 그 덕분에 윗사람의 눈에 들어 초고속 승진도 했다.

이렇듯 초라하면 돌 맞기 십상인 바닥에서, 차유나에 의해 드러난 빈곤한 배경은 도희의 유일한 흠집으로 남을 것이 분명했다.

"뭐? 진짜?"

아나 다를까, 계단을 내려가던 도희는 11층의 공원처럼 조성된 흡연 구역에서 제 이야기를 떠들어 대는 목소리를 마주했다.

"그렇다니까! 차유나 셰프랑 백 과장이 아는 사이인데, 글쎄 백 과장이 학생 때 차유나 셰프 재단에서 후원을 받았다는 거야."

하, 도희가 헛숨을 터뜨리며 문 뒤로 몸을 숨겼다. 목소리의 주인은 365일 도희를 흠집 내고 싶어 혈안이 되어 있는 하동현 대리였다. 비스듬히 열린 문틈 사이로 보니 남자 직원들끼리 담배를 피우며 시시껄렁한 얘기를 하고 있는 것으로 보였다.

"그래서 내가 궁금해서 무슨 재단인지 검색을 해 봤거든? 보육원 애들 지원하는, 뭐 그런 거 같더라고."

"와…… 뭔가 좀 깬다. 백 과장님 되게 귀족적인 이미지 아니었어요? 딱 부잣집 외동딸 같은 느낌."

"맞아, 그래서 루머도 많았잖아. 오너 일가하고 연줄이 있다느니, 어디 이사장 딸이라느니……."

"근데 사실은 포장지만 고급스러운 깡통이었다?"

남자 직원들이 일제히 폭소하며 낄낄거렸다.

"아, 이거 급이 확 떨어져서 좀 만만해졌는데, 어?"

그 와중에 하동현 대리는 어깨를 으쓱거리며 거들먹거렸다.

"어디 다시 한번 대시를 해 봐?"

허세를 부리며 낄낄거리는데, 순간 문이 벌컥 열렸다. 또각, 또각, 차분한 구두 소리가 들려오고, 남자 직원들의 시선이 모두 문 쪽으로 쏠렸다. 도도하게 걸어오는 도희를 마주한 모두가 흠칫 놀라 그대로 딱딱하게 굳었다.

"배…… 백 과장……."

당황한 하동현 대리가 말을 더듬었다.

"무슨 재미있는 얘기 하나 봐요?"

부드럽게 미소 지은 도희가 물었다.

"궁금한데 어디 내 앞에서 다시 한번 해 보죠?"

언제 낄낄거렸다는 듯 얼어붙은 남자 직원들은 아무 말도 못 하고 멍청하게 입만 벙긋거렸다.

"아…… 아니……."

"왜 뒤에서 나불거려, 없어 보이게."

말문이 턱 막힌 모두가 피우고 있던 담배를 아래로 내리며 삐딱했던 몸을 똑바로 세웠다.

"죄송합니다……."

남자 직원들이 하나둘 사과했으나 하동현 대리는 여전히 얼어붙은 자세 그대로 멍하니 도희를 바라보았다.

"그리고 하 대리. 내가 만만해 보였나 봐요?"

"……아니, 그게."

"개천에서 태어나도 용은 용인데, 아무렴 내가 쉰내 나는 오징어를 만날까."

입사 동기로 7년째 봐 왔지만 지금껏 도희가 이렇게 세게 얘기한 것은 처음이었다.

"거울 좀 보고 살아요. 내 거 빌려드려요?"

충격받은 하 대리는 아무 말도 못 하고 눈만 껌뻑거렸다. 마음 같아서는 더 난장판을 만들고 싶었지만, 도희는 가까스로 인내하며 뒤를 돌았다. 이제 아무것도 하고 싶지 않았다.

오후에 연달아 거래처와 미팅이 있었던 준원은 다시 도희와 얘기를 나눌 새도 없이 외근을 나갔다. 회사가 싫어졌고, 사내의 모든 사람이 증오스러워진 도희는 퇴근 시간이 되자마자 뒤도 돌아보지 않고 사무실을 떠났다. 준원은 아직 외근을 나간 후 돌아오지 않은 시각이었다.

"뭐? 이런 미친……!"

퇴근 후, 도희는 때마침 연락 온 누리와 술을 마시며 낮에 있었던 일화를 털어놓았다.

"그 희대의 쌍년 또 쌍년 짓 했네! 그 나이 처먹고도 아직도 버릇 못 고쳤다니, 걔는?"

누리는 제 일처럼 화를 내며 목소리를 드높였다.

"야! 그냥 그 자리에서 차유나 그 기집애 대가리를 당수로 두 쪽을 내놓지 그랬어?"

"싸대기는 갈겼어. 서준원 앞에서."

"뭐? 진짜?"

"응. 그것도 쌍 싸대기."

"미친…… 양쪽 다?"

누리가 휘둥그레진 눈으로 반문하자 고개를 끄덕인 도희가 술잔을 들어 올렸다.

"그거 보더니 서준원 씨가 뭐래?"

벌컥벌컥 마시던 잔을 쾅, 내려놓은 도희가 큰 소리로 낄낄거리며 웃었다.

"계약서 사인하래."

"와…… 어메이징 하다."

진짜 대단하다는 듯 누리가 박수를 쳤다.

"뭔가 서준원 씨답다고 해야 하나."

"같이 뺨 때려 주길 바란 건 아닌데 왠지 짜증이 나더라고."

그 말이 끝나기가 무섭게 도희의 휴대전화가 시끄럽게 울렸다. 액정화면에 떠오른 서준원의 이름에 도희는 조금의 망설임도 없이 핸드폰을 테이블 모서리 쪽으로 확 치워 버렸다.

"그래서 서준원 씨 전화 안 받는 거야? 언제까지 안 받게?"

"몰라. 한 세 번 전화하면, 세 번째에는 받으려고."

어차피 서준원이란 남자가 제게 세 번이나 전화할 리는 없다고 확신했다.

"오, 또 울리는데?"

한참이 지나서 전화가 끊어진 후, 통화는 다시금 걸려 왔다. 두 번째로 준원에게 걸려 온 전화에 도희의 눈길은 핸드폰 화면으로 은근슬쩍 흘러 들어갔다. 하지만 두 번째 연락이 마지막이었다. 더 이상 전화는 걸려 오지 않았고, 핸드폰은 쥐 죽은 듯 조용했다.

허, 어처구니가 없어 헛숨을 터뜨린 도희가 말린 오징어를 입에 넣고 질겅질겅 씹었다. 그 순간, 지이잉, 울리는 진동에 도희의 고개가 이끌리듯이 홱 돌아갔다.

[어디예요?]

전화가 아닌 문자였다. 파블로프의 개처럼 반사적으로 휴대전화를 쥐었던 도희는 김빠진 얼굴을 했다.

[마음은 알겠는데, 어서 집에 들어와요.]

도희는 하얀 이로 입술을 꾸욱 내리눌렀다. 그 모습을 보는 누리는 태어나서 처음 보는 도희의 태도에 놀라 입을 떡 벌렸다. 지금 도희의 모습은 마치 평범하게 짝사랑을 시작한 보통의 여자의 모습이었다. 15년간 그 누구를 만나도 도희는 저렇게 안달복달하는 모습을 보여 준 적이 없었다.

[밖에서 혼자 앓는 거보다는, 내가 같이 있는 게 낫잖아요.]

"……허."

문자를 확인한 도희가 저도 모르게 헛숨을 내쉬었다. 걱정하는 거면 전화는 왜 두 번만 하는데? 설마 연애 수칙의 사생활 존중 조항 때문에 전화 안 하는 거 아니야? 아니, 애초에 차유나를 들이받진 못할망정 뭐? 계약서?!

속이 답답해진 도희는 곧바로 테이블 위의 술잔을 덥석 들어 올렸다. 벌컥벌컥 미친 사람처럼 들이켜자 놀란 누리가 토끼 눈이 되어 만류했다.

"야, 야. 그만 마셔! 또 필름 끊길라고!"

"하……."

차라리 끊겼으면 좋겠다. 지옥 같은 오늘 하루를 전부 잊어버리고 싶으니까.

한편 준원은 외근을 마치고 집에 돌아와 도희를 내내 기다리는 중이었다. 10시가 넘으니 살짝 신경 쓰이기 시작하다가, 11시가 되니 시계 보는 횟수가 2배로 늘었다. 결국 빠르게 움직이는 분침과 휴대전화만 번갈아 보던 준원은 자정이 가까워지자 핸드폰을 쥐었다. 연락처에서 익숙한 번호를 누르는데, 일순 준원의 손에서 진동이 울렸다. 도희로부터 걸려 온 전화였다.

"도희 씨?"

ㅡ서준원 씨…….

그녀의 목소리는 전화상으로도 느껴질 만큼 발음이 꼬이고 있었다.

ㅡ내가 세 번째 전화 걸려 오면, 받으려고 했는데…….

테이프를 잘못 감은 것처럼 길게 늘어지는 목소리에 준원은 핸드폰을 귀에 가까이 가져다 댔다.

ㅡ두 번만 전화하고, 세 번째는 절대 안 할 것 같아서…… 결국 그냥 내가 했어요.

"……어디예요, 지금?"

단정했던 미간에 실금이 생겨났다. 위치를 물었으나, 도희는 들리지 않는 듯 자신의 말을 이어갔다.

-아까 나 내려가고 나서, 차유나랑 둘이 무슨 얘기 했어요?

뭐라고 말을 해야 할지 몰라 준원은 잠시 침묵했다. 이윽고 정적을 뚫고 침입하는 것은 위태롭게 떨리는 도희의 목소리였다.

-……나는, 처음엔 차유나 그 기집애가 나 엿 먹인 생각 때문에 화가 나서 미칠 것 같았거든요.

"……."

-근데 생각하면 생각할수록 그 기집애랑 준원 씨, 둘이 무슨 얘기 했을지가 더 궁금하더라고.

"도희 씨, 술 많이 마셨어요?"

-나 걔랑 엮이기 진짜 싫은데…….

알코올에 완전히 지배됐는지, 대화가 잘 통하지 않았다. 결국 준원은 그녀의 위치를 추궁하기보다는 차분히 말을 들어주는 쪽을 택했다.

-걔는 늘 나를 망쳐 놔요. 고등학생 때도 그랬어요. 내가 가진 건 전부 부정하고, 뺏으려 들고, 나를 망치지 못해서 안달 난 애예요…….

그가 묵묵히 들어 주자 도희도 알코올에 힘을 입어 내면에 숨겨 두었던 괴로운 과거를 끄집어냈다.

-내가 걔처럼 다 갖고 태어났으면 가진 걸 지키기만도 바쁠 것 같은데…… 왜 남의 거를 뺏으려고 하지?

"……도희 씨."

-난 진짜…… 짜증 나 죽겠어.

"지금 어디예요? 내가 바로 데리러 갈게요."

소파에서 무릎을 펴고 일어난 준원은 곧바로 테이블에 올려 두었던 차 키를 쥐었다. 코트를 걸쳐 입고 문밖을 나가 엘리베이터를 잡아탔다.

"위치만 말해 줘요."

—······.

수화기 너머로는 잠시 침묵이 이어졌으나 준원은 차분하게 인내심을 갖고 귀를 기울였다. 꼭대기층인 45층부터 지하 3층까지 내려가는 엘리베이터에서의 시간은 오늘따라 길게 느껴졌다. 빠른 속도로 내려가는 숫자를 바라보던 준원은 이내 무언가 이상한 낌새에 멈칫했다.

"······."

살짝 놀란 준원이 한쪽 귀를 짚었다. 갑자기 엘리베이터 소음과 휴대전화 소리를 포함하여, 그 어떤 소리도 들리지 않는 것이었다.

"아······."

이건 타임 루프의 징조였다. 곧 시간이 아침으로 되돌아갈 터였다. 그 누구도 상처받지 않고, 아무 일도 없었던, 평화로웠던 오늘 아침으로.

"도희 씨, 내 말 들려요?"

차분한 음성이 준원의 입술을 타고 흘러나왔다.

"이제 새 타임 루프가 시작될 거예요. 목소리가 안 나오죠?"

—······.

"괜찮아요. 나는 들을 수 있으니까. 속으로 생각하면 돼요."

저번 타임 루프 때 알게 된 것처럼 시간이 되돌아가기 5분 전, 준원은 귀가 들리지 않았고 도희는 목소리가 나오지 않았다. 그리고 그 5분 동안 귀가 먹어 버린 준원은 유일하게 말을 잃어버린 도희의 속마음만 들을 수 있었다.

"난 도희 씨 목소리만 들을 수 있잖아요."

준원은 낮은 목소리로 속삭이며 눈을 감았다.

"잠깐만 버티고 있어요. 곧 만날 테니까."

그 간지러운 속삭임이 도희의 고막을 촉촉하게 적셨다. 위로하는 듯이 들려오는 말투가 그 어느 때보다도 부드럽게 느껴졌다.

'……준원 씨.'

누리가 떠난 뒤, 한강 근처 벤치에 홀로 쪼그리고 앉아 있던 도희가 울컥한 감정을 누르며 제 무릎을 끌어안았다. 그 위로 얼굴을 묻으며 작게 고개를 끄덕였다. 핸드폰을 쥐고 있던 손의 힘이 느슨하게 풀린 순간, 도희가 지그시 눈을 감았다.

"……아."

떴다. 확 눈꺼풀을 들어 올린 도희는 놀란 토끼 눈을 하고 주위를 둘러보았다. 아니나 다를까, 시간은 평온했던 아침으로 되돌아가 있었다. 준원의 품에 안겨 자고 일어났던, 두 번째 첫날밤을 보낸 뒤의 충만했던 아침으로.

"도희 씨……."

낮게 내리깔아진 섹시한 목소리가 귓가를 자극했다. 흠칫한 도희는 저가 준원의 맨가슴에 얼굴을 묻고 있다는 걸 깨닫고 슬그머니 뒤로 물러났다. 그러나 허리를 꽉 끌어다가 당기는 단단한 힘에 얼마 가지 못하고 멈추었다.

타임 루프 때문에 오늘 아침에 그랬던 것처럼, 준원과 도희는 다시 삼계탕 속 닭처럼 태고의 모습으로 침대에서 마주하게 되었다.

"좋은 아침이에요."

서늘한 눈매가 부드럽게 휘었다.

"전날 받은 상처는 전부 잊어버리고, 오늘 다시 새롭게 시작해요."

그 말에 도희의 가슴이 벅차올랐다. 최악의 하루를 최고의 하루로 고쳐 살 수 있는 기회가, 도희의 손에 주어진 것이었다.

"와!"

저도 모르게 함박웃음 지은 도희는 벌떡 상체를 일으키고 두 팔을 벌려 만세 했다. 타임 루프 타이밍, 완전히 나이스! 11년 전 수능 본 날 일어난 타임 루프 이후로 찾아온 최고의 타이밍이었다.

신이 나서 싱글벙글 웃으며 하이파이브를 하기 위해 준원에게 손을 펼쳤다. 짝, 준원은 가볍게 손뼉을 부딪힌 후 도희의 작은 손을 그대로 부드럽게 움켜쥐었다. 움찔한 도희는 그제야 그의 엉큼한 시선이 제 몸으로 진득하게 달라붙고 있었다는 걸 깨달았다.

"아, 어딜 빤히 보는 거예요!"

화들짝 놀란 도희는 한 팔로 허전한 가슴을 가리며 등을 돌렸다. 낮게 웃은 준원은 부드럽게 마주 잡은 한쪽 손을 쓰다듬더니 슬금슬금 도희의 잘록한 허리에 팔을 감았다.

"……진짜 이 와중에."

허리를 부드럽게 주물거리는 손길에 심장이 두근두근 뛰었다. 힘줄이 툭 불거진 팔 근육은 손쉽게 도희를 끌어다가 도로 눕혀 준원의 품 안으로 이주시켰다. 확 하고 풍겨 오는 그의 체향에 도희의 가슴이 떨려 왔다. 그런 도희를 꼭 끌어안은 준원은 아이를 달래듯이 그녀의 등을 천천히 토닥였다.

"……치사하다, 진짜."

위로하는 것이었다. 그 진심이 담긴 손길에 도희의 마음이 흐물흐물 녹아내렸다.

"……전날 왜 그랬어요?"

풀어진 마음 때문일까, 그의 가슴에 얼굴을 묻은 도희가 작은 소리로 말문을 열었다.

"아니, 상식적으로 차유나가 나한테 그런 수모를 줬는데…… 어떻게 거기서 뜬금없이 계약서 얘기가 나오냐고요."

"……아. 그거."

"뭔가 액션이 있어야지. 날 말리든가. 아니면 반대쪽 뺨은 서준원 씨가 때리든가."

거기서 갑자기 계약서가 왜 나와, 대체. 도희는 꿍얼거리며 솔직한 맘을 털어놓았다.

"진짜 가만 보면 뇌가 인공지능인 거 같아요. 로봇이라고 해도 믿겠어요."

"미안해요. 내가 그런 쪽으로는 좀 부족해서."

"앞으로는 감수성을 1퍼센트만 키워 봐요."

"몇 퍼센트요?"

"1퍼센…… 아!"

순식간에 몸이 반 바퀴를 구르고 도희는 준원의 아래에 깔렸다. 여린 몸 위를 장악하고 올라선 준원은 부드럽게 웃으며 도희의 머리를 쓰다듬었다.

"자, 여기 1퍼센트."

그렇게 속삭이며 다가온 입술이 부드럽게 맞물려 오자 도희는 턱을 벌렸다. 입 안을 함빡 적시는 달콤한 감각을 느끼며 그의 단단한 어깨를 움켜쥐었다. 입술이 흐무러지도록 아찔하게 헤집어 오는 준원에 도희의 손끝이 움찔거렸다.

"감수성 1퍼센트, 충전됐어요."

장난스레 떨어진 입술과 함께 그가 음험한 시선으로 도희를 내려다보았다. 어깨부터 배까지 촘촘하게 이어지는 야성적인 근육이 살아 숨 쉬는 듯 정염으로 꿈틀거렸다.

"오늘 원래와 다르게 행동하면, 미래가 바뀌니까 어차피 내일은 오지 않고 오늘이 다시 반복될 텐데……."

도희가 마른침을 꿀꺽 삼켰다.

"굳이 오늘 회사 갈 필요 없지 않나요?"

"네…… 네?"

"우리 출근하지 말고, 오늘 종일 이렇게 있는 거 어때요."

장난스러운 웃음이 도희의 하얀 목덜미로 축축하게 젖어 들었다. 목덜미를 따라 흐르는 그의 말캉한 감촉을 느끼며 도희가 흐읍, 숨을 삼켰다.

"안 돼요……. 다르게 행동했을 때 미래가 어떻게 바뀔지 모르니까, 부딪혀 봐야죠."

한 글자, 한 글자 힘겹게 뱉자 준원은 동의한다는 듯 깔끔하게 포기하고 떨어졌다. 온몸에 어른거리던 감각이 한순간에 멀어지자 도희는 아쉬운 마음을 감출 수 없었다. 역시나 손쉽게 단념하는 모습이 괜히 마음에 들지 않았다.

출근 준비를 마친 도희와 준원은 전날처럼 차가 나란히 주차되어 있는 지하 3층으로 내려왔다.

"오늘 어떻게 바꿀 거예요?"

차에 올라타기 전, 준원이 도희에게 묻자 그녀가 의미심장하게 웃었다.

"음, 궁금하면 눈 감아 봐요."

갑자기 눈은 왜? 이유는 알 수 없지만 준원은 순순히 눈을 감았다. 그러나 한참이 지나도 아무런 일이 일어나지 않자, 도로 비스듬히 눈을 떴다. 그와 동시에 들려오는 것은 도희의 차에서 들려오는 시동 소리. 악동처럼 웃으며 도희는 그대로 차를 타고 쌩하니 지하 주차장을 빠져나갔다.

"하……."

홀로 남겨진 준원이 헛웃음 쳤다. 장난스러운 복수에 당해 버리고 말았다. 멀어지는 도희의 차를 바라보고 있자니, 그녀는 첫 번째 오늘 준원이 그랬듯이 창문 틈으로 손을 뻗어 휘적였다.

"귀엽기는……."

픽 웃음을 터뜨린 준원은 저도 모르게 작게 중얼거렸다. 입가를 매만지며 제 차로 올라타 곧바로 도희를 따라 출발했다.

첫 번째 오늘에 그랬던 것처럼, 두 번째로 찾아온 오늘도 차유나는 도도한 걸음걸이로 회의실에 들어왔다. 전날과 한치의 다름도 없이 비디오테이프를 다시금 재생하는 것처럼 똑같은 행동과 말을 반복하는 차유나는 더 이상 도희에게 위협이 되는 존재가 아니었다.

"결정은 언제까지 될까요? 이미 일정이 많이 늦어져서, 빠르게 결정해 주시면 좋겠습니다."

도희의 발표가 끝나고 준원이 덤덤한 음성으로 물었다.

"바로 이 자리에서 결정할게요. 하겠습니다."

"하하, 셰프님! 감사합니다. 제가 더 열심히 서포트 할 수 있도록……."

"다만."

전날처럼 유나가 하 대리의 말을 끊으며 웃었다.

"이건 전부 도희 언니 때문에 하는 거란 것만 알아주시면 좋겠어요, 모두."

그녀의 발언에 준원과 도희를 제외한 회의실의 모두가 술렁였다. 어리벙벙하게 있던 하 대리가 유나에게 질문을 던졌다.

"아, 맞다. 백도희 과장님하고 아는 사이라고 하셨죠? 저하고 전화하셨을 때."

"네. 언니가 말 안 했나 봐요?"

유나는 도희를 한 방 먹일 생각을 하며 여유로운 미소를 지었다. 하지만 도희는 이미 그녀의 속셈을 전부 내다 보고 있었다. 전날과 똑같은 수에 바보처럼 당할 생각은 추호도 없었다.

"저희 되게……."

"네. 저희 사실 아주 친한 사이예요."

오늘을 두 번째 살고 있으니까.

"중학교, 고등학교도 같이 나왔거든요."

여유롭게 유나의 말을 끊으며 그녀가 할 말을 대신 받아쳤다. 놀란 기색이 역력한 유나와 눈을 마주하며 웃었다.

'……뭐야.'

어떻게 내가 할 말을 맞힌 거지……?

적잖이 당혹한 유나는 이내 우연의 일치일 뿐이라고 생각하며 스스로를 진정시켰다.

"어머, 중고등학교 동창! 그러셨구나! 과장님이 말씀을 안 하셔서 몰랐어요."

양 대리가 웃으며 말하자 얼빠진 얼굴을 하고 있던 유나가 퍼뜩 정신을 차리고 다시금 반격의 칼을 갈았다.

"네. 가족……."

"가족처럼 자랐거든요. 자매처럼 친한 사이예요."

"……."

유나의 눈동자가 뒤흔들렸다. 순간 오싹 소름이 끼친 유나가 핏기가 사라진 얼굴로 도희를 돌아보았다. 제 마음을 읽는 건가 싶을 정도로 말을 가로채자 온몸에 소름이 돋았다. 하지만 여기서 그만두고 싶지는 않았기에 오기로 입을 벌렸다.

"어, 언니가 공부를 되게 잘해서……."

"같이 그룹 과외 했어요. 유나네 집에서요."

"……."

"그래서 부모님끼리도 아는 사이고. 친하죠. 아주."

뜻하는 대로 일이 풀리지 않자 유나의 입술이 퍼석하게 말랐다. 그룹 과외 얘기가 아닌 후원을 받았다는 얘기를 하려고 했으나 이미 도희가 말을 가로챈 후였다.

"그래서 유나네 집안과는 굉장히 인연이 깊어요."

마지막으로 뱉은 말조차, 유나가 하려고 했던 말이었다. 한 번이면 우연이었겠지만, 이제는 그 단어로 치부할 수 없었다.

본능적으로 섬뜩함을 느낀 유나가 저도 모르게 뱉어진 숨을 끄윽, 삼키었다. 그러나 저를 보고 픽, 은근한 비웃음을 흘리는 도희 때문에 발끈해 다시금 포문을 열었다.

"저……."

"알겠습니다. 그럼 이렇게 진행하는 거로 하고, 오늘 마무리하겠습니다."

그러나 그 마지막 시도마저 준원이 원천봉쇄 했다. 결국 한마디도 하지 못한 유나의 얼굴은 약이 올라 벌겋게 되어 버렸다. 처음 회사에 왔을 때의 도도한 표정은 온데간데없이 사라지고 딱딱하게 굳은 입꼬리만이 남아 버렸다. 표정 관리에 완전히 실패한 유나는 계약서에 사인하고 회사 로비로 나갈 때까지도 굳은 얼굴이었다.

"그럼 다음 미팅 때 뵙겠습니다."

로비로 나온 하 대리가 유나에게 말하자 그녀가 떨떠름하게 인사했다. 끝까지 도희와 준원을 바라보며 악에 받친 얼굴로 입구로 향하던 유나는 실수로 제 발에 걸려 쿠당탕 넘어졌다.

"아, 셰프님!"

회사 로비에서 대자로 엎어진 유나의 뺨은 창피함에 붉으락푸르락 달아올랐다. 주변의 시선이 빠르게 모여 붙고 로비의 경비마저도 그녀를 쳐다보았다. 매니저의 손을 잡고 일어난 유나는 고개를 푹 숙였다.

"유나야, 괜찮아?"

가까이 다가간 도희가 걱정하는 척 고개 숙인 그녀에게 물었으나 유나는 말없이 고개를 끄덕거릴 뿐이었다. 주먹을 부들부들 떨던 유나는 그대로 줄행랑치듯 회사를 빠져나갔다. 원흉이었던 사건이 깔끔하게 해결되는 순간이었다.

도희와 준원은 시선을 마주하며 은근하게 웃었다.

"아, 상쾌하다."

준원은 외근을 나가고, 도희는 옥상에서 시원한 바람을 맞으며 복수의 행복을 만끽했다. 유나의 언짢은 표정부터 잔뜩 약이 올라 부들부들 떨리는 안면근육까지 다시금 떠올린 도희는 통쾌한 웃음을 터뜨렸다. 충분히 바람을 만끽한 뒤 계단으로 내려가는데, 전날처럼 11층의 흡연 구역에서는 남자 직원들의 수다가 들려왔다.

"뭐? 진짜?"

"그렇다니까! 차유나 셰프랑 백 과장이 아는 사이인데, 고등학교 동창이라나? 둘이 자매처럼 친하대."

앞의 일이 달라져 미래가 바뀌었기에 하동현 대리는 이전과 다른 이야기를 했다.

"그래서 내가 궁금해서 무슨 고등학교인지 검색을 해 봤거든? 연수여고더라고."

"그 부잣집 딸들만 모인다던?"

"이야, 역시 1급수는 1급수끼리 노는 건가 봐요."

시시껄렁한 이야기를 하던 남자들은 문득 하동현 대리를 툭 치며 웃었다.

"그러고 보니 하 대리, 백 과장한테 예전에 공개 고백했다가 까인 적도 있잖아?"

"……아니, 6년이나 된 얘기를 왜 또. 그땐 그냥 술김에 실수한 거지……."

“그래, 그래. 백 과장이 미치지 않은 이상 널 만나 주겠냐.”

당황한 하동현 대리가 말끝을 흐리자 남자 직원들이 폭소하며 낄낄거렸다. 문 뒤에서 그 대화를 들은 도희가 실소한 뒤 사무실로 돌아갔다. 이로써 이미지도 완벽히 지켰고, 차유나와 하동현도 각각 한 방씩 먹여 주었으니 하루를 멋지게 고쳐 낸 것이었다.

퇴근 시간이 가까워지자, 새봄이 도희에게 다가와 보고서를 슬쩍 들이밀었다.

“과장님, 저 보고서 한 번 봐 주시면 안 될까요?”

“응? 그래, 줘 봐.”

전날에는 눈치 보느라 보고서를 검토해달라고 요청하지 않았던 새봄인데, 이것 또한 바뀐 미래의 나비효과였다.

“음. 열심히 썼네. 그런데 보고서 쓸 때 앞부분에 중요한 부분들만 딱딱 집어 주는 게 좋아. 한 줄만 읽어도 의미를 알 수 있도록.”

“네, 알겠습니다!”

“점점 실력이 느는 게 보이네. 모르는 거 있으면 언제든 물어봐.”

“헤헤, 감사합니다. 과장님.”

새봄이 신이 나서 웃으며 꾸벅 고개를 숙였다.

“이거 감귤 주스인데 과장님 드세요.”

언제나 그랬던 것처럼 선망의 눈으로 도희를 보며 새봄은 수줍게 음료를 건넸다.

“응, 고마워.”

도희는 뿌듯한 가슴을 안고 부드럽게 미소 지었다. 이제 모든 게 완벽했다. 부디 아무 일도 일어나지 않고 하루가 마무리되기를……

"네?"

그때, 건너편의 자리에 앉아 있던 하 대리가 심각하게 누군가와 전화를 했다.

"네…… 네……."

충격을 받은 듯 혼이 나간 얼굴이었다. 무슨 일이길래 저러지……?

살짝 미간을 찌푸린 도희가 의문스러운 눈으로 하 대리를 보았다.

"……일단 알겠습니다. 네."

하 대리가 전화를 끊자, 도희가 대수롭지 않게 물음을 건넸다.

"왜 그래요? 무슨 전화인데요?"

핏기없이 하얗게 질린 낯빛을 미루어 보면 확실히 보통 일은 아닌 듯했다. 그는 뭐라고 말을 해야 할지 갈피를 잡지 못하며 입을 벙긋벙긋하더니 두 손으로 얼굴을 쓸어내렸다.

"저…… 지금 차유나 셰프 매니지먼트에서 연락이 왔는데."

불안정한 호흡에 사무실의 모두가 귀를 기울였다.

"차유나 셰프가……."

동현이 떨리는 목소리로 말을 이었다.

"조금 전 교통사고로 사망했다고 합니다."

쿵, 도희의 심장이 아래로 꺼졌다.

퇴근 후 집으로 돌아온 도희는 그 어느 때보다도 심란한 상태였다. 차유나가 교통사고로 사망했다는 예상치 못한 소식은 그야말로 도희를 경악에 빠뜨렸다.

'차유나가 죽었다니……. 갑자기 왜?'

원래의 11월 23일에서는 차유나가 죽는 일 따위 분명히 없었다.

'설마……'

도희의 심장이 빠르게 박동하기 시작했다.

'내가 미래를 바꿔서……?'

설마 그것 때문에 차유나가 죽은 걸까. 사람들은 늘 처음과 같은 행동을 하므로, 예기치 못한 일이 독단적으로 발생할 확률은 없었다. 그렇기에 차유나의 사망사고는 도희가 미래를 바꾼 탓에 일어난 불상사일 터였다.

'아니야. 침착하자.'

어차피 오늘은 두 번째 11월 23일. 12시가 가까워지면 시간은 다시 앞으로 돌아갈 것이다.

'하지만 세 번째 오늘에서, 내가 차유나를 살릴 수 있을까……?'

못 살리면 그땐 어떻게 되는 거지?

나 때문에 차유나가 죽는 건가……?

혼란에 휩싸인 도희는 좀처럼 진정할 수가 없었다.

'세 번째 반복부터는 언제 타임 루프가 끝나고 내일이 올지 몰라……'

한번 타임 루프에 빠지면 하루가 반복되는 횟수는 무작위였고, 세 번째부터는 언제든 내일이 와도 이상하지 않은 것이었다.

'내일 제대로 바꾸지 못하면, 차유나는 진짜로 죽는 거야.'

하지만 그렇다고 해서 지옥 같았던 첫 번째 11월 23일의 망신을 또 당하고 싶진 않았다. 어떻게 해야 할지 도저히 갈피가 잡히지 않아 속이 꽉 막힌 듯 답답했다. 답이 나오지 않는 문제를 직면한 기분에 빠진 도희는 깊게 한숨을 내쉬었다. 그렇게 얼마나 시간이 흘렀을까, 현관문 비밀번호를 누르는 소리에 예민해진 도희의 신경이 흐트러졌다.

"아, 서준원 씨 왔어요?"

자리에서 일어난 도희가 준원에게 다가가며 말문을 열었다.

"그 소식 들었죠? 차유나가 교통사고로……."

"아, 네. 하 대리에게 들었습니다."

"분명히 내가 다른 행동을 해서 차유나가 죽는 미래로 바뀐 걸 거예요. 내일은 어떻게든 차유나를……."

도희가 말끝을 흐리며 머리를 헝클어뜨렸다. 안 그래도 생각할 문제가 많은데, 머리가 복잡하다 못해 폭발할 것만 같았다.

"저녁은 먹었어요?"

하지만 그 와중에 들려오는 너무도 덤덤한 목소리에 반사적으로 올라간 도희의 고개가 준원 쪽으로 흘렀다.

"네? 아니, 지금 그게 중요한 게 아니라……."

갑자기 왜 저녁 이야기를 꺼내는 걸까. 한 손으로 넥타이를 풀러 내리며 방 안으로 들어가는 준원의 뒷모습에 도희는 멍한 얼굴이 되었다.

'……뭐야?'

지금 사람이 죽었는데, 저 태도는 도대체…….

순간 온몸을 휩쓰는 서늘한 감각에 도희가 어깨를 움츠렸다.

"서준원 씨."

도희가 작게 준원을 부르자 그가 뒤를 돌아보았다.

"네?"

"……."

준원의 목소리 톤은 평소와 다를 바가 없었다. 조금의 동요나 혼란
도 느껴지지 않았다. 그리고 마주한 그의 표정은 그 어떤 감정 한 조
각조차 실리지 않은 무표정이었다. 항상 짓고 있던 그 무표정…….

"……."

도희는 순간 저도 모르게 오싹한 기분에 휩싸였다.

"아니에요. 씻고 나와서 얘기해요."

가볍게 고개를 끄덕인 준원은 일정한 걸음걸이로 욕실 안에 들어
갔다. 그가 사라진 공간을 물끄러미 바라보던 도희는 홀로 복잡한
생각에 빠져들었다.

'그러고 보면, 내가 저 남자한테서 웃는 얼굴과 무표정 외에 얼굴
을 본 적이 있던가……?'

늘 저를 보며 부드럽게 웃어 주지만, 단 한 번도 슬픈 감정이나 화
난 감정이 얼굴에 드러난 적이 없었다. 쉽게 동요하지 않는 무던한
타입이라고 하더라도, 사람이 죽었는데 평소와 다름없는 말투와 표
정은 확실히 이상했다.

그렇게 도희의 사고가 바쁘게 돌아가고 있는데, 샤워를 마치고 옷
을 갈아입은 준원이 거실로 나왔다. 여느 때와 다름없이 똑같은 모
습의 그를 물끄러미 보던 도희는 당혹스러움을 감추지 못했다.

"도희 씨, 아까부터 표정이 왜 그래요?"

도희가 이상하다는 것을 눈치챈 준원이 대수롭지 않게 물어왔다.
그 질문에 잠시 침묵하던 도희는 이 묘한 느낌이 그저 제 착각이기

만을 바랐다.

"……잠깐 나랑 얘기 좀 할래요?"

"이따 12시가 가까워지면 다시 한번 시간은 아침으로 되돌아가고, 오늘만 세 번째 반복될 거예요."

"그렇죠. 오늘 미래가 크게 바뀌었으니, 틀림없이 하루는 계속 반복될 겁니다."

도희와 준원은 소파에 나란히 앉아 이야기를 나누었다.

"어떻게 바꿀 수 있을까요?"

시선을 내리깐 도희가 작게 숨을 몰아쉬었다.

"어떻게 하면, 차유나가 죽지 않는 미래로 바꿀 수 있을지……."

"그냥 내버려 둬도 되지 않아요?"

준원이 가볍게 던진 말에 도희의 입술이 일순 경직되었다.

"……무슨 뜻이에요?"

"차유나가 공적인 자리에서 도희 씨의 명예를 훼손하는 말을 했고, 도희 씨는 그 부분만 고치면 되는 거잖아요?"

"……."

"그 일은 이미 고쳐졌으니까, 다른 부분은 신경 쓸 필요가 없다고 생각합니다."

도희의 등골에 서늘하게 소름이 돋았다. 아까부터 묘하게 느껴지던 그의 무신경한 태도는 착각이 아닌 진실이었다.

"저기요, 서준원 씨."

꽤 가까워졌다고 생각했던 준원이 한참을 멀게 느껴지는 순간이었다.

"나 때문에 차유나가 죽었어요. 아무리 내가 차유나를 싫어한다고 한들, 걔가 죽기를 바란 적은 기필코 없어요."

"그게 왜 도희 씨 때문입니까?"

낮게 쏟아지는 저음에 이끌리듯 도희가 고개를 들었다.

"하 대리가 경위를 알아보니 음주운전 차량의 과속 때문에 사고가 났다고 하던데, 책임은 도희 씨가 아니라 그 운전자에게 있는 거죠."

"어쨌든 원래 미래대로라면 차유나는 죽을 일이 없었어요. 내가 미래를 바꿔서 죽은 거잖아요."

"도희 씨는 차유나를 싫어하지 않았어요?"

"……네?"

"분명히 들었던 기억이 있습니다. 서로 원수지간이라고."

"그게 이 일과 무슨 상관이에요? 내가 차유나를 싫어해서, 걔가 죽었으니 좋아해야 한다는 뜻이에요?"

"아니요. 그런 뜻이 아니라, 차유나의 죽음을 굳이 애써 고칠 필요가 있는지 물어보고 싶은 겁니다."

그와의 대화는 어딘가 엇나가고 있었다.

"싫어하는 사람을 살리기 위해 도희 씨의 에너지와 시간을 투자할 이유가 없지 않아요?"

도희는 말문이 턱 막히는 기분이었다. 준원은 사고방식 자체가 일반적인 상식과는 아예 다른 남자였다. 처음 그와 회사에서 재회했을 때 뼈저리게 느꼈던 그의 비인간성이 다시금 머리를 들이미는 순간이었다.

"보통 사람은 이런 상황에서 책임감이나…… 죄책감을 느끼는 게 정상이에요."

"도희 씨가 죽인 것도 아니고, 의도한 것도 아니잖아요. 심지어는 그 누구도 도희 씨와 차유나의 죽음이 연관되어 있다고 생각하지 않습니다. 그런데 왜 책임감이나 죄책감을 느끼죠?"

이건 아니야……. 분명히 이건, 정상적인 사고방식이 아니야. 이제껏 그의 눈매가 이토록 건조하게 느껴진 적이 있던가. 도희의 손끝이 가늘게 떨려 왔으나 준원은 계속해서 무덤덤하게 말을 이었다.

"어차피 타임 루프의 존재는 우리만 알고 있어요. 그 누구도 차유나의 죽음과 도희 씨를 결부시킬 일이 없어요."

"……."

이 남자, 내가 알던 서준원이 맞나? 그가 견딜 수 없이 낯설게 느껴지는 것은 찰나의 일이었다.

"난 가끔 서준원 씨가 이상하게 느껴질 때가 있어요."

아니, 도희는 처음 볼 때부터 그와 자신의 가치관의 차이가 얼마나 큰지 알고 있었다. 그가 일반인들의 사고방식에서 한참 떨어져 있다는 것도 이미 충분히 알고 있는 사실이었다. 다만 그동안 서준원이 제게 보여 준 모습들은 꽤 다정했으며 인간적이었고, 그의 말과 행동에 많은 위로를 받았었다.

하지만 그 모든 행동이 전부 가짜였다면……?

"괴로워서 그러는 거잖아요. 내가 차유나의 죽음을 다 알고서도 외면하는 게, 그게 괴로워서."

무슨 일이 일어나도 절대 동요를 보이지 않는 남자, 서준원.

"나는 지금 차유나가 죽었다는 얘기에 머리가 복잡해져서 터질 것만 같은데…….”

한결같은 표정으로 미지근한 태도를 보일 때마다 도희는 바보처럼 홀로 상처를 입었었다.

“아무렇지도 않게, 그게 나랑 무슨 상관이냐고요? 내버려 두자고요?”

“타임 루프와 사람의 죽음이 한번 연루되면, 생각보다 바꾸기가 매우 어렵습니다. 도희 씨도 알잖아요?”

“그렇다고 진짜 죽게 내버려 둬요, 그럼?”

저도 모르게 언성이 높아졌다. 준원과 도희의 사이에 서늘한 기운이 맴돌았다. 이어지는 것은 묵직해진 공기와 기나긴 침묵이었다.

“…….”

“…….”

분위기는 눈에 띄게 험악해졌다. 끝날 기미 없이 한참 동안 이어지는 정적을 뚫고 먼저 입을 연 것은 도희였다.

“오늘 아침으로 되돌아가면, 난 막을 거예요. 차유나가 죽는 걸, 어떻게 해서든.”

이건 전부 차유나가 아닌 도희 스스로를 위한 것이었다. 어찌 됐건 사람이 죽었는데 외면하고 그냥 넘어간다면 이건 분명한 미필적 고의에 의한 살인이고, 도희는 그 죄책감을 감당할 자신이 없었다.

“그러니까…… 내가 알아서 할 테니까 서준원 씨는 신경 쓰지 마세요.”

더는 준원과 이 일에 관련하여 이야기를 나누고 싶지 않았다.

“서준원 씨 논리대로라면, 이건 남의 일이니까…….”

도희가 준원과 똑바로 눈을 마주했다.

“서준원 씨와 상관없는 일이잖아요?”

가시 돋친 물음에 준원은 대답이 없었다. 그리고 그 모습에 다시 한번 바보처럼 상처받은 쪽은 도희였다.

“나 먼저 들어가서 눈 붙일게요. 어차피 몇 시간 후면 아침으로 되돌아갈 테니까……. 지금 뭘 하든 이 시간은 다 무의미하겠죠.”

머리가 지끈지끈 아파 와서 미간이 절로 찌푸려졌다.

“그리고 지금 서준원 씨와 한 대화…….”

“…….”

“진심으로 이해할 수 없고……. 아니, 이해하고 싶지도 않고, 실망이에요.”

그가 평범함에서 벗어난 남자라는 것은 진작에 알고 있었지만, 이건 가치관의 차이로 이해하고 넘길 수 있는 범주를 넘어버렸다.

적막한 자리를 더 이상 견딜 수 없었던 도희는 두 무릎에 힘을 주고 일어났다. 그녀가 제 방으로 걸어가는 모습을 준원은 그저 가만히 바라볼 뿐이었다.

방 안으로 들어와 침대에 누웠으나 당연히 잠이 올 리 없었다. 안 그래도 차유나의 죽음 때문에 머리는 터질 것처럼 복잡한데, 또 준원과의 관계가 틀어졌다는 사실은 도희의 기분을 더욱 악화시켰다.

“아무리 그래도 차유나가 모르는 사람도 아니고 결혼할 뻔했던 여자인데…….”

어떻게 저런 태도일 수 있는 걸까.

"아니면 혹시 내가 이상한 건가?"

서준원이 이상한 거야, 내가 이상한 거야?

보통 사람들은 이럴 때 어떻게 생각을 하는 걸까. 실질적으로 죽인 건 내가 아니니까 책임감을 느낄 필요 없다고 생각할까? 아니면, 어쨌든 내 행동으로부터 발발한 죽음이니 책임져야 한다고 생각할까.

'하지만……'

확실한 건, 적어도 서준원처럼 생각하진 않을 것이라고, 도희는 확신할 수 있었다.

"……하아."

가슴에 돌이라도 얹힌 듯이 속이 답답했다. 그가 지금까지 제게 보여 주었던 모습들도 사실 전부 허상이 아닐까, 하는 꺼림칙한 가정이 도희의 심장을 아프게 찔러왔다.

"만에 하나, 나에게 안 좋은 일이 생겨서 내가 다치거나 죽는 일이 생기면……"

그때도 조금의 동요도 없이 오늘과 같은 표정과 말투이려나. 그렇게 생각하니 가슴이 욱신욱신했다.

"아, 머리가 너무 아파……"

그냥 전부 잊어버리고 어디론가 도피하고 싶은 기분이었다. 이제 더는 아무 생각도 하고 싶지 않았다. 시선을 내리깐 도희는 깊게 한숨을 쉬며 지그시 눈을 감았다.

차라리 자고 일어나면, 이 모든 게 꿈이기를…….

첫날밤만
세 번째

VOL. 2 Three First Nights

CHAPTER **10**

불협화음

10

불협화음

고요히 잠겼던 도희의 눈꺼풀이 느슨하게 올라갔다. 찰나의 단잠에서 깨어난 도희는 커튼 틈에서 밀려오는 환한 아침 햇살에 눈살을 찌푸렸다. 꿈이길 바랐으나 시간은 어김없이 아침으로 되돌아갔다. 세 번째 반복되는 11월 23일, 월요일이었다.

"……아."

어김없이 눈을 뜬 곳은 서준원의 품 안이었다. 그의 널찍한 가슴에 안겨 있는 도희는 차마 그의 얼굴을 보기가 꺼림칙해 그의 쇄골만 뚫어져라 응시했다.

"……."

하지만 제 허리를 부드럽게 고쳐 안는 손길에 고개는 자연스레 위를 향했다. 조금은 어색하게 준원의 얼굴을 올려다보니 이미 그는 한참 전부터 도희를 멀뚱멀뚱 바라보고 있었다.

"아……."

저를 뚫어져라 보는 까만 눈동자에 심장이 쿵 내려앉았다. 몰려오는 당혹감에 도희는 저도 모르게 아무 말이나 뱉어버렸다.

"안녕하세요……."

그런데 그게 정말 아무 말이었다.

'이 미친 인간아!'

'안녕하세요'가 뭐냐, '안녕하세요'가!

속으로 절규하며 자책했으나 준원은 별로 대수롭지 않게 생각했는지 표정 변화 없이 도희를 계속해서 멀뚱히 바라보았다.

아무 말도 하지 않고 그저 무표정으로 저를 빤히 바라보는 시선에 난처해지는 쪽은 도희였다. 조금의 흔들림도 없이 단단히 허리를 휘감아 끌어안은 준원의 팔이며, 아찔하게 겹쳐진 맨살에서 느껴지는 뜨거운 체온이며, 어둑하게 쏟아지는 시선이며……. 그 모든 게 목을 조여 오는 듯했다.

"저기……."

내려다보는 눈빛에 도무지 숨을 쉴 수가 없었다. 밀물처럼 밀려오는 긴장감 때문에 도희의 목 뒤로 촉촉하게 땀이 맺히기 시작했다. 차마 그의 눈을 똑바로 바라보기가 힘들어 파르르 떨리는 눈꺼풀을 내리깔았다.

"이것 좀 놔줘요……."

역시 그녀의 약점은 서준원 이 남자였다. 그녀를 약하게 만드는 건 하나부터 열까지 전부 이 남자였다. 지금 그의 눈은 어젯밤 말싸움을 할 때처럼 건조하지 않았다. 마치 흠뻑 젖은 밤하늘처럼 느껴져 가슴이 예고 없이 일렁거렸다.

서준원의 새까만 눈동자는 항상 도희의 마음을 약해지게 했다. 때로는 숨통을 틀어쥐듯 긴장시켰고, 때로는 느슨하게 닫힌 마음을 풀어지게 했다. 상처를 받았다가도 연고를 발라 주면 언제 그랬냐는 듯이 바보처럼 풀렸다.

인간관계에 맺고 끊음이 누구보다도 확실하고 단호했던 도희에게 준원은 정말 해석하기 어려운 암호였다. 지금껏 그에게 수없이 거리 감을 느꼈고, 그때마다 그와의 관계를 정리하고자 했지만 결국 단념 할 수밖에 없었다.

결코, 벗어날 수 없는 존재. 그게 서준원이었으니까. 미칠 것 같은 데 절대 멀어질 수가 없는 이유를 도희는 스스로도 알 수가 없었다.

"……."

도희의 여린 어깨를 안고 있던 커다란 손이 나긋하게 움직여 붉은 머리카락 위로 포근하게 내려앉았다. 부드럽게 머리를 쓰다듬는 손 길에 도희의 가슴이 떨렸다.

이내 그의 말랑한 입술이 가볍게 정수리 위로 눌리며 쪽, 짧은 마 찰음을 만들어 냈다. 촉촉한 입술의 감촉에 반사적으로 내려앉은 도 희의 속눈썹이 가늘게 진동했다. 그대로 내려간 뜨거운 입술이 도희 의 여린 눈꺼풀에 짧게 키스를 남기고 떨어졌다.

이후 말없이 침대에서 일어난 준원은 뒤 한번 돌아보지 않고 욕실 로 들어갔다. 그 뒷모습을 바라보며 도희는 저에게만 들릴 정도로 작게 한숨지었다.

"하……."

머릿속은 뒤죽박죽이었으나 어찌 됐건 오늘은 미래를 바꾸어야 하는 중요한 날이다. 제 방으로 돌아가 핸드폰을 주워든 도희는 액 정에 선명하게 떠 있는 오늘의 날짜를 가만히 노려보았다.

세 번째 11월 23일. 어떻게 오늘을 바꿔야 할지 잠시 고민하던 도희는 한 손으로 머리를 아무렇게나 흐트러뜨렸다.

"지겹다, 진짜……."

지긋지긋한 반복의 굴레. 타임 루프 현상. 어떨 때는 신이 주신 축복이었다가, 또 어떨 때는 이렇듯 신이 내린 저주가 되기도 했다.

도희는 차유나가 사망한 원인부터 철저하게 분석하기로 했다. 첫 번째 오늘에는 차유나가 도희의 자존심을 찢어발기는 행동을 했고, 그래서 옥상에서 1대1로 대치했었다.

반면 차유나가 죽었던 두 번째 오늘에는 자존심이 상한 차유나가 PT가 끝나자마자 줄행랑을 치듯 회사를 떠났었다. 정황을 보아, 아마도 일찍 회사를 떠난 게 차유나의 죽음을 불러온 것일 터였다.

"그렇다면……."

복잡하게 생각할 거 없이, 차유나를 회사에 잡아 두면 해결될 것이었다.

"그래, 할 수 있어."

굳게 결심하며 주먹을 그러쥐었다. 그렇게 도희는 오늘, 세 번째 11월 23일을 두 번째 날에 그랬던 것처럼 똑같이 하루를 보냈다. 그리고 차유나와 로비에서 헤어지기 전, 유나에게 할 말이 있으니 시간을 내어 달라고 요청했다.

"어머, 미안해서 어쩌지, 언니? 내가 오늘 일정이 있어서."

하지만 보기 좋게 거절당했다. 이미 회의실에서 전날과 같은 반격을 당해 약이 잔뜩 오른 유나는 더 이상 도희의 얼굴을 마주 보고 싶지 않아 했다. 도희를 노려보며 회사 정문으로 향하는 유나의 손을 도희는 저도 모르게 덥석 쥐었다.

"야, 차유나."

"뭐야?"

"……지금 가지 않는 게 좋을 텐데."

"뭐……?"

지금 나가면 죽는다고 말할 수도 없고…….

"커피 한잔하고 가."

다급함에 아무 말이나 뱉었으나 이미 도희에게 KO를 당한 유나는 그런 도희의 말이 놀리는 것처럼 들릴 뿐이었다. 헛숨을 터뜨린 유나는 듣는 척도 하지 않고 자신의 매니지먼트 관계자와 회사를 떠나 버렸다.

그리고 몇 시간 후…….

"차유나 셰프가…… 조금 전 교통사고로 사망했다고 합니다."

아니나 다를까, 하 대리는 어김없이 유나의 사망 소식을 알려 왔다. 동시에 도희는 깊은 한숨을 내쉬면서 책상에 머리를 쿵, 박았다.

"……하."

곧바로 밀려들어 오는 괘씸함은 준원을 향한 것이었다. 이 세상에서 타임 루프를 느끼는 사람은 오로지 준원과 자신이 전부인데, 그런 준원이 저를 도와주지 않으니 외롭고 지칠 뿐이었다. 물론 알아서 해결할 테니 참견하지 말라고 큰소리친 쪽은 도희였지만, 정말 이렇게까지 아무런 관심도 두지 않을지는 상상하지 못했다.

'재수 없는 놈…….'

핸드폰을 주워든 도희는 그의 연락처를 띄워 놓고 속으로 육두문자를 퍼부어 댔다. 비인간적인 놈, 이기적인 놈, 개인주의 같은 놈!
어디 내가 이 인간한테 도움을 청하나 봐라!

그렇게 또 한 번 하루가 반복되어 맞은, 무려 네 번째 11월 23일
아침. 준원과는 여전히 냉전 아닌 냉전 상태였으나, 계속해서 반복
되는 타임 루프 때문에 도희는 아침마다 강제로 그에게 탄탄한 근육
에 끌어안긴 채 침대에서 눈을 떠야만 했다. 그것도 실오라기 하나
안 걸친 태고의 상태로 말이다.

"……."

아침으로 시간이 되돌아오자마자 도희는 준원의 품에 안긴 채로
그를 뾰로통하게 노려보았다. 서로 약 1분을 그렇게 쳐다보다가, 결
국 먼저 입을 연 것은 준원이었다.

"……뭐 해요? 왜 그렇게 봐요?"

준원은 도희가 자신을 눈 한 번 깜빡이지 않고 빤히 바라보니 조
금 의문스러웠다. 하지만 도희는 마치 눈싸움이라도 하듯 말없이 준
원을 계속 노려보았고, 이내 그가 눈을 한 번 깜빡이자 그제야 만족
스러운 미소를 지으며 멀어졌다.

……뭐지?

"왜 이긴 표정이에요?"

"아닌데요. 그런 적 없는데요."

"……누가 봐도 혼자 눈싸움 이기고 만족하는 얼굴인데."

"내가 무슨 해바라기반 소속인 줄 알아요? 그런 유치한 짓 하게?"

"아닌데, 맞……."

"몰라요! 나 오늘 바쁘니까 말 걸지 말아요."

새침하게 경고를 날린 도희는 준원의 맨가슴을 작은 주먹으로 퍽 때렸다. 그 틈을 놓치지 않고 준원은 도희의 손을 잡아끌어 훅 당겼다. 따스한 체온이 밀려오자 도희의 귀가 달아올랐다.

"뭐 하는 거예요!"

뜨거운 온기에 흠칫 놀란 도희는 저도 모르게 준원의 가슴 위에 잡히는 것을 검지와 엄지로 꼬집어 비틀었다.

"아……."

상상을 초월한 공격에 준원이 낮게 소리를 내었다. 움찔한 도희가 제 발 저려 벌떡 일어나더니 욕실로 치타처럼 빠른 속도로 달려갔다.

"아씨……!"

도희는 욕실로 들어오자마자 얼굴이 화끈 달아오르는 걸 느끼며 바닥에 주저앉았다.

"거기서 그걸 왜 꼬집어, 이 미친 백도희……!"

일부러 그런 것은 아니었기에, 미안한 마음 반, 민망한 마음 반이었다.

"이게 다 타임 루프 때문이야."

대체 내가 왜 냉전 상태에서도 강제로 서준원 침대에서 함께 눈을 떠야 하냐고! 그것도 무려 4일째!

아침마다 자동으로 서준원의 침대에 강제로 이주당해 그와 얼굴을 마주 봐야 하니 도희 입장에선 여간 머쓱한 일이 아닐 수 없었다. 하지만 그 덕분에 준원과의 관계가 이 이상 멀어지지 않기는 했다.

"아, 어쨌든 이럴 때가 아니야."

운 좋게 또 한 번 하루가 반복됐지만 언제 이 타임 루프가 끝나고 내일이 올지 몰랐다. 내일이 오면 다신 돌이킬 수 없게 되어 버리니, 이번엔 반드시 차유나를 살리는 데 성공해야만 했다.

　굳게 결심한 도희는 비장한 얼굴로 출근 준비를 했다.

　네 번째 11월 23일도 세 번째와 다름없이 똑같이 흘러갔다.

　"어머, 미안해서 어쩌지, 언니? 내가 오늘 일정이 있어서."

　역시나 차유나는 두 주먹을 부들부들 떨며 벌게진 얼굴로 돌아가 겠다는 의사를 밝혔다. 여기서 차유나를 그냥 보내면 어김없이 불의의 사고를 당해 죽을 것이 분명했다.

　그래서 네 번째 오늘, 도희가 선택한 방법은…….

　"아, 팀장님은 왜 따라와요?"

　미행이었다. 차유나의 차 뒤를 졸졸 쫓아가는 다소 멋없는 방식을 택했다.

　"마음에 걸려서요. 도희 씨 혼자 애쓰는 게."

　이 은밀한 미행에 허가 없이 끼어든 불청객은 다름 아닌 서준원이 었다. 조수석에 불법 침입하듯 올라탄 준원에 도희는 내심 좋으면서도 툴툴거렸다.

　"팀장님, HK 미팅 안 가요?"

　"아직 시간 여유 있어서 괜찮아요."

　"참나, 내가 알아서 할 테니까 신경 쓰지 말라고 한 거 기억 못 해요?"

"기억은 하는데······."

준원이 가볍게 미소 지으며 도희를 바라보았다.

"도희 씨 얼굴에 쓰여 있던데요?"

"뭐가요?"

운전석에 앉아 차유나의 차를 뒤쫓던 도희가 짜증스레 반문하며 준원을 돌아보았다.

"자, 봐요. 여기 쓰여 있잖아요."

픽 웃은 준원이 도희의 뺨 한쪽을 쿡 찔렀다.

"도와주세요. 힘들어요. 혼자는 외로워요."

"아, 내가 언제요! 지어내지 말아요."

간파당한 기분에 도희의 양 볼이 능금처럼 붉게 달아올랐다.

"난 원래 타임 루프, 지금껏 혼자서 다 이겨내 왔거든요? 서준원 씨 없어도 잘 해결한다고요."

"네, 아무렴 그러시겠죠."

"아, 진짜······."

건성인 대답에 도희가 발끈했다. 느슨하게 신호 앞에 정차하자, 준원이 불현듯 훅 다가가 폭신폭신한 볼에 짧게 뽀뽀했다. 흠칫한 도희가 볼을 감싸며 준원을 홱 돌아보았다. 똑 떼어 놓은 딸기같이 빨개진 얼굴을 가만히 바라보던 준원이 픽 웃었다.

"······잊었어요? 우리 지금 싸운 상태거든요?"

"미안합니다. 귀여워서 나도 모르게."

"······하."

미칠 것만 같아 입술을 꾹 다물었다.

"나 이제 운전에 집중해야 하니까, 진짜 하지 말아요."

준원에게 났던 화는 아직 풀리지 않았으나, 청량하게 웃는 미소에 벌렁거리는 심장은 너무도 정직했다. 도희는 머리를 좌우로 털며 유나의 차를 뒤쫓아가는데 온 정신을 쏟아부었다.

　그렇게 얼마쯤 지났을까, 유나의 차는 그녀의 레스토랑에 안전하게 도착했다. 부드럽게 주차장으로 진입하는 차의 뒤꽁무니까지 확인한 도희가 조금 떨어진 갓길에 차를 세우고 깊게 안도의 숨을 내쉬었다.

　"이 정도면 차에 치여 죽지는 않겠죠? 가게 안으로 들어갔으니까."

　"아마도 그렇지 않을까요?"

　"아, 근데 뭔가 좀 마음에 걸리는데……."

　왜 이렇게 폭풍전야 같은 느낌을 떨칠 수 없는 걸까. 도희는 찜찜한 기분으로 멀찍이 떨어진 차유나의 레스토랑을 멀거니 바라보았다. 그렇게 약 10분을 초조하게 기다리다가, 차유나에게 이제 위험이 도사리지 않을 거라고 확신하며 기어를 바꾸었다.

　"준원 씨, HK 미팅 바로 가야 하죠?"

　"네. 시간이 얼마 남지 않아서, 여기서 바로 출발해야 합니다."

　"그래요. 그럼 어차피 나온 김에 내가……."

　쾅!!!

　그 순간 고막을 찢는 듯한 굉음이 난도질하듯이 튀어 올랐다. 도희와 준원의 동공에 각인된 것은 맹렬하게 질주하는 화물 트럭이었다. 거대한 트럭은 그대로 차유나의 레스토랑으로 돌진했고, 하중에 부딪힌 투명한 유리문은 굉음을 내며 산산조각 났다. 비명이 터지며 아비규환이 된 것은 순식간이었다. 바로 눈앞에서 사고 현장을 목격한 도희의 심장이 철렁했다.

"미친……."

놀라 하얗게 질린 도희는 덜덜 떨리는 손으로 휴대전화를 주워들었다.

"구…… 구급차를……."

119를 누르는 손이 자꾸만 삐끗거리며 엇나갔다. 차유나가 차에 치일 거라는 것은 알고 있었지만, 트럭 자체가 레스토랑을 들이받을 줄은 미처 몰랐던 탓이었다.

"이래서야 제시간에 미팅 장소에 도착하기는 힘들겠네요."

순간 도희의 숨이 우뚝 멈추었다. 온몸에서 피가 쑥 빠져나가는 듯한 기분에 사로잡힌 도희가 흔들리는 동공으로 준원을 바라보았다.

"일단 앰뷸런스 먼저 부르겠습니다."

"……."

넋이 나간 도희의 옆에서 준원은 조금의 흔들림도 없는 태도로 119에 전화를 걸었다.

"네. 여기 세형 빌딩 앞 사거리입니다. 트럭이 건물을 들이받았는데 부상자가 있는 것 같습니다."

이성적으로 신고하는 준원을 보며 도희의 마음 한구석이 서늘하게 얼었다. 여전히 무표정으로 조금의 동요도 없이 통화하는 모습에 가슴이 욱신거렸다.

얼마 가지 않아 앰뷸런스가 도착하고, 레스토랑 안에서는 피투성이가 된 유나가 병원으로 이송되었다. 뼈가 부러지고 흉측하게 망가진 모습에 도희는 충격을 금할 길이 없었으나, 그런 유나가 응급실로 옮겨져 사망할 때까지 준원은 조금의 표정 변화도 동요도 없었다.

그 모습에 되려 마음의 상처를 입은 쪽은 도희였다. 유나의 죽음을 확인하고 함께 집으로 돌아올 때까지, 완전히 얼이 나간 도희는 아무 말도 할 수 없었다. 현관문을 열고 안으로 들어온 후에도 도희는 준원과 단 한마디도 섞지 않고 방에 틀어박혔다.

"도희 씨, 괜찮아요?"

준원은 그런 도희가 신경 쓰이는지 방문을 두드리며 말을 걸었다.

"왜 그래요. 차유나를 못 살려서 그래요?"

여전히 단조로운 그의 음성은 마치 뾰족한 화살처럼 아프게 가슴에 박혔다. 물론 지금 도희가 심란한 이유에는 차유나의 죽음을 또 막지 못했다는 탓도 있지만, 그보다 더 충격적이었던 것은…… 사고가 나고 차유나가 사망 판정을 받을 때까지의 준원의 비정상적인 태도였다. 그는 마치 사람으로서 느끼는 기본적인 감정조차 결여된 것 같았다.

'그러고 보면 예전에도…….'

준원이 직접 자신의 입으로 제 약점을 털어놓았던 때가 떠올랐다.

'난 솔직히 말해서, 웬만한 일로는 화가 나지도 슬프지도 기쁘지도 않아요.'

항상 무미건조한 그가 솔직하게 자신의 이야기를 했던 장면이 머릿속에 그려졌다.

'그만큼 공감 능력도 현저히 떨어져서, 불쌍한 사람을 봐도, 심지어는 누가 내 앞에서 울고 있는 모습을 봐도 아무 생각이 들지 않습니다.'

그때 그가 했던 말이 피부로 체감되는 순간이었다.

'그런데 백도희 씨는 늘 예외더라고.'

마지막에 그는 한마디를 덧붙였었다. 나만은 예외라고.

"······하."

이걸 아무렇지 않게 받아들일 여자가 세상에 있을까? 머리가 욱신욱신 아파 왔다. 이어서 머릿속을 파고드는 것은 예전에 타임 루프 때문에 갈등을 겪었던 때의 기억이었다.

'잘못된 영상을 튼 건 양지예 대리 실수입니다. 본인 실수를 없었던 일로 만들 이유, 나에겐 없습니다.'

그는 그렇게 말했었고, 도희는 그런 그를 피도 눈물도 없는 인간이며 이기적이라고 비난했다. 그의 가치관에서는 굳이 다른 사람의 불행을 신경 쓸 필요가 전혀 없었을 것이다.

하지만······ 분명히 그 이후에, 준원은 도희를 위해 '처음과 다른 행동을 하지 않는다'는 자신의 원칙을 어기고 도희의 손을 잡아 주었다.

'그때, 분명히 달라졌다고 생각했는데······.'

이제는 그저 혼란스러울 뿐이었다. 오늘은 직접 눈으로 차유나가 죽는 모습을 두 눈으로 똑똑히 보았고, 아직도 그 충격적인 장면이 머리에서 잊히지 않았다.

'그런데 어떻게 저런 태도냐고······!'

그래도 지금껏 도희는 준원이 제게 인간적인 모습을 꽤 보여 줬다고 생각했다. 처음과 달리 변했다고 느낀 점도 많았고, 표정이나 말투는 항상 미지근하긴 해도 행동이나 언어 하나하나에서 점점 더 온기가 느껴진다고 생각했다.

······하지만 그런 게 전부 연기였다면? 가짜였다면? 내 착각이었다면?

'진짜 서준원은 대체 어떤 남자인 거지······?'

계속된 고민에 도희의 머리가 터질 것처럼 과부하가 걸려 버렸다. 그녀는 이제 더는 아무 생각도 하기 싫었다. 그대로 눈을 지그시 감고 찰나의 잠에 빠져들었다.

다행인지 불행인지, 내일은 오지 않았고 하루는 또 반복되었다. 어느덧 11월 23일만 벌써 다섯 번째 반복되고 있었다. 도희는 이제 완전히 지쳐 버리고 말았다. 마음 같아서는 전부 포기해 버리고 싶었지만, 그래도 사람 목숨이 달린 일이기에 흔들리는 마음을 굳게 다잡았다.

'오늘이 진짜 마지막 기회라고 생각하자.'

이미 다섯 번이나 하루가 반복되었으니 여섯 번째 오늘은 없을지도 몰랐다.

'정신 차리고 똑바로 하는 거야, 백도희!'

다짐하고 또 다짐하며 비장하게 고개를 끄덕였다. 네 번째 11월 23일에 그랬던 것처럼, 준원과 도희는 오늘도 미팅을 끝내고 레스토랑으로 돌아가는 차유나의 뒤를 미행했다. 전날과 다름없이 차유나 차를 쫓으며, 도희는 사고를 낼 예정인 음주운전 트럭을 미리 신고하기 위해 핸드폰을 들었다.

"네, 경찰이죠? 여기 레스토랑 문라이트인데요. 음주운전 화물 트럭이 곧 인명사고를 낼 예정인데……."

112에 전화해 사실 그대로를 말하며 신고했으나, 경찰은 도희의 말을 믿지 않았다.

"네? 아니, 장난 전화가 아니고……."

준원이 도희에게 스피커폰으로 연결하라고 신호를 보냈다. 곧바로 도희가 스피커폰으로 전환하자 준원이 다시금 차분하게 목소리를 내었다.

"네. 여기 음주운전으로 추정되는 트럭이 차선을 넘나들면서 교통을 방해하고 있는데, 이대로면 사고가 날 것 같습니다. 차량번호는 5433입니다. 위치는……."

……역시, 서준원. 도희는 속으로 혀를 내두르며 박수를 보냈다. 이럴 때는 서준원의 이성적이고 침착한 점은 큰 도움이 되었다. 사람의 생사가 오가는 상황이기에 답지 않게 긴장한 도희와 달리 준원은 한결같았기 때문이었다.

"경찰에 신고는 했지만, 일단 계속 따라가는 게 좋겠죠?"

"네. 그게 나을 것 같아요. 혹시 모르니까."

도희는 고개를 끄덕이며 동의했다. 사고를 미리 방지하기 위해 경찰에 신고는 해 두었으나, 일단 유나의 차를 계속해서 뒤쫓기로 했다.

이윽고 유나의 차는 전날처럼 그녀의 레스토랑 안으로 들어갔고, 준원과 도희는 근처에 차를 멈추고 대기했다.

"사고 시간까지는 지금 10분 정도 남았어요."

왼쪽 손목을 흘긋 확인한 준원이 덤덤하게 말했다. 그 옆에서 초조한 기색으로 유나의 레스토랑을 바라보는 도희는 어쩐지 밀려오는 불안감에 진정할 수가 없었다.

"그래도 혹시 모르니까, 어제 사고 시간이 되기 전에 차유나한테 피하라고 말해야겠어요."

이미 경찰에 신고까지 했으니 사고가 날 확률은 그리 높지 않았다. 하지만 혹시 모를 가능성의 존재가 도희의 어깨를 무겁게 짓눌렀다.

"도희 씨."

준원이 다급하게 도희를 불렀으나, 벌컥 문을 열고 내린 여린 몸은 뒤도 돌아보지 않고 레스토랑 안으로 뛰어 들어갔다. 그녀의 모습이 시야에서 사라지자 준원도 시동을 끄고 차에서 내리려던 찰나였다.

"5433 차량! 5433 차량 멈추세요!"

확성기의 팽창된 소음과 함께 경찰차의 사이렌 소리가 시끄럽게 어우러져 들려왔다. 경찰들이 사고를 낼 예정인 트럭을 맹렬하게 뒤쫓고 있었고, 음주운전 트럭은 정신없이 도주 중이었다.

"시간이……."

의구심에 한쪽 눈썹이 올라간 준원이 시간을 확인했다. 트럭은 경찰의 추격을 피하고자 더욱 과속하며 달려온 탓에, 전날 사고가 났던 시간보다 10분이나 이른 시간에 여기까지 달려온 것이었다.

"도희 씨……."

거칠게 흔들리는 준원의 동공이 도희가 들어간 레스토랑 건물로 향했다. 그는 곧바로 레스토랑을 향해 뛰었다.

한편 도희는 레스토랑 문을 박차고 들어가자마자 갑작스럽게 들려오는 사이렌 소리에 흠칫 놀랐다. 곧바로 화물 트럭이 경찰을 몰고 이곳으로 왔다는 것을 눈치챈 도희의 가슴이 서늘해졌다.

"뭐야? 언니, 여긴 왜 왔어?"

돌연 가게 안으로 들어온 도희를 보며 유나가 황당하다는 듯이 물었다. 도희는 설명할 새도 없이 유나에게 다가가 무작정 그녀의 팔을 잡았다.

"차유나, 빨리 가게 밖으로 피해야 해."

"뭐? 느닷없이 무슨…… 이 손 놔."

점점 더 가까워지는 사이렌 소리에 도희의 척추로 써늘한 소름이 돋아났다.

"피해야 한다고!"

쾅!!!

엄청난 폭발음과 함께 도희는 움직이지 않고 버티는 유나를 있는 힘껏 밀치며 바닥을 굴렀다. 전속력으로 무자비하게 들이닥친 트럭은 레스토랑의 문을 순식간에 박살 내었다. 거칠게 튄 파편이 살갗을 찢으며 괴이한 고통을 만들어 냈다.

"……아, 윽……."

유나는 욱신거리는 골반의 고통에 미간을 찌푸렸다. 감았던 눈을 비스듬히 뜨자 눈앞에 보이는 것은 믿을 수 없는 광경이었다. 제 레스토랑을 부수며 들어온 트럭과 어지러이 놓인 파편들, 옆에 엎어진 도희의 팔꿈치는 찢어져서 피가 흘러나오고 있었다.

트럭이 들이받은 곳이 조금 전 자신이 서 있던 곳이라는 것을 깨달은 유나는 등골이 오싹했다. 갑자기 도희가 저를 밀치고 바닥을 뒹굴지 않았더라면, 저 트럭에 치여 고깃덩이처럼 피를 흘리며 짓뭉개졌을 터였다.

"하, 씨……."

도희는 씁듯이 신음을 뱉으며 피가 흐르는 팔꿈치를 짚으며 상체를 일으켰다. 그러나 발목이 어긋난 건지 일어날 수가 없었고, 전신에 전해져 오는 고통은 점점 더 심해져만 갔다. 다시 툭, 쓰러진 도희에 흠칫한 유나가 그녀의 등을 흔들었다.

"뭐야…… 백도희. 네가 왜……."

당혹감에 도희를 흔들던 유나의 골이 돌연 거칠게 뒤흔들렸다.

"아!!!"

갑자기 엄청난 힘에 확 밀쳐진 유나가 바닥에 깡통처럼 나동그라졌다. 순식간에 패대기쳐진 탓에 놀란 유나가 눈을 부릅뜨니 저를 밀친 사람은 준원이었다.

"오, 오빠……?"

그는 유나 쪽에는 시선도 주지 않고 곧바로 다친 도희를 업어서 레스토랑 밖으로 나갔다.

"……이게 무슨……."

유나는 얼빠진 얼굴로 어수선하게 주위를 둘러보았다. 이내 경찰들이 운전석에서 피를 흘린 채 쓰러져 있는 음주 운전자를 포위했고, 곧바로 도착한 앰뷸런스가 부상자를 실어 응급실로 향했다.

유나의 레스토랑은 때마침 브레이크 타임이었기에 손님들은 없었고, 직원들은 전부 건물 안쪽 주방에 있었다. 따라서 트럭에 직접적으로 치인 사람은 없었기 때문에 인명 피해는 그리 크지 않았고, 트럭 운전자만 중상이었으며 다른 사람들은 모두 경미한 부상에서 그쳤다.

"도희 씨, 괜찮아요?"

"네, 뭐……."

응급실 베드에 누워 있는 도희는 준원의 물음에 짧게 답했다. 절

차에 따라 CT와 X-ray를 찍었는데, 다행히 왼쪽 발목의 1도 염좌
와 가벼운 타박상과 찰과상 외에는 큰 이상이 없었다. 찢어진 팔꿈
치를 몇 바늘 꿰매고, 왼쪽 발목에는 반깁스를 착용하고 나니 응급
실에서는 수납을 마치고 귀가해도 좋다고 안내했다.

"나는 지금 거래처 미팅에 많이 늦어서, 바로 가 봐야 할 것 같습
니다."

"네, 괜찮으니까 어서 가요."

"발목도 아픈데, 혼자 집에 갈 수 있겠어요?"

"친구한테 와 달라고 부탁해서 괜찮아요."

"그래요. 그럼 오늘은 이만 집으로 가서 쉬고 있어요."

"네, 알겠어요."

도희는 준원의 부축을 받으며 응급실을 나왔다. 닫힌 문이 열리자
저 멀리서 이언이 다급하게 뛰어왔다.

"야, 백도희! 괜찮아?"

실연의 상처로 집 안에 틀어박혀 게임 폐인 생활을 하던 이언은
도희가 다쳤다는 전화 한 통에 물불 가리지 않고 달려왔다. 짝짝이
로 신은 운동화는 이언이 여기까지 어떤 심정으로 달려왔는지를 노
골적으로 보여 주었다.

"이언아, 왔어?"

오랜만에 보는 얼굴에 도희는 흐리게 웃으며 인사했다. 이언의 등
장에 잠시 멈칫한 준원은 도희를 부축한 자세 그대로 굳었다.

"다리 안 아파? 업어 줄까?"

성큼 다가온 이언은 준원을 자연스럽게 밀어내며 도희의 양어깨
를 잡아 이리저리 돌렸다. 도희를 잡고 있는 구릿빛 손에 준원의 표

정은 점점 더 싸늘해졌다. 그 서늘한 시선을 느낀 이언이 잠시 멈칫하다가 떨떠름하게 손을 떼어 냈다.

"업긴 뭘 업어? 걸을 수 있으니까 오버하지 마."

준원의 눈치를 살짝 살핀 도희가 이언에게 핀잔하는 투로 말했다. 그 말에 언짢은 기색으로 뒷머리를 문지르는 이언을 준원은 달갑지 않은 눈빛으로 보았다.

"팀장님은 어서 가 보세요. 미팅 많이 늦으셨잖아요."

계속해서 얼굴을 굳힌 채 이언을 쏘아보고 있는 준원에게 도희가 재촉했다. 그렇게 한참을 노려보던 준원은 이내 미팅 시간에 늦은 걸 상기하고, 할 수 없이 도희를 뒤로한 채 병원을 떠났다.

"야, 부축해 줄 테니까 빨리 손잡아."

준원이 떠나고 나니 이언은 더 이상 눈치 볼 게 없었다.

"응. 바쁜데 불러서 미안해. 누리는 지방에 촬영하러 내려갔다고 해서."

"야, 우리 사이에 뭐가 미안하냐. 많이 아파? 괜찮아?"

"별로 안 아파. 진짜 괜찮아."

"그런데 갑자기 왜 다친 거야?"

일일이 설명하자면 길었기에 간단하게 다친 이유를 말하며 다리를 움직였다. 이언의 부축을 받으며 병원 로비 쪽으로 걸어가는데, 일순 익숙한 얼굴이 두 사람 앞을 가로막았다. 그 얼굴을 확인하자마자 도희가 깊게 한숨을 내쉬었다.

"뭐야, 너?"

차유나였다. 잔뜩 성이 나서 표독스럽게 굳은 얼굴로 도희를 노려보고 있었다.

"너야말로 뭐 하자는 거야?"

앙칼진 목소리가 한껏 격양된 채 도희의 고막을 날카롭게 찔러 왔다. 유나의 흉흉한 기세에 이언이 나서려고 하자 도희가 저지하며 잠시 자리를 비켜 달라고 부탁했다. 할 수 없이 머리를 한번 헝클어뜨린 이언이 도희를 의자까지 데려다준 후 뒤를 돌았다.

"너 뭔데 갑자기 끼어들어서 구해 주는 척이야? 그럼 내가 고마워할 줄 알았니?"

사람이 비교적 없는 곳 의자에 도희가 앉자마자 유나는 화가 난 음성으로 따져 댔다.

"백도희 네가 뭔데!"

"너? 너라고 했냐, 지금?"

"왜. 한 살 차인데 꼬박꼬박 언니 대접받고 싶어?"

"너 이제 아주 막 나가는구나? 이게 뒤질 뻔한 거 살려 놨더니……."

"그러니까 누가 구해 달라고 했냐고!"

"하……."

도희는 욱신거리는 목덜미를 잡으며 미간을 찌푸렸다.

"야, 이 미친년아. 지랄하지 말고 내 눈앞에서 꺼져."

"……."

"너 따위 거 구하려고 다친 내가 또라이지, 진짜. 뒤지든 말든 그냥 뒀어야 했는데, 그렇지?"

쏟아진 험악한 말에 흠칫한 유나가 저도 모르게 순간 움찔 겁을 먹었다.

"……하."

"……."

216

"나 지금 너무 힘들다. 그만하자."

도희는 바닥을 뒹군 탓에 온몸이 두들겨 맞은 것처럼 아팠다. 더 혈압이 오르면 꿰맨 부위가 터질 것 같아 유나와의 대화를 종결하기로 했다.

"……오빠는 어디 갔어?"

뒤를 돌아 절뚝거리며 이언이 있는 곳으로 가는 도희에게 유나가 작은 소리로 물었다.

"준원 오빠가 아니라 다른 남자가 언니 옆에 있길래. 설마 오빠, 병원에만 데려다주고 사라진 거야?"

속이 답답해진 도희가 길게 숨을 뱉으며 고개를 뒤로 꺾었다가 원위치시켰다.

"언니, 내가 충고 하나 해 줄게."

"……."

"오빠는 절대 남을 사랑할 수 없는 사람이야. 괜한 기대 품지 말라고. 상처받는 건 결국 언니일 테니까."

"……너 지금 무슨 말 하니?"

"전부 그런 척일 뿐이라고."

"뭐?"

"웃는 것도 웃는 척, 잘해 주는 것도 잘해 주는 척."

항상 생글생글 가짜 미소를 안면에 띄우고 있는 유나가 이토록 진지하게 무표정으로 말하는 것은 매우 드문 일이었다.

"그냥 전부 보통 사람들을 흉내 낼 뿐이라고."

……뭐라는 거야. 쓸데없는 말에 기분이 상해 버린 도희는 어이가 없다는 듯 혀를 찼다. 그대로 뒤를 돌아 이언이 있는 곳으로 걸어가

자 잠시 자리를 비켜 주었던 이언이 달려와 도희를 부축했다.

"너희 집으로 가면 되지?"

이언은 조수석에 도희를 태우고 차에 시동을 걸었다. 안전벨트를 매던 도희가 고개를 끄덕이며 창문 쪽으로 고개를 돌렸다.

"지금 막혀서 1시간은 걸리겠다. 도착하면 깨워 줄 테니까 한숨 자. 피곤할 텐데."

"응. 고마워."

안 그래도 하루에 몰아닥친 어마어마한 피로 때문에 당장에라도 정신을 잃을 것만 같았다. 차유나를 살리겠다고 5일이나 정신없이 뛰어다닌 탓에 신체적으로도 정신적으로도 한계치에 다다랐다.

이언의 배려에 지그시 눈을 감은 도희는 그대로 잠시 선잠에 빠져들었다. 묵묵히 운전하던 이언은 백미러로 흘긋 자는 도희의 얼굴을 바라보았다.

"……."

먹먹하게 조여 오는 가슴에 핸들을 쥔 손에 힘이 들어갔다. 왜 도희가 저렇게 다치게 내버려 둔 건지, 준원을 향한 분노가 치밀어 올라 이가 갈렸다. 나라면 절대 도희를 다치게 두지 않을 텐데, 그런 생각을 하며 이언은 입술을 아프게 깨물었다.

그렇게 얼마나 시간이 흘렀을까, 도희의 집에 도착한 그는 그녀의 얼굴을 한참 동안 바라만 보다가 조심스레 입을 열었다.

"도희야."

"······응?"

"도착했어. 일어나."

"아······."

이언이 부르는 소리에 부스스 눈을 뜬 도희가 주위를 둘러보고 멈칫했다.

"데려다줘서 고마워, 이언아."

이곳은 준원과 함께 사는 집이 아닌, 도희가 원래 혼자 살던 집이었다. 생각해 보니 이언에게는 준원과 동거하기로 한 사실을 알린 적이 없었기에, 이곳으로 오는 것은 당연지사였다. 핸드폰을 꺼낸 도희는 준원에게 문자를 보내기 위해 엄지를 바쁘게 움직였다.

[준원 씨, 이언이가 저 원래 살던 집에 계속 사는 줄 알고 여기로 데려다줬어요. 오늘은 그냥 여기서 자고 갈 테니까 내일······.]

내일 봐요, 라고 치려던 도희는 순간 멈칫했다. 잠시 생각하던 도희는 이내 썼던 문자를 도로 지우고 깔끔하게 한 문장만 다시 작성했다.

[저 원래 살던 집에 왔는데, 당분간 여기서 쉴게요.]

고민하는 듯 움찔거리던 엄지가 전송 버튼을 꾸욱 눌렀다.

완곡한 거절에도 불구하고 이언은 부득불 도희를 부축해 집 안까지 데려다주었다. 욕실로 들어간 도희가 화장을 시우고 편한 옷으로 갈아입고 나올 때까지도 이언은 가지 않고 거실에 앉아 자리를 지켰다.

"뭐 좀 마시고 갈래?"

"아니야. 괜찮아."

도희가 예의상 묻자 이언은 고개를 저었다.

"어서 침대에나 누워. 너 눕는 거 보고 가게."

"그래, 그럼……."

더 이상 아무것도 하고 싶지 않은 기분이었기에 대충 대답하며 고개를 주억거렸다. 천근만근인 몸을 이끌고 침대에 털썩 누웠다. 그 앞 바닥에 주저앉은 이언은 침대에 느슨하게 등을 기대었다.

"물건 버렸어? 왜 이렇게 집이 휑해진 것 같지."

준원의 집으로 들어갈 때 생활에 필요한 물건을 많이 들고 갔으니, 이 집은 휑할 수밖에 없었다.

"음."

준원과 같이 산다고 말하기가 조금 껄끄러웠던 도희는 모호하게 대답하며 눈을 감았다가 떴다.

"그나저나 다리 다쳐서 어떡하냐. 한창 연애 초반이라 좋을 땐데, 데이트도 못 하고."

"응? 데이트?"

"뭐야. 서준원하고 데이트 안 해?"

……그러고 보니 딱히 데이트라고 할 만한 걸, 준원과 해 본 적이 없는 것 같았다. 그도 그럴 것이 연애 수칙 3조에는 의무적인 데이트와 보고성 연락은 생략하며, 쌍방의 합의가 있을 때만 진행한다고 적혀 있었기 때문이었다. 상처받지 않기 위해 도희가 먼저 만든 수칙이었으나, 준원은 조금의 불만도 없이 흔쾌히 받아들였었다.

"그럼 평소에 둘이 뭐 하고 지내는데?"

"음…… 그냥 밥 먹는 거?"

그걸 데이트라고 하나……?

애초에 준원과 도희의 연애는 3개월짜리 합의에 의한 연애였다. 3개월 안에 서로에게 진심으로 사랑을 느끼지 않는다면 관계를 끝 낸다는 조항도 연애 수칙에 있었고, 사실 이는 정상적인 관계라고 볼 수 없었다.

'그래, 어쩌면 내가 놓는 순간…… 끊어질 관계일지도.'

전날 피투성이가 되어 앰뷸런스로 실려 가는 차유나를 보고도 아 무런 동요도 없이 무표정인 준원을 보고 도희는 적잖이 충격을 받 았다. 한때는 결혼 준비까지 했던 여자인데 그렇게 아무렇지 않은 비인간적인 태도라니. 혹여나 도희가 다친다고 해도 준원은 아무런 동요도 없을지 모른다는 생각에 도희는 괜히 혼자 상처를 받았다.

그리고 오늘, 실제로 도희는 다쳤고 준원은 그런 도희를 곧바로 번쩍 업어 병원으로 데려갔었다. 다만, 당시에는 부상의 고통 때문 에 정신이 없어서 준원의 표정을 살필 새가 없었다.

……아니, 어쩌면 보고 싶지 않았던 걸지도 모르겠다. 만약 그가 또 무표정을 짓고 있었다가는 돌이킬 수 없을 만큼 상처를 받을 것 같아서, 그게 두려워서 일부러 외면했던 걸지도 모른다고, 도희는 생각했다.

"도희야."

어지러이 부유하는 상념을 꿰뚫고 이언의 음성이 고막에 묵직하 게 와닿았다.

"응?"

"10년 전에, 네가 나한테 했던 말 기억해?"

"무슨 말?"

"날 잃기 싫다고 했잖아, 네가."

"……."

갑작스럽게 떠오른 화제에 도희의 입술이 일자로 다물렸다. 어떻게 그 일을 잊겠는가, 이언이 제게 고백하기도 전에 혼자 겁을 먹어에둘러서 거절했던 그날 일을.

친구로서 강이언은 정말로 소중한 사람이었고, 도희는 누리까지함께 셋이 평생 우정을 지켜 나가고 싶었다. 결코, 한순간의 유희로이 우정의 균형을, 친구를 잃고 싶지 않았다.

"넌 날 한 번도…… 남자로 생각해 본 적이 없어?"

고백도 해 보지 못하고 차였던 그날의 아픔이 이언을 아프게 짓눌러 왔다. 그렇다. 도희가 우정을 지키고 싶다는 이기심에 외면하고묻어 두었던 이야기가, 이언에게는 상처가 되어 10년간 가슴에 멍을 남겼다.

"……이언아."

"……."

"내가 지금, 그 질문에 어떻게 대답을 하든…… 우리 관계가 틀어지지 않을까?"

조심스레 속삭이는 말에 이언이 위아래 입술을 꾹 다물었다. 속이엉망진창으로 타들어 가는 듯했으나, 그는 억지로 입꼬리를 들어 올리며 픽 웃었다.

"야, 장난인데 뭘 그렇게 심각하게 받아들여?"

사람 좋게 웃으며 무릎을 짚고 일어난 이언은 침대에 누워 있는도희를 보며 호탕하게 웃었다. 대수롭지 않은 척 어깨를 으쓱하며부러 유쾌한 목소리를 내었다.

"방금 한 말 별로 신경 쓸 거 없어. 그냥 제일 친한 친구를 뺏긴 듯한 기분이랄까……. 뭐, 그런 거 있잖아. 친구끼리도 누가 더 친하면 질투하고 그러잖아?"

"……음."

"어쨌든, 오늘 이 몸값 죽여 주는 형님이 수발들었으니까 다음에 맛있는 거 사라?"

이언은 옅게 미소 지으며 억지로 발을 뗐다. 다시 친구로서 옆을 지키기 위해, 껄끄러워지지 않기 위해 최선을 다하는 이언에 도희도 입꼬리를 들어 올리며 흐리게 웃었다.

"난 간다. 몸조리 잘하고, 다음에 보자."

"응, 고마워, 이언아."

거래처와 미팅이 끝난 시각, 외부에서 곧바로 퇴근하던 준원은 도희에게 도착한 문자를 확인하고 핸들을 틀었다. 급하게 운전해서 도희의 아파트에 도착해 올라가려는데, 활짝 열린 엘리베이터 문 사이로 달갑지 않은 얼굴을 마주했다.

"퇴근하셨나 봐요."

무표정으로 이언을 가만히 바라보던 준원은 가볍게 고개를 끄덕였다.

"저는 도희 위에까지 데려다주고 오는 길입니다. 다리가 불편하니까 남자 친구분께서도 그 정도는 이해하시겠죠?"

집 안까지 들어갔다가 나온 것에 불만을 품지 말라며 미리 선을 그었다. 준원의 미간이 미세하게 좁아졌다.

　정면으로 마주한 두 사람 모두 입을 열지 않으니 적막한 가운데 팽팽한 기류만 맴돌았다. 말없이 서로를 바라보는 두 남자 사이로 숨 막히는 긴장이 오고 갔다.

　"지금 시간을 보면, 데려다주고 집에서 바로 나온 게 아니라 좀 있다가 나오신 것 같은데요."

　"……네?"

　"다리 때문에 집까지 데려다주신 거면, 바로 나왔어야 한다는 뜻입니다."

　하, 이언이 헛숨을 터뜨렸다.

　"앞으로 도희 씨네 집에 단둘이 있는 상황은 피해 주시면 좋겠습니다."

　정중하게 말하는 듯했으나 사실상 위압감이 느껴지는 경고였다. 그 기세에 조금도 밀리지 않으며 이언이 비소를 머금었다.

　"내가 왜요?"

　악의에 찬 음성에 준원의 눈매가 가늘게 길어졌다.

　"내가 도희와 몇 년을 친구로 지냈을 거 같아요?"

　"……."

　"자그마치 15년이에요. 지금까지 도희네 집에 놀러 온 적도 많고, 자고 간 적도 있습니다. 그런데 내가 왜 그쪽 말을 들어야 하죠?"

　이언은 두 눈을 번뜩이며 준원에게 한 발짝 가까이 다가섰다.

　"집에 데려다주든, 뭘 하든 그건 내 마음입니다."

　어둠에 젖은 짙은 갈색 눈동자가 낮게 경고하는 듯했다.

　"그쪽이 관여할 일이 아니라고."

네가 모르는 무언가가, 우리 사이에는 존재한다고.

일부러 도발하려는 듯한 무례한 말에도 준원은 별다른 대꾸 없이 이언을 가만히 응시할 뿐이었다. 그 침착한 모습에 이언은 결국 허탈한 숨을 터뜨리고 말았다.

"참 대단하시네요. 보통 이렇게까지 도발하면 화를 내든 하다못해 화난 표정이라도 지을 텐데, 계속 처음과 똑같은 표정……."

"……."

"도희를 좋아하는 게, 맞기는 합니까?"

이언은 준원이 소름 끼치도록 싫고 맘에 들지 않았다. 단순히 도희를 뺏어 갔다는 문제가 아니라, 준원은 결코 도희를 행복하게 해 줄 것 같지 않았기 때문이었다.

"어쨌든 저는 친구로서든 애인으로서든, 도희를 꼭 행복하게 해 줄 거예요. 도희 행복에 방해되는 건……."

느슨하게 고개를 비튼 이언이 천천히 말을 이었다.

"내가 절대 용납 못 합니다. 그게 사람이든 뭐든 간에."

이 경고와 위협이 단순히 말만으로 그치는 허풍이 아니라는 듯, 이언은 준원의 어깨를 툭 한번 두드리고서 주차장으로 걸어갔다.

잠시 발이 묶인 듯이 가만히 서 있던 준원은 이내 주머니에 손을 찔러넣었다. 올라갔다가 다시 내려온 엘리베이터에 몸을 담았다.

침대 위에서 뒤척이던 도희는 벨을 누르는 소리에 몸을 일으켰다. 보나 마나 준원임이 틀림없었으나 왠지 그의 얼굴을 보기가 껄끄러웠다. 그냥 자는 척 문을 열어 주지 말까, 잠시 고민했으나 이내 홀린 듯 인터폰으로 향해 열림 버튼을 꾹 눌렀다.

"벌써 자려고요?"

현관문을 열고 들어온 준원은 절뚝거리며 침실로 향하는 도희의 하얀 다리를 목격했다. 도로 침대로 향한 도희는 옆을 보고 누운 뒤, 이불을 머리끝까지 뒤집어썼다.

"몸은 좀 어때요. 괜찮아요?"

도희가 대답 대신 작게 끄덕끄덕하자, 준원이 의자를 끌고 와서 침대 옆에 다리를 꼬고 앉았다.

"그래요. 잘 때까지 옆에 있을게요."

⋯⋯하여간 쓸데없는 짓은.

머리에 열이 오르는 듯한 착각에 곱게 꿰맨 상처 부위가 화끈거렸다. 부드럽게 이불 위로 올라온 커다란 손이 도희의 머리끝까지를 꽁꽁 덮고 있는 이불을 잡아 가슴께까지 내렸다. 얼굴이 드러나자 살짝 움찔한 도희가 감은 눈에 꽉 힘을 주며 준원의 반대쪽으로 돌아누웠다.

"이만하길 다행이에요. 더 다치지 않아서⋯⋯."

그에게 표정을 보이고 싶지 않은 탓이었다. 거대한 손이 도희의 머리로 포근하게 젖어 들었다.

"하지만 앞으로 오늘처럼 무리하지는 않았으면 좋겠습니다. 남보다는 스스로를 돌볼 줄 알았으면 좋겠어요."

붉은 머리카락의 결을 따라 부드럽게 움직이는 손길에 도희의 가슴이 울렁거렸다. 심장은 두근두근 떨렸지만 뭐라고 대답을 해야 할지 몰라 그저 눈을 감은 채 잠든 척을 했다. 내내 대답이 없자 준원도 더 이상 말을 걸지 않았다.

그렇게 얼마나 시간이 지났을까. 눈을 감고 있던 탓에 정말 졸음이 쏟아졌던 도희는 깜빡 풋잠이 들고 말았다.

"……."

깨어나니 창밖은 새까만 밤이었다. 자연히 고개가 흐르고 벽에 붙은 시계를 보니 자정이 되기 직전이었다. 멍하니 주위를 둘러보던 도희의 눈은 의자에 앉아 침대에 한쪽 팔을 괴고 자는 준원에게로 흘렀다.

두근, 두근, 두근. 가늘게 뛰던 맥박이 또다시 빠르게 고동치기 시작했다. 도희는 떨리는 손을 뻗어 준원의 매끄러운 뺨으로 천천히 가져다 댔다. 그의 얼굴에 닿기 바로 직전, 잠시 머뭇거리던 여린 손은 단념하며 멀어졌다. 짧게 숨을 내쉰 도희는 다시 눈을 감고 잠을 청했다.

"……."

그리고 머지않아 느슨하게 눈꺼풀을 들어 올리는 것은 준원이었다. 그는 애초에 자지 않았고 침대에 기대 눈만 감고 있었을 뿐이었다. 잠겨 있던 어둑한 눈동자가 은밀하게 흘러 뒤돌아 있는 도희의 뒷모습으로 향했다. 지금 준원의 속은 그 어느 때보다도 복잡하고 뒤죽박죽이었다.

'보통 이렇게까지 도발하면 화를 내든 하다못해 화난 표정이라도 지을 텐데, 계속 처음과 똑같은 무표정…….'

조금 전 이언의 목소리가 귓가에서 다시금 재생되는 듯했다.

'도희를 좋아하는 게, 맞기는 합니까?'

……좋아한다고 생각한다. 백도희는 내게 가장 특별한 사람이니

까. 이건 한 치의 의심도 없이 진실이니까.

'그리고 지금 서준원 씨와 한 대화…….'

지그시 눈을 감은 준원의 머릿속에 이어서 떠오르는 것은 도희가 했던 말이었다.

'진심으로 이해할 수 없고……. 아니, 이해하고 싶지도 않고, 실망이에요.'

준원을 이해할 수 있는 사람은 이 세상에 없었다. 어린 시절부터 감정이 가출한 것 같다는 이야기를 밥 먹듯이 들어왔고, 그것은 곧 준원의 콤플렉스가 되었다.

"……."

이제껏 도희에게만은 솔직한 모습을 보여 줬다고 생각했다. 하지만 그런 그녀도 나를 이상하다고 말하니, 이제는 길을 잃은 듯한 기분이었다.

'내가 언제부터 이렇게 변했더라…….'

그래. 어린 시절 악몽 같았던, 그 사건 이후부터였어.

어머니가 눈앞에서 스스로 목숨을 끊었던 그날 밤 이후, 준원은 보통에서 한참 어긋난 아이로 성장했다. 어른이 되어서는 어설프게나마 보통을 흉내 내며 사회에 섞여 평범하게 살아갔으나, 종종 이렇듯 불순물처럼 밀려날 때가 있었다.

"하……."

준원은 깊게 한숨을 내쉬었다. 토해진 숨이 허공을 맴돌며 도희의 귓가에 아프게 박혔다. 다시 잠들지 못한 도희는 그런 그의 불안정한 숨소리를 들으며 입술을 깨물었다.

다섯 번째 11월 23일의 밤, 두 남녀 사이에는 알 수 없는 기류가 흘렀다. 그렇게 수없이 반복되었던 11월 23일의 밤은 끝이 나고.

드디어 내일은 왔다.

"……준원 씨, 일어났어요?"

화창한 아침 햇살이 커튼 틈을 비집고 밀려 들어오고, 도희는 찌뿌둥한 몸을 일으키며 제 옆에서 불편한 자세로 잠든 준원을 흘끔 보았다.

"네. 밤새 아프진 않았어요?"

"괜찮았어요. 조금 욱신거릴 뿐이에요."

부드럽게 미소 지은 도희는 어깨를 으쓱했다.

"드디어 타임 루프가 끝났어요. 이번 타임 루프는 유난히 길게 느껴진 것 같아요."

"그러게요. 결국 도희 씨가 차유나를 살렸네요."

"네. 다행이면서도 좀…… 짜증 나요. 하필 다쳐도 다리를……."

도희가 말끝을 약간 뭉그러뜨렸다. 조금 어색한 분위기가 두 사람 사이의 공기를 짓누른 탓이었다. 하얀 검지로 머쓱하게 볼을 긁적이던 도희가 커다란 눈동자를 굴렸다.

"아, 이럴 때가 아닌데. 어서 출근해야……."

"회사는 최소한 일주일이라도 쉬는 게 좋겠어요."

준원이 도희의 어깨를 안아 다시 침대에 누이며 단호하게 말했다.

"휴가 얻었다고 생각하고 푹 쉬어요."

"……그렇지만,"

"이럴 때 아니면 일 중독인 백도희 과장이 언제 쉬겠어요."

낮게 웃으며 도희의 이마에 드리운 머리카락을 쓸어 넘겨 주었다. 커다란 손에 감긴 머리카락을 물끄러미 보던 도희의 입술이 툭 벌어졌다. 다정한 손길에 닿혀 있던 도희의 마음이 다시금 녹아내리며 움을 텄다. 아래에 구겨진 이불을 다시 포근하게 덮어 준 준원은 자리에서 일어나 핸드폰을 챙겼다.

"집에 들러서 옷 갈아입고 출근해야 해서, 나는 이만 가 볼게요."

"네, 조심히 가세요."

준원은 이따 오겠다는 이야기를 남기고 뒤를 돌았다. 그의 뒷모습을 바라보는 도희는 왠지 가슴이 먹먹하게 조여 오는 것 같았다. 그는 왜 항상 이렇게 헤어지는 상황에서, 단 한 번도 뒤를 돌아보지 않는 걸까.

도희는 준원이 먼저 자리를 뜰 때마다 뒤 한 번 돌아보지 않고 미련 없이 떠나는 그의 뒷모습을 보아야만 했다. 이런 말도 안 되는 이유로 속상하고 상처받는다는 건, 정말 우스운 일이지만…….

"저기, 서준원 씨."

제 마음이 그런 걸 어떻게 하겠는가. 돌아보지 않는 그가 서운해서, 저도 모르게 그를 불렀는데.

"왜 그래요?"

준원이 가볍게 묻자 도희가 입술을 꼼지락거렸다. 커다란 동공은 심란한 듯 어지럽게 배회했다.

"저희……."

입술을 한 번 축인 도희가 말끝을 길게 늘였다.

"셀카 찍어야 해요……."

"……네?"

"오늘 준원 씨 아버님한테 보낼……."

"……아."

사고로부터 어느덧 3일이라는 시간이 흘렀다. 도희는 여전히 준원의 집으로 돌아가지 않았고, 자신의 집에서 휴식을 취하는 중이었다. 준원에게는 집 비밀번호를 알려 주었기에 그가 도희의 집에 자유롭게 드나들 수 있기는 했지만, 사실상 준원은 그 이후로 아침에만 찾아와서 아버지 윤건에게 보낼 사진만 찍고 돌아갈 뿐이었다. 그게 전부였다. 그는 사고 당일을 빼고는, 퇴근 후 저녁에 도희를 보러 찾아오지 않았다.

"하아……."

그래서일까. 솔직한 심정으로 도희는 준원의 집에 다시 돌아갈 마음이 들지 않았다. 그와 함께 있으면 점점 더 자신이 백도희가 아니게 되어가는 것 같았다. 사소한 일로도 서운해지고 속이 상하고, 하루에도 수백 번씩 기분이 들쑥날쑥. 그리고 무엇보다도…… 서준원이 너무 멀게 느껴지는 탓이었다.

"짜증 나……."

아무래도 제가 미친 게 틀림없다. 목요일 밤, 소파에 앉아 예능 프로그램을 보고 있는데 이상하게 눈물이 날 것 같았다.

"하, 씨……."

텔레비전 속의 개그맨들은 하하 호호 유쾌하게 웃음을 터뜨렸으나, 도희는 홀로 비 오기 직전의 먹구름 한복판이었다.

"서준원 왜 안 와……."

내가 네 집으로 안 돌아간다고, 오라고 말도 안 하냐? 아침에 와서 사진만 찍고 돌아가고, 퇴근 후엔 내 생각도 안 나니?

연애 수칙이니 뭐니 도희 쪽에서 먼저 내건 조항에 발이 걸려 연락 한번 쉽게 할 수도 없었다. 자존심이 상해서 미칠 것 같은데, 또 준원이 보고 싶어서 울음이 터질 것만 같았다. 울컥 치받쳐 올라오는 감정과 함께 도희의 눈가가 빨갛게 달아올랐다. 촉촉하게 물기가 고여 들었지만, 결코 흐르지는 않았다.

그깟 남자가 뭐라고, 천하의 백도희가.

"됐어, 짜증 나. 그냥 다 그만두고 싶……."

띠, 띠, 띠, 띠. 그 순간, 들려오는 현관문 비밀번호 소리에 흠칫한 도희의 눈이 한계까지 뜨여졌다. 너무 놀란 도희는 저도 모르게 소파에서 휘청 일어나 허둥지둥거리다가 곧장 절뚝거리며 침실로 들어갔다. 빛보다 빠른 속도로 침대에 누워 이불을 덮고 눈을 감았다. 자는 척을 하고 있었으나 도희의 머릿속은 혼돈 그 자체였다.

'왜 저녁인데 온 거지……? 사진 찍을 일도 없는데.'

화요일에도, 수요일에도, 준원은 아침에 와서 사진만 찍고 돌아갈 뿐이었다. 그런 그가 오늘 아침에 이어 퇴근 후에도 도희의 집에 들른 것이었다.

'뭘 놓고 갔나……?'

그보다 나는 왜 자는 척하고 있는 거야!

혼자 울먹거리며 왜 안 오냐고 난리 쳤던 게 민망해서 그런 걸까. 제 발 저린 도희는 그의 얼굴을 마주하기가 어색해 일단 자는 척을 시전했다. 뚜벅, 뚜벅, 낮은 발걸음이 점점 더 가까워지는 걸 느끼자 도희의 가슴이 빠르게 고동쳤다. 잠시 침대가 출렁이는가 싶더니, 그가 바로 옆에 앉았다는 것이 피부로 느껴졌다.

"도희 씨, 자요?"

준원은 그렇게 도희의 귓가에 대고 나직하게 속삭였다. 미끈하게 고막을 간지럽히는 감각에 움찔했으나 가까스로 평정을 유지하며 계속해서 자는 척을 이어갔다.

'근데 이러고 있으면……'

결국 준원은 다시 집으로 돌아갈 터였다. 조금 전까지 보고 싶다고 난리 쳤을 만큼 준원이 돌아가는 것은 싫었지만, 이제 와서 눈을 뜨자니 상황이 이상하게 되어 버릴 것 같았다.

'아……. 이걸 어떡해……!'

이 와중에 뺨을 살살 쓰다듬는 그의 손은 너무 크고 간지러웠다. 세상에서 가장 소중하고 귀한 것을 만지는 듯이, 그 손길은 조금도 거친 구석이 없었다. 준원은 지치지도 않고 자는 척하는 도희의 머리와 뺨을 어루만지며 한참 동안 떠나지 않고 옆을 지켰다. 그렇게 약 10분이 넘게 지났을 무렵, 다정하던 손길이 멀어졌다.

"그럼 이제……."

깨우려고?

아니면 설마 집으로 가려고?!

"덮쳐야겠다."

……뭐라는 거야, 이 미친 인간이!

상상도 못 한 뜬금없는 발언에 도희의 얼굴이 새빨갛게 달아올랐다. 어처구니가 없었으나 갑자기 관 뚜껑 열고 나온 시체처럼 벌떡 일어나 사실 안 잔다고 소리칠 수는 없는 마당이었다.

결국 울며 겨자 먹기로 계속 자는 척을 하고 있는데, 준원의 상체가 조용히 아래로 무너지듯 내려오며 어둑하니 그림자가 졌다.

'뭐, 무슨……!'

후으, 준원이 도희의 귓불에 끈적한 숨을 뱉었다. 축축하고 뜨겁게 고막을 달구는 야릇한 숨결에 도희의 심장이 우뚝 멈추었다. 이내 말랑한 귓불을 뜨거운 입술이 포근하게 물었다. 부드럽게 빨아들이는 감각과 함께 말캉하고 촉촉한 감촉이 귓바퀴를 감싸며 목덜미로 은밀하게 내려갔다. 잘록한 허리 안으로 커다란 손이 부드럽게 침입하며 움푹 파인 배꼽을 꾹꾹 누르자 화들짝 놀란 도희가 저도 모르게 이상한 소리를 내었다.

"악, 진짜……!"

토마토처럼 붉어진 얼굴로 벌떡 일어난 도희가 따지듯이 소리쳤다.

"자는 사람한테 뭐 하는 짓이에요!"

"안 자잖아요? 그러게 누가 자는 척하래요?"

"나…… 나 안 자는 거 다 알고 있었어요?"

"당연하죠. 적어도 자는 척을 할 거면 텔레비전이라도 끄고 하든가."

픽 웃음을 터뜨린 준원이 여전히 시끄럽게 틀어져 있는 텔레비전을 흘긋 가리켰다. 그제야 또 놀림당했다는 걸 깨닫고 도희가 입술을 삐죽거렸다.

"그럼 그냥 일어나라고 말하지, 왜 이런 이상한 장난을 쳐요! 그렇게 할 일이 없어요?"

"할 일 많은데요."

준원은 웃으며 도희의 하얀 뺨을 톡톡, 두드렸다.

"도희 씨하고 놀아야 해요."

"뭐래. 누가 놀아 준대요? 됐거든요?"

흥, 콧방귀를 뀐 도희는 도로 침대에 몸을 뉘었다. 준원 쪽은 쳐다도 보지 않겠다는 의지로 홱 벽을 보고 돌아누웠다. 그런 도희의 위로 부드럽게 올라온 준원의 손이 하얀 손을 나긋하게 어루만졌다. 이내 길쭉한 손가락은 가는 손가락 틈으로 파고들어 끈끈하게 얽혔다.

"도희 씨."

뜨겁게 깍지 낀 손으로부터 피어오른 열감이 도희의 머리를 어지럽게 했다.

"얼굴 좀 보여 줘요."

비 내리는 밤하늘처럼 촉촉하게 젖은 음성이 도희의 고막을 노곤하게 적셨다. 잠시 망설이던 도희가 작게 한숨 지었다. 그의 목소리에, 손길에, 눈빛에, 서준원이라는 남자의 모든 것에 너무도 약해지는 스스로가 싫었다.

"미안해요."

그는 낮은 숨을 뱉으며 속삭여 왔다.

"……뭐가요?"

"내가 이런 사람이라, 미안해요."

아프게 내려앉은 심장에서 삐걱 어긋나는 소리가 들리는 듯했다. 준원이 예전에 털어놓았던 것처럼, 감정의 결핍은 그의 콤플렉스이자 최대의 약점이었다. 그런 그를 이해할 수 없다고 했던 말이, 그에게 다가가 상처가 되었을지도 모른다는 생각이 문득 들었다.

"비록 도희 씨에게, 이런 날 이해해 달라고 할 수는 없겠지만……."

준원은 도희의 손을 꽈악, 움켜쥐며 끌어당겼다.

"내 손 놓지 않았으면 좋겠습니다."

그 손길에 이끌리듯 돌아선 도희의 몸이 준원을 향해 움직였다.

"돌아와요, 우리 집으로."

뭉근하게 내려앉은 온기에 도희의 얼었던 가슴이 함빡 젖었다. 높게 탑을 쌓았던 내면의 빙산은 한여름 아스팔트 위의 아이스크림처럼 속절없이 녹아 버렸다.

……나는 이제, 어쩔 수 없는 건가 봐.

항상 미지근하고 온기가 없던 준원의 눈빛이, 언젠가부터 다정하게 느껴지기 시작했고…… 한결같은 무표정과 건조한 말투로 사람들을 대하는 그가, 자신에게만 특별하게 대해 준다는 생각에 취해 있었던 것 같다.

'……그래.'

난 이제 솔직히, 서준원의 눈이 남들을 대하는 눈과 똑같아지는 게 무서워. 언젠간 그가 나를 건조한 눈으로 멀게 바라볼 것 같아서, 그게 너무 두려워.

"나는요. 솔직히 말해서, 서준원 씨를 있는 그대로 받아들이긴 힘들어요."

준원의 까만 눈동자를 똑바로 바라보며 도희가 또박또박 말을 이었다.

"우리의 가치관은 너무 다르니까요. 가끔은 서준원 씨가 이상하다고 생각할 때도 많고, 또 이해하지 못할 때도 많아요."

"……."

"일정 선을 넘었다 싶으면 밀어내고, 벽처럼 느껴져서 멀어지려고 하면 도망가지 못하게 잡아 두는…… 그런 행동도 날 너무 지치게 만들고요."

솔직한 심정을 허심탄회하게 털어놓았다.

"우린 앞으로도 계속 부딪힐 거고, 난 또 혼자 상처받을 게 틀림없어요."

조금의 거짓도 없는 진실한 속마음이었다. 하지만 그런 마음과 동시에, 도희 역시 준원의 손을 결코 놓고 싶지 않았다.

설사 이대로 칠흑으로 빨려 들어간다고 해도, 같이 있고 싶은 마음은 어쩔 수가 없었다. 그저 본능적인 이끌림일 뿐이니까. 도희가 더 입을 열지 않자, 무거운 침묵이 내려앉았다. 두 사람은 서로의 손을 잡고 가만히 시선을 교환하며 말보다 더 진한 눈의 대화를 나누었다.

"……저녁 못 먹었죠?"

한참 후에, 준원은 도희를 일으키며 물었다.

"내가 초밥 사 왔는데, 같이 먹어요."

"……아."

"전에 연어는 유일하게 좋아하는 생선이라고 해서 연어 초밥으로 사 왔어요."

"아니에요. 저 별로 입맛이 없어서."

"그래요?"

뭔가 바로 잘 먹겠다고 덥석 물면 이상할 것 같아 한번 튕겨봤는데, 놀랍게도 준원은 다시 권하지 않았다.

"어쩔 수 없네요. 나 혼자 먹죠, 뭐."

……뭐지? 도희는 뒤돌아보지 않는 준원의 성격을 잘 알면서도 괜히 튕긴 스스로를 질책했다. 그냥 먹는다고 하면 될걸, 그걸 또 부득불 튕겨서!

'하여간 백도희 진짜! 어휴!'

속이 답답해 돌아가시겠는 와중에, 준원은 더 이상의 말 없이 침실 밖으로 걸어 나갔다. 잠시 눈치를 살피던 도희가 약 1분 정도 후에 부스스 자리에서 일어났다.

화장실을 가는 척 절뚝거리며 침실 밖으로 향했는데, 시야를 아찔하게 공격하는 것은 준원이 유명한 초밥집에서 포장해 온 때깔 좋은 연어 초밥이었다. 그는 도희를 유혹하듯이 식탁에 펼쳐 놓고 모든 식기를 세팅해 놓은 채 기다리고 있었다.

"안 먹는다니까 내 젓가락은 왜 놨어요?"

"혼자 먹기 적적해서, 앞에 도희 씨가 있다고 상상하면서 먹으려고요."

"아니, 뭔 말도 안 되는 소리……."

꿍얼거리던 도희가 침을 꼴깍 삼켰다.

"그럼 맛있게 드세요. 전 화장실 가는 길……."

"같이 먹어요."

"아니요. 난 괜찮으니까 준원 씨나 많이……."

동시에 도희의 배에서 울리는 것은 꼬르륵거리는 소리였다. 온종일 귀찮아서 아무것도 먹지 않았던 도희는 제 배에서 우렁차게 울리는 소음에 뻘쭘해져 커다란 눈동자를 굴렸다.

"……많이 먹을게요. 잘 먹을게요?"

자연스럽게 말을 바꾸며 곧장 의자를 빼고 앉았다. 약간 머쓱하게 웃은 도희는 젓가락을 두 갈래로 갈라 열심히 초밥을 집어 먹었다. 입에서 사르르 녹는 연어회의 향연과 포슬포슬 부서지는 밥알이 그야말로 예술이었다.

"뭐, 맛은 나쁘지 않네요."

그렇게 말하는 표정이 세상 행복한 듯 활짝 웃고 있었다. 언행 불일치의 교과서 같은 도희의 모습이 귀여워서 준원은 실없이 웃음을 터뜨리고 말았다. 정신없이 먹어 치우는 도희를 준원이 웃음기 젖은 눈으로 빤히 응시하자, 도희가 입술에 붙은 밥풀 하나를 혀로 할짝거리며 불퉁한 표정을 지었다.

"그렇게 보지 말아요. 자존심 상하니까."

"그럼 상하지 않게 냉장고 넣어 놓으세요."

"……와, 진짜. 끔찍한 아재 개그."

우웩, 도희가 이상한 표정을 짓자 준원이 소리 내어 웃었다. 결국 두 사람 모두 일제히 웃음을 터뜨리고, 분위기는 언제 무거웠냐는 듯이 누그러졌다.

도희는 그가 나름대로 자신을 생각해서, 좋아하는 음식을 기억하고 사 왔다는 사실에 조금 감동했다. 또 이렇게 쉽게 서운함이 풀려 버린 스스로가 바보처럼 느껴졌지만 말이다.

"준원 씨는…… 꿈이 뭐예요?"

꿀꺽 삼킨 도희가 그에게 묻고 싶었던 질문을 넌지시 건넸다. 물컵을 든 준원은 잠시 생각에 잠긴 듯 시선을 내리깔았다.

"꿈이라…… 글쎄요."

한 번도 남들처럼 구체적으로, 또 깊이 생각해 보지 못했던 것이었다. 그렇기에 답을 도출하기까지는 꽤 오랜 시간이 걸렸다.

"평범하게 죽을 때까지 순탄하게……. 이 삶에 별다른 특이점이 발생하지 않는 게, 꿈이라면 꿈일 수 있겠네요."

역시나 평범함과 거리가 있는 대답이었다. 도희는 이제야 준원에 대해 조금 알 것만 같았다. 서준원이란 남자는 선천적이든 후천적이든 감정이 보통에서 약간 부족한 채로, 사고방식이 일반에서 조금 어긋난 채로, 아주 오래전부터 이렇게 살아온 거였다.

평범한 척 남들을 흉내 내며 무리에 섞여 살아가려고 노력하는 듯 보이지만…… 그 노력 탓에 얼핏 보면 평범한 사람과 다르지 않게 느껴지지만. 사실 그의 내면은 여전히 어린 시절에 멈추어, 쓸쓸하고 공허했던 것이었다.

……마치 황폐한 사막 한가운데처럼. 도희는 예전에 준원이 제게 했던 어설픈 고백을 떠올렸다.

'모르면, 우리 함께 알아 가도 된다고 생각해요.'

같이 발을 맞추어 걸으며…….

'삶의 의미도…… 사랑도.'

알아 간다라…….

사실 도희 역시 평범한 사람들에 비하면 꽤 거리가 있는 사람이었다.

'그런 내가 이 남자에게…….'

평범한 삶을, 평범한 사랑을 가르쳐 줄 수 있을까. 함께 알아갈 수 있을까. 더는 이 남자를 재고 따지지 않고, 의심하지 않은 채 온전히 사랑만 할 날이 올까…….

천천히 손을 뻗은 도희가 준원의 얼굴을 양손으로 따스하게 붙잡아 끌어당겼다. 두 얼굴 사이로 가느다란 숨결이 바쁘게 오갔다. 제 앞으로 다가온 검은 눈동자를 가만히 바라보던 도희는 조심스럽게 입술을 벌렸다.

"준원 씨."

벌어진 입술이 포근하게 움직였다.

"지금 기분이 어때요?"

다소 뜬금없는 질문에 준원의 숨이 정지했다. 그러나 도희의 올곧은 눈동자는 겨울 아침의 햇볕처럼 따스함을 품고 있었고, 장난스럽게 웃던 준원의 입꼬리는 잔잔한 호수처럼 가라앉았다.

"……사실대로 말해야 해요?"

"당연하죠, 내 눈 바라보고 솔직하게 말해요."

텅 빈 그의 눈동자가 어둑하니 진해졌다.

"……모르겠습니다. 사실."

지금 스스로의 기분이 어떤지조차 잘 알지 못하는, 자신의 감정에 한참 미숙한 남자, 그게 서준원이었다.

나긋하게 자리에서 일어난 도희는 가느다란 팔을 벌려 그의 거대한 체구를 끌어안았다. 위로하듯이 토닥, 토닥, 두드리는 손짓에 준원의 동공이 휑하니 울렸다.

"역시. 나 이제 준원 씨를 조금 더 이해할 수 있을 것 같아요."

그가 어떤 삶을 살아왔는지는 정확히 알 수 없지만, 한 가지 확실한 것은.

"항상 속을 알 수 없는 남자라고, 도무지 읽기 어려운 캐릭터라고 생각했는데……."

픽 숨소리 같은 웃음이 준원의 피부 위에서 부서지며 가녀리게 잠겼다.

"이제 보니 준원 씨도 스스로를 모르고 있네요. 자기도 자기 속을 모르는데, 남인 내가 어떻게 알겠어."

부드럽게 펼쳐진 여린 손이 준원의 볼을 어루만졌다.

"준원 씨는 솔직히 말해서, 겉은 그럴듯해 보이지만 속은 텅 빈 깡통 같아요."

"……내가요?"

부드럽게 입꼬리를 들어 올린 도희는 대답 대신 준원의 뺨을 천천히 쓰다듬었다.

"서준원 씨가 예전에 내게 했던 말, 기억해요?"

도희의 속이 엉망진창이고 피투성이였을 때. 도희는 스스로 아프다는 것도 몰랐고, 외롭다는 것도 몰랐다. 그렇게 곪아 터진 상처를 억지로 외면하며 이미 너덜너덜해진 다리를 강제로 움직였었다. 그렇게 꼿꼿이 걸어온 가시밭길의 끝에서…….

"좀 더 무너져 보라고."

도희는 이 남자를 만나 산산이 허물어졌다. 그녀가 그제야 깨달은 것은, 이토록 꼿꼿하게 살 필요가 전혀 없었다는 것이었다. 아프면 목 놓아 울어도 된다고, 괜찮은 척 스스로를 속일 필요 없다고, 이 모든 불행은 지나고 나면 전부 아무것도 아니라고 그녀에게 말해 준 사람은 준원이 처음이었다.

"이제 그 말, 내가 서준원 씨에게 똑같이 돌려줄게요."

당신이 내게 그랬듯이, 이번엔 내가 손을 잡아줄게.

"나한테 더 무너져도 좋아요."

당신의 힘이 되어 줄 거야.

"따뜻한 모닥불이 되어서, 서준원 씨의 텅 빈 마음을 하나둘 나로 채울 테니까."

준원의 눈동자가 가늘게 흔들렸다. 건조했던 준원의 가슴 안에서 무언가가 강하게 요동쳤다.

"언젠간 이 무표정이 나 때문에 눈물을 흘리고, 화도 낼 날이 왔으면 좋겠어요."

하루에도 수백 번 왔다 갔다, 감정 기복이 말이 아니었으면 좋겠어.

"그렇게 될 때…… 나한테 꼭 말해 줘요."

……지금의 내가 그렇듯이.

"사랑하게 됐다고."

도희가 입술을 살며시 늘어뜨리며 미소 지었다. 단정하던 준원의 동공이 고요하게 흔들렸다. 바람 한 점 불지 않던 그의 가슴 깊은 곳에서 뜨거운 열기가 서서히 차올랐다.

잠시 넋을 놓은 듯 도희를 가만히 응시하던 준원은 이내 숨소리 같은 웃음을 흘렸다. 얼굴을 어루만지고 있는 하얀 손에 제 손을 부드럽게 겹치며 입술을 벌렸다.

"난……"

나직한 음성이 도희의 고막을 함빡 적셨다.

"역시 도희 씨가 좋아요."

강렬하게 뒤흔들리는 가슴을 느끼자마자 지진 난 듯 흔들리는 것은 도희의 자그마한 손이었다. 그 고운 손을 끌어다가 펼쳐 부드럽게 입을 맞춘 준원이 하얀 손바닥의 손금을 따라 핥듯이 키스했다. 두근, 두근, 빨라지는 박동과 함께 머리에 후끈한 열기가 응집된 도희의 시선이 준원의 어둑한 눈동자로 흘렀다.

"아무리 생각하고 또 생각해도, 답은 결국 하나라서."

"……."

"나는 도희 씨가 없으면 안 될 것 같습니다."

가슴에 꾹 하고 박히는 말들에 홍조가 드리웠다.

"내가 부족한 사람이라, 항상 미안하지만……."

까만 눈동자가 도희를 갈구하는 듯이 진하게 와닿았다.

"그래도, 계속 내 옆에 있어 줬으면 좋겠어요."

고백처럼 들려와서 요동치는 도희의 가슴은 쉽사리 진정되지 않았다.

"뭐예요, 갑자기 새삼스럽게……."

그가 나라는 존재를 필요로 한다는 것이, 이토록 커다란 기쁨일 줄 몰랐다. 올라가는 입꼬리를 차마 말리지 못한 도희는 배시시 웃으며 나긋하게 속삭였다.

"그래요. 옆에 있어 줄게요."

붉은 입술이 장난스럽게 늘어졌다.

"복 받은 줄 알아요. 나 같은 여자가 옆에 있는 거, 그거 완전 축복이니까."

"그러게요. 아무래도 내가 전생에 나라를 구했나 봅니다."

"……하여간 능청은."

픽 실소하며 허리를 일으킨 도희는 준원의 건너편으로 돌아가기 위해 다리를 움직였다. 하지만 그런 도희의 팔을 부드럽게 잡아끄는 손길에 멈칫할 수밖에 없었다.

"왜 그래요?"

"옆에 있어 주겠다면서요?"

"네?"

의문스럽게 한쪽 눈썹이 올라가자 준원이 제 옆자리를 툭툭 두드렸다.

"앉아요, 여기."

"아니, 내가 말한 옆이 그 옆이 아닌 거 알면서……."

길게 늘어진 말꼬리가 흐려졌다. 저를 빤히 바라보며 웃는 준원 때문에 도희는 손가락을 꼼지락거렸다. 도무지 당해 낼 수가 없는 남자였다. 못 이기는 척 다리에 힘을 풀고 옆자리에 앉자 커다란 손이 도희의 머리를 녹녹하게 쓰다듬었다. 나른하게 흘러내린 팔은 도희의 어깨를 부드럽게 감싸 안았다.

"다리 다 나으면, 데이트할까요?"

달콤한 음성이 도희의 솜털을 아찔하게 간지럽혔다.

"네?"

"데이트다운 데이트요. 같이 밥 먹고 영화 보고 카페 가고…… 보통 사람들이 하는, 그런 평범한 데이트."

"그렇지만 서준원 씨, 그런 거 싫어하잖아요?"

"내가요?"

"네. 의무적인 데이트 같은 거요."

도희의 말에 준원의 한쪽 눈썹이 내려앉았다.

"쓸데없는 시간과 비용 낭비, 에너지 소모…… 뭐, 그렇게 생각하는 편이었잖아요."

"도희 씨하고 함께하는 시간이 어떻게 낭비예요."

준원이 설핏 웃음을 터뜨렸다.

"한 번도 그렇게 생각해 본 적 없어요."

"……."

"연애 수칙을 말하는 거면, 그건 내가 정한 게 아니라 도희 씨가 제안한 거잖아요?"

"그거야 서준원 씨가 먼저, 서로 손해 보는 거 없이 연애로부터 오는 이익만 취하자고 해서 내가······."

그 연애 수칙은 도희가 원해서 제안했다기보다는 사실상 준원에게 상처받지 않기 위한 방어선이었다. 생각해 보면 준원은 그 수칙에 흔쾌히 동의하기는 했지만, 적극적으로 의견을 낸 것은 아니었다.

"으음······."

왠지 전부 간파당한 기분에 사로잡힌 도희는 작게 숨을 몰아쉬었다.

"······왜 그렇게 빤히 봐요. 또."

어둠에 잠긴 눈동자에서 뜨거운 열기가 느껴졌다. 그는 한 치의 흔들림도 없이 도희를 뚫어져라 바라보며 입을 열었다.

"미안해서요."

"뭐가요?"

"그냥······ 전부 다."

도희는 가슴이 옥죄어 오는 듯한 착각에 휩싸였다.

"미안하다는 말 하지 말아요. 나 그 말 되게 싫어하는데. 차라리 다른 말을 해요."

"무슨 말이요?"

"뭐, 세상에 예쁜 말이 얼마나 많은데······ 미안하다는 말보다 좋은 거 많잖아요. 느낌 괜찮은 거. 그런 거."

"그런 거? 그게 뭐예요?"

살짝 긴장한 도희가 마른 입술을 혀로 핥았다.

"좋아한다거나······."

쥐 죽은 듯 작은 소리로 살짝 꺼내 보았으나 준원은 별다른 반응이 없었다. 아니나 다를까, 미적지근한 태도에 괜히 찔려서 움찔하는 쪽은 도희였다.

"왜. 사랑은 아니어도 좋아는 하지 않나……?"

그러니까 사귀자고 한 거면서. 살짝 뻘쭘하게 중얼거리며 커다란 동공을 하릴없이 굴렸다. 뒤이은 웃음소리에 긴장한 뒷목이 뻣뻣하게 굳었다. 준원은 그런 도희의 가느다란 목을 부드럽게 주무르며 낮게 귓속말했다.

"좋아해요."

"……아."

"좋아합니다, 도희 씨."

"큼……."

간질간질한 감각에 도희가 목을 가다듬으며 괜히 툴툴댔다.

"뭘 두 번씩이나 말해요. 누가 보면 렉 걸린 줄 알겠네."

"좋아하니까……."

"네?"

"다리 다 나으면, 우리 꼭 데이트해요."

부드럽게 길어진 입술에 도희의 가슴이 두근거렸다.

"응?"

마치 간절한 것처럼 올라가는 말꼬리가 꽤 낯설었다. 무슨 심경의 변화라도 있는 건지, 건조한 그의 태도가 이토록 다정해지자 되려 긴장이 몰려왔다. 조금 부자연스럽게 배회하던 도희의 시선이 이내 준원에게 꽂혔다.

"그래요. 뭐. 좋아요."

그가 다가와 준 만큼 마음의 문을 열기로 했다. 항상 경계하며 가시를 곤두세우던 도희는 점점 더 준원에게 흐무러져가고 있었다. 만족스럽게 웃은 준원은 디저트로 준비해 놓은 청포도 한 알을 똑 떼어서 도희의 입가로 가져다 댔다.

"자, 그런 의미에서 아."

"뭐 하는 거예요, 또?"

청포도의 차가운 표면이 입술을 툭 건드리자 도희가 당황한 기색을 감추지 못했다.

"난 다리가 다친 거지, 손은 멀쩡하거든요?"

"알아요, 나도."

"알면 떨어져요. 정말……."

"어서요. 아."

계속해서 고집하는 통에 결국 도희는 할 수 없이 입을 벌렸다. 그러나 도희의 입술 앞까지 도달했던 청포도는 그대로 부메랑처럼 유턴해 준원의 입으로 골인했다. 황당한 얼굴로 청포도를 먹는 준원을 쳐다보자 그가 장난스럽게 웃으며 삼켰다.

"미안. 장난이에요. 다시 줄게요."

"됐거든요? 내가 내 손으로 먹을 거거든요?"

"이번엔 정말 제대로 줄게요. 자, 아."

"싫다니까요?"

"아, 해요. 어서."

쓸데없는 부분에서 황소고집을 보이니 따를 수밖에 없었다. 다시 입을 아, 벌렸으나 준원은 또다시 유턴해 자신의 입에 청포도 한 알을 넣었다. 두 번이나 똑같은 수에 당한 도희는 하릴없이 벌어진 입을 다물며 눈을 흘겼다.

"이, 유치한……."

"도희 씨도 어서 먹어요. 청포도 좋아하지 않아요?"

약이 오른 도희가 불퉁한 눈으로 준원을 주시하다가 복수의 칼날을 갈았다. 자고로 눈에는 눈, 이에는 이가 아니겠는가. 건너편에 외딴섬처럼 버려져 있는 자신의 물컵을 확 낚아채서 꿀꺽꿀꺽 비장하게 단번에 마셨다. 곧바로 포도알을 하나 똑 떼어서 준원의 입 근처로 가져다 댔다.

　"서준원 씨도 아, 해요."

　그러나 일자로 다물린 입술은 좀처럼 벌어질 기미가 없었다. 가늘게 눈을 뜬 준원은 도희를 가만히 바라볼 뿐이었다.

　"아, 빨리. 나 손 아파요. 응?"

　"어차피 복수하려는 속셈인 거 다 아는데 뭘."

　"복수요? 뭔 복수?"

　"내가 아, 하면 도희 씨가 먹으려고 그러는 거잖아요?"

　"아니거든요? 내가 무슨 서준원입니까? 그렇게 유치한 사람인 줄 알아요?"

　물론 도희에겐 똑같이 갚아 줘야 하는 유치한 피가 흐르고 있었지만, 지금만큼은 눈 가리고 아웅이었다.

　"얼른요. 아. 빨리!"

　의심의 싹을 지우지 못한 준원이 도희를 주시하며 입을 벌렸다. 아니나 다를까, 도희는 준원의 입 앞까지 마중 나갔던 청포도를 곧바로 회수하여 제 입술 사이로 쏙 넣었다. 포도를 씹기도 전에 성공적인 복수의 쾌감에 도희가 만족스럽게 웃은 찰나였다. 뒷목을 부드럽게 끌어당기는 손길과 동시에 준원이 도희의 입술을 집어삼켰다.

　갑작스럽게 비벼지는 감촉에 놀라 퍼드득 벌어진 입술 사이로 미끌미끌한 준원의 혀가 침입했다. 몰캉한 살덩이가 밀려오며 채 씹지 못한 포도알이 데구르르 구르며 끈적하게 뒤엉켰다. 하얀 어금니가 욕심껏 가둬 두었던 새큼한 청포도를 툭 짓누르자 상큼한 과즙이 퍼지며 준원의 움직임에 따라 이동했다.

본래의 목적에 잿밥까지 톡톡하게 챙기는 입술은 쉽게 멀어지지 않았다. 타액과 과즙으로 흥건해진 입 안과 정신없이 비벼지는 혀의 돌기에 도희의 얼굴이 새빨갛게 달아올랐다.

"……하아."

입술이 떨어지자 도희가 낮게 숨을 헐떡였다. 입 안에 남은 과육을 씹는 동안 바라본 준원의 턱도 똑같이 움직였다.

"누가 이런 식으로 나눠 먹으래요?"

"나 주려고 했던 거 아니에요?"

불만스러워진 도희는 저도 모르게 뾰로통하니 입술을 내밀었다. 그 통통한 입술을 지켜보던 준원이 낮게 웃으며 엄지로 붉어진 입술을 문질렀다.

"귀여워요……."

메마른 가슴은 홍수라도 난 듯 촉촉이 젖어 버렸다.

"입술이 특히."

자신만만하게 올라가는 입꼬리에 도희가 창피해진 시선을 돌렸다. 하도 뜨겁게 와닿는 시선에 없던 부끄러움까지 샘솟는 기분이었다.

"너무 뚫어져라 보지 마요."

"그래요. 보지 않을 테니까, 한 번 더……."

도희의 입술을 만지작거리던 준원의 손이 하얀 뺨을 부드럽게 감싸 끌어당겼다.

"키스하게 해 줘요."

그의 손이 보얗게 물든 뺨을 쓰다듬자 도희가 떠밀리듯 떨리는 눈꺼풀을 닫았다. 쪽, 야릇한 소리와 함께 그의 입술이 아랫입술을 부드럽게 빨아당겼다. 입 안으로 밀려드는 뜨거운 혀에 도희가 움찔 몸을 떨었다. 은밀하게 뒤엉킨 혀가 끈적하게 비벼지자 숨이 가빠진 도희의 가슴이 위아래로 들썩였다.

"도희 씨 심장, 빨리 뛰고 있네요."

심장 박동이 느껴지는 민감한 부위를 무례하게 짚은 손에 도희의 얼굴이 붉어졌다.

"……서준원 씨 때문이잖아요."

살짝 떨어진 입술 사이로 가쁜 숨이 오고 갔다. 곧바로 다시 입술은 맞물리고 진득한 키스가 이어졌다. 도희의 허리를 감싸 안은 손이 부드럽게 티셔츠 안으로 파고들어 맨살을 쓸어내리자 도희는 심장이 멎어 버릴 것 같은 아찔함을 느꼈다.

"저기, 이제 그만……."

"조금만 더."

말도 못 하게 입을 틀어막는 입술 때문에 혼미해진 정신은 연약하게 나달거렸다. 움찔거리던 여린 손끝은 준원의 허리께를 더듬거리며 떠밀려 내려가지 않기 위해 애썼다.

"조금만, 더……."

쪽, 떨어지기가 무섭게 속삭이며 다시금 겹쳐오는 입술에 숨이 턱 끝까지 차올랐다. 말캉한 혀가 여린 점막을 구석구석 들쑤시자 도희의 얼굴이 빨간 석류처럼 화끈하게 달아올랐다. 허리를 쓰다듬던 준원의 손은 부드럽게 위로 올라가 브래지어 컵 위를 쓰다듬었다. 봉긋하고 말캉한 가슴을 살며시 쥐는 손길에 도희의 몸이 움찔했다. 다리 사이로 뜨거운 열기가 고이며 저도 모르게 신음이 흘러나왔다.

"……하아."

새하얀 목덜미 위로 흐르는 혈관을 따라 준원의 입술이 부드럽게 움직였다. 달콤한 애무에 도희의 정신이 혼미해질 때쯤, 커다란 손은 녹녹하게 브래지어 컵 아래를 파고들어 말랑말랑한 가슴을 움켜쥐었다.

손끝에 닿는 탱글탱글한 돌기를 준원의 엄지가 둥글게 문질렀다. 꼿꼿이 선 유두를 애무하는 길쭉한 손가락이 이내 부드럽게 살결을 쓰다듬으며 아래로 내려갔다. 허벅지와 골반을 보듬던 손길이 다리 사이를 파고들자 도희의 목이 뒤로 젖혀졌다. 은밀한 곳을 헤집는 감각에 온몸에 찌릿 전류가 흐르는 듯했다.

"아, 그……만! 그만!"

모락모락 피어오르는 흥분에 더 이상 하면 미쳐 버릴 것 같았다. 부드럽게 떨어진 준원은 제 손에 남은 도희의 흔적을 빨아먹으며 웃었다.

"그래요. 나도 더 이상하면 못 참을 것 같으니까……."

느슨하게 풀린 까만 동공이 도희의 숨을 턱 막히게 했다. 꽤 단추를 많이 풀어 헤친 앞섶 사이로 비치는 쇄골과 셔츠 위로도 드러나는 탄탄한 흉근이 도희의 목을 옥죄어 오는 듯했다. 멍청하니 바라보기가 무섭게 그는 그대로 도희를 제 가슴으로 당겨 끌어안았다.

"도희 씨 다리가, 얼른 나았으면 좋겠네요."

커다란 품에 포옥 안긴 도희의 눈이 커졌다.

"뭐……. 나으면 뭘 어쩌려고……."

"알잖아요?"

매끄럽게 올라선 입술 끝에 젖은 숨이 걸렸다. 여유롭게 웃는 입술이 도희의 하얀 귓바퀴를 타고 끈적하게 흘렀다.

"재우지 않을 거니까……."

고막을 흥건하게 적시는 야릇한 음성에 도희는 딱딱하게 얼음이 되었다.

"각오해요."

순식간에 두피까지 열이 올라 빨개진 도희는 멀뚱멀뚱 눈을 깜빡거렸다. 백도희답지 않은 어리숙한 모습에 픽 웃음을 터뜨린 준원이 길쭉한 검지로 그녀의 뺨을 쿡 찔렀다. 그에 맞춰 바람 빠지듯 숨을 뱉은 도희가 준원을 가만히 올려다보았다.

"응?"

……이 남자가 근데, 자꾸 여우짓을.

예고 없이 부딪힌 시선이 어둑하게 얽혔다.

시간은 빠르게 흐르고 도희는 충분한 휴식을 취한 뒤 다시 회사에 출근했다. 어느덧 꿰맨 상처는 실밥을 풀 때가 다가왔으며, 다리의 깁스도 머지않아 해방을 맞을 만큼 많이 회복했다. 도희는 여느 때처럼 다시 회사에 출근해 밀린 일들을 차근차근 처리해 나갔다.

그렇게 오전 내내 눈코 뜰 새 없이 바쁘게 일했던 도희에게 가뭄의 단비 같은 점심시간이 찾아왔다. 새봄과 지예와 함께 식사를 마치고 회사로 돌아오는데, 오늘따라 따사롭게 내려오는 볕이 화창했다.

"와, 오늘 날씨 좋네."

도희가 하늘을 보며 중얼거리자 지예가 울적하게 중얼거렸다.

"그러게요, 엄청 좋다아⋯⋯."

"왜 그래?"

"어차피 퇴근해서 자유의 몸이 되면 깜깜한 밤일 테니까 착잡해서요."

"하루 이틀이야? 새삼스럽다, 얘."

"하루 이틀이 아니라서 더 처져요. 에휴⋯⋯."

지예의 축 처진 어깨를 도희가 툭 두드렸다. 옆에 있던 새봄이 헤헤 웃으며 손뼉을 쳤다.

"이렇게 처질 때는 디저트 타임이죠! 이 앞 카페 새로 생겼던데, 저희 가서 달달한 케이크 먹고 힐링할까요?"

"좋다, 그거! 아, 과장님은 단 거 싫어하시죠?"

새봄의 제안에 지예가 신나게 대답했다가 문득 도희를 바라보았다. 순간 뜨끔했으나 도희는 티 내지 않고 부드럽게 웃었다.

"음? 응⋯⋯. 근데 난 오래 자리 비웠더니 일이 많이 밀려서. 먼저 들어가 볼 테니까 둘이 다녀와."

"네에? 같이 가시지."

"나중에. 난 커피나 하나 사서 들어갈래."

웃으며 손을 흔든 도희는 지예와 새봄을 등지고 회사로 돌아갔다. 이미지 관리한다고 단 걸 좋아하지 않는다고 말해 두었었는데, 실상은 세상에서 제일 좋아하는 것이 초콜릿 같은 달콤한 당분 덩어리였다. 굳이 맛있는 케이크를 앞에 두고 사서 고문당하고 싶지 않기에, 동행하지 않고 그냥 돌아온 것이었다.

"아, 찌뿌둥해……."

기지개를 켜며 들어온 사무실은 아직 한창 점심시간이었기에 듬성듬성 비어 있었다. 자신의 자리에 도착한 도희는 문득 낯선 무언가를 발견하고 멈칫했다. 전에 없던 비타민 음료가 책상에 놓여 있는 것이었다. 누가 놓고 간 것인가 싶어 들어 보는데, 뒤에 가려져 있던 자그마한 초콜릿 한 개가 툭 떨어졌다.

"아……."

픽 웃음이 터졌다. 회사에서 도희가 단 걸 좋아한다는 것은 오로지 준원만이 아는 비밀이었다. 주변을 둘러본 도희는 슬쩍 껍질을 까서 달콤한 초콜릿을 입안에 쏙 넣었다.

"……달다."

조금, 달콤하네. 가슴까지 촉촉해지는 감각에 도희의 눈이 반달처럼 휘었다. 무의식중에 히죽 샘솟는 미소는 어쩔 도리가 없었다.

첫날밤만
세 번째

VOL. 2　　 Three First Nights

CHAPTER **11**

그녀가 사랑에 빠졌을 때

11

그녀가 사랑에 빠졌을 때

도희가 준원의 집으로 돌아가 다시 함께 생활한 지 어느덧 일주일이라는 시간이 흘렀다. 한집에 살았지만 사내에 관계를 들켜서는 안 됐기에, 여전히 출퇴근은 각자 따로 하고 있었다.

"좋은 아침."

다리를 다친 도희는 깁스를 풀 때까지 택시로 회사를 오갔다. 오늘도 어김없이 인사하며 사무실 안으로 들어서자 조금 전 도착한 새봄이 활짝 웃으며 고개를 숙였다.

"과장님. 좋은 아침이에요! 깁스는 언제쯤 푸세요?"

"이번 주 토요일에 병원 가려고. 일단 그때 풀기로 했는데, 잘 모르겠다."

"출근하기 되게 불편하실 것 같아요."

"택시 타고 와서 별로 안 불편해."

"택시?"

새봄과 도희가 일상적인 대화를 하는데, 때마침 출근한 동현이 끼어들며 거드름을 피웠다.

"왜. 잘나신 남자 친구가 안 데려다주나 봐?"

낄낄거리며 휘파람을 부는 동현을 정색하고 바라보자 움찔한 그가 서둘러 존댓말로 정정했다.

"어…… 모셔다드리지 않나 봐요?"

하여간 비아냥거리기로는 따라갈 자가 없다. 한결같이 사람 열 받게 하는 동현의 태도에 도희가 헛숨을 터뜨렸다. 처음 입사 동기로 만났을 때부터, 동현은 대뜸 말을 놓고 오빠라고 부르라며 개소리를 지껄였었다.

"내가 하 대리한테, 남자 친구 있다고 말한 적이 있어요?"

그는 7년째 버릇을 못 고치고 툭하면 남자 친구니 애인이니 타령하며 선 넘는 농담을 일삼았다.

"왜. 없어요? 왜 없어?"

"있든 없든 애초에 그게 무슨 상관인데요. 하 대리하고."

"아니, 왜 이렇게 예민해요. 나는 그냥……."

살짝 당황한 동현이 주춤거리며 말꼬리를 잡고 늘어지는데, 준원이 서류를 들고 자리에서 일어나 흐름을 끊었다.

"30분 뒤 회의 시작합니다. 준비하세요."

무뚝뚝하게 말한 그는 길쭉한 다리로 성큼성큼 사무실 밖으로 걸어갔다. 평소와 똑같은 목소리였지만 도희는 어쩐지 묘한 느낌을 받았다.

'……뭐지?'

왠지 약간 퉁명스러운 어조인데. 설마…… 혹시 내가 남자 친구 없다고 해서, 살짝 서운하고 그런……?

그럴 리는 없었다.

"백 과장. 업체에서 제품 변경하는 내용, 따로 불만 사항 없었습니까?"

도희는 언제나 그렇듯 조금의 표정 변화도 없는 준원의 얼굴을 보고, 제 바보스러운 생각을 속으로 비웃었다.

"네. 문제없이 잘 해결됐습니다. 업체에서도 변경하는 부분에 동의했고요."

하긴. 생각해 보면 눈앞에서 차유나가 죽어도 눈 하나 깜짝 안 하던 남자인 것을……. 이제 도희도 준원의 건조함에 면역이 되어 이 정도로는 아무렇지도 않았다.

"그럼 이 건은 그렇게 진행하고……. 하 대리."

"……네? 네!"

나른한 아침 회의 도중 살짝 졸았던 동현은 갑자기 저를 부르는 준원 때문에 화들짝 놀라 대답했다.

"차유나 셰프 쪽 레시피 개발 현황 파악했습니까?"

"아, 그게…… 얼마 전에 셰프님 레스토랑에 크게 사고가 났었잖아요, 저희 미팅한 날. 그래서 그거 수습하시고 가게도 수리하시고 하느라 정신이 없으신 것 같아서…… 제가 차마……."

"사정은 그쪽 사정이고, 개발팀에서 요청한 기한 맞춰야 합니다."

"네……."

"언제까지 넘길 수 있는지 확답받아서 보고하세요. 오늘 안에."

"네……. 알겠습니다."

동현이 힘없이 대답하며 바람 빠진 풍선처럼 고개를 수그렸다. 그 가운데에서 가만히 준원을 곁눈질로 관찰하던 도희는 속으로 감탄하며 혀를 찼다. 저런 인간 발암물질 같은 답답한 놈한테도 화 한번 내지 않는 준원에게 새삼 박수를 보내고 싶은 심정이었다. 저렇게까지 냉철한 것도 능력이라면 능력이라고 볼 수 있었다.

"그럼 오늘 회의는 여기까지 하겠습니다."

회의를 끝마친 준원이 의자를 끌며 일어나 회의실 밖으로 걸어 나갔다. 그런 그의 뒷모습을 빤히 바라보며 도희는 찰나의 상념에 빠지고 말았다.

'……난 변태인가?'

저 남자가 당황하거나 화를 내는 모습이 보고 싶었다. 물론 조금도 상상이 가지 않는 일이었지만 말이다.

점심시간이 되어 도희는 여느 때와 같이 식사를 하기 위해 지예와 새봄과 함께 근처 일식집을 찾았다. 주문한 육회 덮밥이 윤기를 자랑하며 빠르게 서빙됐으나, 숟가락을 들기가 무섭게 도희는 심기가 불편해졌다.

"헐. 차유나 셰프하고 팀장님이요?!"

"응. 내가 예전에 팀장님 전에 계시던 회사에 아는 사람 있다고 했잖아. 그 사람이 그러는데, 결혼 일주일 전에 엎었던 여자, 그게 차유나 셰프님이래."

"어머, 어머, 세상에."

지예가 꺼낸 이야기에 새봄이 호들갑을 떨며 반응했다. 그 옆에서 도희는 아무 말 없이 묵묵히 덮밥을 한 숟가락 떠먹을 뿐이었다.

"아. 과장님은 알고 계셨죠? 차유나 셰프님하고 친하시니까⋯⋯."

"응? 아⋯⋯ 난 뭐, 이름만 들어서. 본인인 줄은 몰랐고. 알게 된 건 최근이야."

회사 사람들은 모두 차유나와 친한 것으로 알고 있었기에 대충 둘러대었다. 새봄과 지예는 눈치도 없이 계속해서 준원과 유나와 관련된 이야기꽃을 피웠다.

"와, 근데 진짜 충격이네요. 어떻게 파혼한 전 여친을 만났는데도 팀장님은 눈 하나 깜빡 안 하세요? 티가 하나도 안 나서 전혀 몰랐어요."

"언제는 그런 거 티 내는 분이었어?"

새봄의 말에 지예가 픽 웃으며 반문했다.

"벌써 부임해 오신 지 몇 달짼데, 난 팀장님의 무표정 외에 다른 표정은 거의 본 적이 없어."

"어, 맞아요. 팀장님이 화내시는 것도 본 적 없고요. 항상 무표정에 말투도 약간⋯⋯ 뭐랄까, 되게 일하는 인공지능 기계 같지 않아요?"

우스갯소리로 떠드는 새봄과 지예 사이에서 줄곧 침묵을 지키고 있던 도희가 입을 열었다.

"그래도 그게 낫지. 항상 한결같은 게."

냅킨을 하나 뽑아 입가를 닦으며 차분하게 말을 이었다.

"어쨌든 둘 다 차유나하고 팀장님 얘기는 조심하자. 어디 가서 절대 말하지 말고."

“네? 아······.”

“괜히 소문나서 가십거리 되면, 우리 팀 얼굴에 침 뱉기밖에 안 돼. 알지?”

“아, 네! 알겠습니다!”

지예가 입을 지퍼로 잠그는 듯한 제스처를 하며 고개를 끄덕였다. 워낙 남의 말 하기를 좋아하는 성격이었기에 못 미더웠지만, 일단 믿기로 하며 도희는 작게 한숨 지었다.

오후가 되어 도희는 업무에 필요한 샘플을 찾기 위해 동현과 함께 10층 정원의 옆에 딸린 창고로 향했다. 그러나 퀴퀴한 창고에는 찾는 물건이 좀처럼 보이지 않았고 도희는 슬슬 짜증이 몰려왔다.

“진짜 여기에 둔 거 맞아요? 없는데.”

“맞다니까?”

“······.”

“······요.”

도희가 서늘하게 쳐다보자 동현이 어김없이 ‘요’를 덧붙였다.

“아, 진짜 바빠 죽겠는데······.”

“그러게 이런 건 그냥 아래 애들 시키자니까? 내가 같이 찾아볼까?”

“······.”

“요?”

“하······. 됐으니까 거기 문이나 제대로 잡고 있어요.”

하여간 인생에 도움이라고는 조금도 되지 않는 인간이다. 고개를 절레절레 내저은 도희가 동현을 흘겨보며 신신당부했다.

"여기 창고 문 고장 나서 한 번 닫히면 잘 안 열리니까 절대 놓지 마세요."

"네, 네. 잘 잡고 있습니다. 백 과장님."

빈정거리는 주둥이에 주먹을 꽂아 주고 싶은 충동을 누르며 도희는 창고의 가장 구석으로 걸어갔다. 맨 끝 선반 위에 있는 커다란 상자를 발견하고 손을 뻗었다.

"저건가……?"

반깁스한 왼쪽 발 때문에 까치발을 세울 수 없어 한껏 손을 내밀었다. 끄트머리를 잡고 내리려는 순간, 갑자기 커다란 사이렌 소리가 도희의 고막을 꿰뚫었다. 삐이이이이, 하는 시끄러운 소리에 놀라 그녀의 미간이 찌푸려졌다.

"뭐야? 이게 무슨 소리야?"

-사내에 화재가 발생했습니다. 비상구로 긴급히 대피하시길 바랍니다.

돌연 시끄럽게 건물 내부에서 울리는 것은 화재 경보음이었다. 뇌를 긁어내는 듯이 삐이이이이, 하고 울려 대는 경보음에 화들짝 놀란 동현이 허둥지둥했다.

"어, 어?! 화재?!"

"조용히 해요. 오작동일 수도 있으니까. 일단 이것 좀 내리고……."

-사내에 화재가 발생했습니다. 비상구로 긴급히 대피하시길 바랍니다.

침착한 도희와 달리 동현은 온갖 호들갑을 동원하여 곧 죽을 사람처럼 오두방정을 떨었다.

"불, 불났다! 불났다!"

"시끄러우니까 소리 지르지 말아요. 일단 문 계속 잡고 있어 봐요. 내가 이것만 갖고······."

"으아악! 불이다! 불!!!"

겁에 질려 사색이 된 동현은 도희의 말을 듣지도 않고 그대로 잡고 있던 문을 놓고 줄행랑쳤다. 쾅, 하고 굉음을 내며 굳게 닫히는 창고 문에 당황한 도희가 큰 소리로 동현을 불렀다.

"하 대리! 잠깐, 하 대리! 야! 하동현!!!"

목이 터지도록 외쳤으나 이미 저 멀리 도망간 동현은 다시 돌아오지 않았다. 결국 혼자 창고에 덩그러니 남겨진 도희가 숨을 내몰아 쉬었다.

"아오, 저 자식을 진짜······."

여간 골치 아픈 상황이 아니었다. 정말 화재가 일어났는지 아닌지는 알 방법이 없었고, 화재경보음은 멈출 줄 모르고 계속해서 울리고 있었기에 어서 도희도 대피해야 했다. 커다란 상자를 내리던 도희는 마음이 조급해졌다. 다급하게 다리를 움직이다가 실수로 스텝이 꼬여 몸이 왼쪽으로 기울었다.

"아, 아파······."

바닥에 널브러진 도희는 욱신거리는 골반뼈를 문지르며 상체를 일으켰다. 완전히 엎질러진 커다란 샘플 상자가 시야에 들어오자 절로 미간이 좁아졌다. 반깁스한 다리를 또 삐끗한 탓에 거의 나아가던 발목이 다시금 욱신욱신했다. 건물에서 나가면 하동현부터 죽이겠다고 결심한 도희는 힘겹게 몸을 일으켰다.

삐이이이이. 삐이이이이.

-사내에 화재가 발생했습니다. 비상구로 긴급히 대피하시길 바랍니다.

찢어질 듯한 경보음과 긴급한 안내방송은 아직도 멈추지 않고 이어졌다. 내심 오작동이라고 계속 생각하던 도희는 경보음이 멈출 기미를 보이지 않자 두려움이 슬금슬금 일었다.

"설마 진짜 불난 건 아니겠지……?"

이제껏 몇 번 잘못 울린 적이 있었기에 이번에도 그런 줄로만 알았다. 살짝 당혹감이 밀려온 도희는 자리에서 일어나 절뚝거리며 문으로 향했다. 문고리를 꽉 잡아 돌렸지만 덜걱거리는 문은 완전히 고장이 나서 도무지 열릴 기미가 없었다. 쾅, 쾅, 두드리며 문고리를 미친 듯이 돌려봐도 문은 열리지 않았다.

"이래서 내가 문 잡고 있으라고 한 건데……!"

동현이 고장 난 문을 닫고 자기 혼자 도망가는 바람에 도희는 졸지에 창고에 갇힌 신세가 되었다. 쾅쾅, 곧바로 창고 문을 세게 두드리며 SOS를 요청했으나, 우르르 대피하는 발걸음 소리만 무자비하게 들려올 뿐이었다.

"저기요! 밖에 아무도 없어요?"

정원 옆에 딸린 외딴 창고였기에 사람들의 왕래도 드문 곳이었다. 아무도 이곳에 사람이 있다는 것을 눈치채지 못하는 듯 보였기에 도희는 황급히 주머니를 더듬거렸다. 하지만 텅 빈 재킷 주머니에 하릴없이 꽂힌 손은 수확 없이 물러났다.

"하, 씨. 핸드폰……."

사무실 책상 위에 두고 왔던 걸 떠올리며 입술을 짓씹었다. 굳게 닫힌 문을 망연히 바라보는 도희의 낯빛이 점점 더 초조해졌다.

-사내에 화재가 발생했습니다. 비상구로 긴급히 대피하시길 바랍니다.

스멀스멀 밀려오는 공포에 서늘해진 등골로 식은땀 한 줄기가 흘렀다.

계속되는 화재경보음에 건물 안의 직원들은 모두 밖으로 대피했다. 수많은 직원이 일제히 대피한 본사 건물 앞 입구는 인산인해를 이루어 각자 웅성거리기 바빴다.

"진짜 불난 거야? 아니면 그냥 잘못 울린 건가?"

"몰라……."

사무실에 남아 있던 준원도 팀원들을 데리고 대피했으나, 그는 현재 조금 심란한 상태였다. 주변을 아무리 둘러보아도 보이지 않는 한 사람 때문이었다.

"백 과장은 아까 하 대리하고 나갔죠?"

"네……. 과장님하고 하 대리님, 같이 10층에 창고 가셨는데…… 이제 나오시지 않을까요?"

준원의 물음에 지예가 두루뭉술하게 답했다. 겉으로 보기에는 멀쩡한 건물 외곽을 보며 머리를 짚는 준원의 손끝은 아주 미세하게 떨려왔다.

그렇게 모두가 가만히 서서 멀거니 관망만 하고 있는데, 건물 입구에서 하 대리가 헥헥 거친 숨을 토해 내며 헐레벌떡 뛰어나왔다.

"하 대리님!"

가장 먼저 그를 발견한 지예가 동현을 큰 소리로 불렀다. 준원을 포함한 모두의 시선이 자연히 동현에게로 흘렀다.

"왜 혼자서……."

"흐억, 헉…… 불, 불나서……. 불……."

"아니, 과장님은 어쩌고 혼자 나오셨어요?"

"어? 과장……, 어…… 아!"

그제야 도희를 안에 두고 나왔다는 것을 깨달은 동현의 얼굴이 당황한 기색으로 물들었다. 화들짝 놀라 건물을 돌아본 그가 하얗게 질린 입술을 더듬었다.

"크…… 큰일 났다……. 창고 문 고장 나서, 한 번 닫히면 안 열리는데……!"

"네?"

"내가 실수로 닫고 나온 것 같거든, 문을……?"

"네에?! 그럼 지금 저 안에 과장님이 혼자 갇혀 있다는 뜻이에요?"

동현의 황당한 말에 팀원들이 기함하며 입을 떡 벌렸다. 그 옆에서 가만히 서서 듣고 있던 준원의 표정이 서늘하게 굳었다.

"……다친 사람을 혼자 두고 나왔다고?"

싸늘한 음성이 귓가에 꽂히자 놀란 동현의 동공이 뒤흔들렸다. 항상 무표정하던 준원의 얼굴이 험악하게 굳어지는 것은 순식간이었다. 위압감에 심장이 쿵 내려앉은 동현이 놀라 주춤 뒷걸음질 친 찰나였다.

"어…… 잠깐만요!!!"

그 순간, 아현의 눈이 놀라 동그랗게 뜨여졌다.

"저, 저거…… 지금 창문에서 나오는 하얀 거, 연기 아니에요?!"

가느다란 검지가 가리킨 곳은 10층 정원 옆 창고 쪽이었다. 이건 실제상황이라는 듯 좁은 창문을 타고 폭발하듯 새어 나오는 하얀 연기를 바라보는 팀원들의 안색이 파리해졌다. 특히나 새파랗게 질린 동현은 당황해서 입술을 덜덜 떨며 너저분하게 목소리를 내었다.

"저, 저, 저기 백 과장님 있는 층인데…… 악!"

어깨를 퍽 밀치고 지나가는 거구 때문에 멀찍이 밀려난 동현은 바닥으로 쿠당탕 나동그라졌다. 준원이 급발진하듯 건물 안으로 들어가자 일제히 놀란 팀원들이 다급하게 저지했다.

"팀장님! 어디 가세요!"

"안 돼요, 팀장님! 위험해요!"

하지만 준원은 이미 뒤도 돌아보지 않고 안으로 들어간 뒤였다. 시끄러운 화재 경보음은 계속해서 울리고 있었다. 귀가 얼얼할 정도로 울리는 소음을 들으며 그는 곧바로 비상계단 문을 거칠게 열고 다리를 움직였다. 준원은 계단을 두세 칸씩 밟아 가며 10층까지 뛰어 올라갔다.

한편 도희는 넘어질 때 또 삐끗한 왼쪽 발목이 욱신거려서 창고 문 앞에 주저앉았다. 문은 도무지 열릴 기미가 없었고 밖에는 아무도 없는 눈치였으니 더 이상 할 수 있는 것이 없었다.

"하, 어떡해……."

……진짜 불난 건 아니겠지?

괜찮을 거라고 생각하다가도 일순 공포가 엄습해 왔다.

"에이, 설마……."

섬뜩해진 가슴을 내리누르며 침착하려고 애를 썼다. 아닐 거라고 스스로 되뇌며 마음을 다스리려고 하지만, 계속해서 치고 올라오는 불안함은 어쩔 수가 없었다. 도희는 불안정한 호흡을 가다듬기 위해 노력하며 슬쩍 창고 외벽에 딸린 손바닥만 한 창문을 바라보았다.

"……뭐야."

놀란 도희의 동공이 거칠게 뒤흔들렸다. 화재 경보음은 가짜가 아니었다는 것을 보여 주듯이 창밖에서는 하얀 연기가 피어오르고 있었다. 오싹하게 밀려오는 공포와 함께 도희의 온몸이 딱딱하게 굳어 버렸다. 심장이 철렁 내려앉아 손 하나 까딱하지 못하고 멍하니 있을 뿐이었다.

……어떻게 해야 하는 거지? 설마 나, 진짜 이대로 갇혀서 죽는 건…….

그 순간, 갑자기 문을 부서뜨릴 듯이 쾅쾅 두드리는 소리에 화들짝 놀랐다.

"누구……."

자연스럽게 문으로 향한 시선이 불안하게 흔들렸다.

"여기 사람 있어요! 도와……!"

쾅!!! 도와주세요, 라고 말하려는 순간 거대한 문이 엄청난 굉음과 함께 박살 나듯 열렸다. 너무 놀라 기겁한 도희가 양손으로 머리를 감싸며 휘둥그레진 눈으로 문 쪽을 바라보았다. 열린 문 사이로 보이는 것은 뛰어왔는지 땀에 흠뻑 젖은 모습의 준원이었다. 거칠게 숨을 몰아쉬는 준원을 보며 너무 놀란 도희는 아무 말도 하지 못하고 입만 벙긋거렸다.

"괜찮아요?"

당황한 도희는 놀란 눈으로 준원을 멍하니 올려다보았다. 땀에 흠뻑 젖은 준원의 얼굴은 처음 보는 표정이었다. 그 새까만 눈동자와 마주한 도희의 동공이 흔들렸다.

호흡까지 멈추고 얼떨떨하게 있자 그가 입고 있던 재킷을 벗어 도희의 어깨에 걸쳐주었다.

"이리 와. 나가자."

나지막한 목소리가 도희의 심장에 닿아 울렸다. 준원이 커다란 손을 뻗어 도희의 작은 손을 확 잡아끌었다.

"네? 아, 네……."

당황해서 황급히 그의 손을 잡고 일어나려는데, 깁스한 쪽 발이 시큰거려서 살짝 휘청거렸다.

"아……!"

뭐라고 말을 잇기도 전에 순식간에 두 발이 허공에 떴다. 준원이 조금의 망설임도 없이 도희를 번쩍 안아 든 것이었다. 당황한 도희의 심장이 쿵 내려앉았다. 넋이 나간 것처럼 멍한 얼굴로 준원의 옆얼굴만 바라보았다.

그는 말없이 도희를 안고 부서진 문을 지나 창고 밖으로 걸어 나갔다. 그렇게 비상계단 쪽을 향해 걸음을 옮기는데…….

"어, 팀장님!"

"하고…… 과장님?"

저쪽 복도 끝에서 세상 평온하게 걸어오는 팀원들과 정면으로 마주했다. 순간 멈칫한 준원과 도희가 상황 파악 안 되는 얼굴로 팀원들을 가만히 바라보았다.

"두 분…… 왜 안고 계세요?"

팀원들은 되려 영화의 한 장면처럼 도희를 번쩍 안고 있는 준원을 희한한 얼굴로 보고 있었다.

"화재……."

"아, 그거 오작동이래요. 그래서 저희가 알려드리려고 온 건데……."

"어……? 근데 연기가 막 나던데……?"

"그건 바로 옆 창고에서 저희 행사 이벤트 용품인 연막탄이 혼자 터진 거라고……."

도희가 얼빠진 얼굴로 묻자 지예가 말꼬리를 흐리며 답했다. 이윽고 이어지는 것은 숨 막히게 어색한 정적이었다.

"……."

"……."

"근데 왜 팀장님이 과장님을 안고 계세요……?"

그 말에 퍼뜩 상황 파악을 마친 도희가 소리 없는 아우성을 내질렀다. 당황한 도희의 얼굴이 창피함에 화끈 달아올랐다. 그 와중에 준원은 그대로 굳은 건지 도희를 안은 채로 아무 말 없이 가만히 있을 뿐이었다.

준원에게 안겨 있는 도희를 팀원들은 희한한 눈으로 바라보았다. 당황한 도희의 동공이 뒤흔들렸다.

"그건…… 내가 깁스 때문에 잘 못 걸으니까, 팀장님이……."

부담스러울 정도로 쏟아지는 팀원들의 시선에 뻘쭘해진 도희가 말끝을 흐렸다. 잠시 어색하고도 민망한 침묵이 내려앉았다. 그 찰나의 정적을 뚫고 입을 연 것은 내내 동상처럼 가만히 서 있던 준원이었다.

"……화재가 아니었다면 다행이네요."

순식간에 다시 담담한 무표정으로 돌아온 준원이 높낮이 없는 어
조로 차분하게 말했다.

"그럼 이제 자리로 돌아가서 일들 합시다."

아무 일도 없었다는 듯이 세상 무덤덤한 태도에 팀원들도 얼렁뚱
땅 넘어갈 뻔했다. 그가 그대로 도희를 안은 채 걸어가려고 하지 않
았다면 말이다.

모두가 희한한 눈으로 준원을 보았으나 눈치채지 못한 준원은 걸
음을 계속했다. 결국 당황한 도희가 준원의 어깨를 툭 치고 나서야
도희는 준원에게서 내려와 두 발로 설 수 있었다.

"……아."

안고 있었다는 것조차 순간 인식하지 못했던 준원이 낮게 탄식했
다. 민망해진 도희는 귓불이 화끈거리는 걸 느끼면서도 세상 뻔뻔하
게 큼큼, 목을 가다듬었다.

"자, 어서 가서 일들 합시다."

빨리 자리로 돌아가자는 듯 팀원들에게 손짓하며 태연한 척 걸음
을 옮겼다.

한차례 폭풍 같았던 하루가 저물고 도희와 준원은 퇴근 후 함께
집에서 저녁 식사를 했다. 다리를 다친 도희 대신 준원이 설거지를
했고, 그 옆의 식탁에 앉은 도희는 멍하니 널찍한 뒷모습을 바라보

앉다. 낮에 회사에서 여러 일이 있었지만, 그는 언제 그랬냐는 듯 태연하게 행동했다.

'처음 보는 표정이었지…….'

하지만 도희의 기억 속에는 여전히 준원의 다급했던 표정이 새록새록했다. 그는 도희가 위험에 처한 줄 알고 10층이나 되는 계단을 순식간에 뛰어 올라왔었다.

'이리 와. 나가자.'

땀에 함빡 젖은 이마, 다급하게 도희를 끌어당기던 손……. 그리고 항상 무던한 서준원에게서 처음으로 봤던 동요한 기색이 역력한 얼굴. 도희는 그 모든 것이 겹쳐졌던 때의 감각을 결코 잊을 수가 없었다. 심장이 쿵 내려앉는 기분이었는데, 곱씹으면 곱씹을수록 이상하게 들뜨기 시작했다.

"왜 웃어요?"

저도 모르게 살포시 웃음을 터뜨리자 설거지하던 준원이 넌지시 물었다.

"뭐야. 설거지하는데 어떻게 들었대요?"

"등 뒤에도 눈이 달렸나 봅니다."

"눈이 아니라 귀가 달린 거겠죠. 어쨌든 별거 아니에요."

픽 웃음을 흘린 도희가 느슨하게 턱을 괴었다. 오늘따라 더 멋있어 보이는 준원의 뒷모습을 빤히 바라보는데 이상하게 입술에서는 바람 빠진 풍선처럼 픽, 픽 계속 웃음이 새어 나왔다.

"그보다 설거지 내가 해도 되는데."

"괜찮아요. 오늘 여러모로 놀랐을 텐데 쉬어요."

덤덤하게 말하는 음성에 평소라면 그러려니 하고 넘어갔을 터였다. 하지만 지금 도희는 그런 그의 배려에 진심이 담겼다는 것을 잘 알고 있었다. 부드럽게 의자를 밀며 일어난 도희는 설거지하는 준원의 뒤로 다가가 두 팔을 뻗었다. 단단한 허리를 꼭 끌어안자 놀란 듯 준원이 살짝 움찔하는 게 느껴졌다.

"……무슨 바람이 분 거예요?"

등에 뺨을 기대자 나직한 저음이 귓가를 울렸다.

"도희 씨가 먼저 다가온 건 처음인 것 같은데."

늘 어쩔 수 없이 넘어가 주는 듯하던 도희가 이렇게 먼저 손을 내민 건 흔하지 않았다.

"그냥…… 고마웠어요."

도희는 준원의 등에 따스하게 몸을 붙이며 웃었다.

"오늘 서준원 씨, 좀 멋있더라고."

서준원이라는 남자의 새로운 일면을 발견한 기록적인 하루였다.

"처음 봤어요. 준원 씨의 놀란 얼굴도, 당황한 얼굴도……."

땀에 흠뻑 젖어서 손을 꽉 잡아 줄 때의 듬직한 체온이 아직도 그대로 남아 있었다.

"되게 감동했어요. 내가 서준원이란 남자의 평정을 깨뜨려 봤다는 거. 꼭 훈장이라도 단 기분이라."

도희의 숨소리 같은 웃음이 준원의 등을 포근하게 적셨다.

"말해 봐요. 왜 그렇게 다급하게 뛰어왔던 거예요?"

그릇을 닦던 준원의 손이 느릿하게 멈추었다. 잠시 생각하는 듯하더니 다시금 접시를 문질렀다.

"……그 순간 무서웠던 것 같습니다. 도희 씨가 다칠지도 모른다고 생각하니까."

"내가 다치는 게 무서웠어요?"

"네. 순간 이성적인 사고가 불가능했는데, 솔직히 말해서 나도 내가 왜 그랬는지 잘 모르겠습니다."

……그만큼 내가 서준원 씨에게 중요한 사람이라는 얘기겠죠?

도희는 굳이 말로 뱉지 않고 목구멍 뒤로 삼켰다. 감정이 메마른 남자에게 동요를 일으킬 수 있는 존재라는 사실에 가슴이 두근거렸다. 왠지 쑥스럽고 기분이 말랑말랑한 게, 태어나서 처음으로 느껴보는 감정이었다.

"아마도, 도희 씨가 그만큼 내게 중요한 사람이라는 거겠죠."

제 마음을 꼭 읽기라도 한 것처럼 그는 그렇게 덧붙였다. 설렘은 더욱더 크기를 키우고 도희는 견딜 수 없이 간질거리는 기분에 준원의 등에 얼굴을 파묻었다.

"……도희 씨?"

등에 노골적으로 느껴지는 도희의 굴곡에 설거지하던 준원의 손은 다시금 멈추었다. 탄탄한 등에 꾹 눌린 붉은 입술이 작게 움직였다.

"아까 창고에서 준원 씨 표정 사진 찍어 놔야 했는데."

"……혹시 나 놀리는 건 아니죠?"

"그럴 리가요."

장난스럽게 웃은 도희가 고개를 들어 준원의 귓가에 은밀하게 속닥거렸다.

"난 그 표정 때문에…… 덮치고 싶어서 혼났는데."

대놓고 요망하기 그지없는 말에 흔들리는 것은 준원이었다.

"지금 나 유혹하는 거예요?"

"그렇다고 하면요?"

관능적으로 속삭여 오는 여린 음성에 준원은 참았던 숨을 터뜨렸다. 하던 설거지마저도 미련 없이 그만둘 수 있을 정도의 강력한 유혹이었다.

"사양 안 하죠. 당연히."

곧장 물기 젖은 고무장갑을 벗어 던진 준원이 뒤를 돌았다. 먹음직스러운 붉은 입술을 한입에 삼키려는 듯 성큼 다가갔지만, 길게 늘어진 준원의 입술은 도희의 입에 닿기도 전에 저지당했다. 하얀 손바닥이 준원의 입술을 꾹 누르며 막은 탓이었다.

"일단 설거지는 마저 하시고."

"……도희 씨 약간 변했네요?"

"점점 수가 읽히는 느낌이 있죠?"

"네. 간파당하는 느낌인데……."

가느다란 손가락이 준원의 입술 가운데를 꾹 누르자 할 수 없이 다시 고무장갑을 낀 그가 픽 웃었다.

"나쁘지 않네요."

조금 더 서로에 대해 알게 되는 기분이란 꽤 흥미로운 것이었다.

각자 샤워를 마치고 옷을 갈아입은 준원과 도희는 거실에 나란히 앉아 여유로운 시간을 즐겼다. 까망베르 치즈에 가벼운 위스키를 곁들여 마시며 알코올에 잔잔히 젖은 대화를 나누었다.

"그런데 다리는 안 아파요? 오늘 또 삐끗한 것 같은데."

"네, 괜찮아요. 넘어졌을 때만 살짝 시큰했고, 지금은 별문제 없어요. 제가 이래 봬도 통뼈라서."

　아무리 자신 있게 말한들 부러질 듯 가느다란 발목을 보면 그다지 신빙성은 가지 않았다. 눈을 가늘게 뜬 준원이 도희의 깁스한 쪽 발을 물끄러미 바라보다가 그 위 동그란 무릎으로 시선이 흘렀다.

　"아까 넘어졌을 때 무릎이 쓸렸나 봐요. 여기 까졌는데."

　"아, 그러네요. 다친 지 이제야 알았네."

　"내가 약 발라 줄게요. 잠깐 기다려요."

　소파에서 일어난 준원은 커다란 서랍장에서 구급상자를 꺼내 가져왔다. 도희의 반바지 아래로 뻗은 하얗고 가는 다리에는 옥에 티처럼 무릎에 상처가 나 있었다. 손수 연고를 짠 준원은 도희의 환부에 부드럽게 발라 주었다. 그 촉감이 어찌나 간질간질하고 이상한지, 도희는 견딜 수 없이 야릇한 기분이었다.

　"자, 됐어요."

　깔끔하게 치료를 마친 그가 멀어지자 도희가 물끄러미 무릎을 바라보았다. 상처를 오래 들여다볼 새도 없이 묵직한 그림자가 도희의 위로 드리우자 그녀가 고개를 들었다.

　"아……."

　자연스레 밀려온 준원이 도희의 입술에 부드럽게 입을 맞추었다. 살짝 머금고 떨어진 입술이 길게 늘어지며 웃자 도희의 가슴이 아찔하게 떨려 왔다. 커다란 손이 부드럽게 도희의 뒷머리를 감싸며 끌어당겼고 뜨거운 입술은 귓불에 촉촉하게 와닿았다.

　"머리가 아직 젖어 있네요."

　"드라이기로 안 말려서 그래요. 아까 씻고 바로 나왔으니까……."

　물기 젖은 머리카락 틈새를 파고들어 헤집던 길쭉한 손가락이 그대로 끈적하게 미끄러져 도희의 목덜미를 쓸어내렸다.

"왜."

웃음기 어린 숨소리가 고막에 달게 감겼다.

"내가 보고 싶어서?"

그렇게 귓가에 속삭이며 은근하게 허리를 끌어당기는 단단한 팔에 도희의 입술이 툭 벌어졌다.

"뭐래……. 김칫국 제대로 마시네요, 정말."

툴툴거리는 뺨에 키스한 준원이 웃으며 입술을 겹쳤다. 부드럽게 윗입술을 한번 머금은 그가 빨간 아랫입술을 물었다. 간질간질하게 윗입술과 아랫입술을 번갈아 빨아들이던 그의 입술이 도희의 입술을 한 번에 집어삼켰다. 자연스럽게 턱을 벌리며 입안으로 밀려 들어오는 준원의 혀를 느끼며 도희는 그의 가슴께를 꼬옥 움켜쥐었다.

몰랑몰랑하고 결이 좋은 혀가 도희의 입 안을 확인하듯 구석구석을 헤집었다. 그 어느 때보다도 농염하고 능란한 키스를 퍼붓는 준원에 도희의 가슴이 터질 것처럼 내달렸다. 부드럽게 떨어진 입술은 촉촉하게 젖은 도희의 입술에 여린 숨을 뱉었다.

"나는 이제껏……."

준원은 도희의 아롱아롱한 눈망울을 똑바로 바라보며 낮게 갈라진 목소리를 내었다.

"내가 아주 불행한 사람이라고 생각했습니다."

행복하지 않아서 불행했던, 그저 하루하루 무의미하게 눈을 뜨고 숨만 쉬었던 날들.

"하지만 굳이 행복해지고 싶지 않았으니까, 행복해질 수 있다고 생각하지도 않았으니까……."

"……."

"그래서 이렇게 살다가 죽는 게, 꿈이었던 것 같습니다."

도희는 얼마 전 꿈이 뭐냐는 자신의 질문에 준원이 이대로 평탄하게 살다가 죽는 게 꿈이라고 말했던 것을 떠올렸다.

"나는 내가 평생 아무 일도 없이 매일 똑같은 하루하루를 보내다가 눈을 감을 거라고 생각했는데……."

준원의 검은 눈동자가 도희를 쓰다듬듯이 내려갔다.

"도희 씨를 만나서, 내 삶이 이렇게 달라졌어요."

도희의 동공이 휑하게 울리며 뒤흔들렸다.

"그것만으로도 난 운이 좋은 남자라고 생각합니다."

심장이 저릿하며 빠르게 뛰었다. 추가 거세게 흔들리는 진자처럼 가슴의 진폭은 점점 더 커져만 갔다. 떨리는 두 팔을 뻗어 준원의 목덜미를 포근하게 끌어안았다.

"고마워요. 그렇게 말해 줘서."

어려서 부모에게 버려진 이후, 도희는 항상 이 세상에 태어난 것을 저주했었다. 앞만 보고 질주하는 외로운 레이스에 이 한 몸 뉠 데가 성치 않았다. 친구들이, 주변 지인들이, 자신을 짐으로 여길까 봐 항상 두려웠고, 그렇기에 늘 철저하게 모두와 거리를 두었다. 그런데…….

'왜 눈물이 날 것 같은 거야…….'

자신을 만난 게 행운이라고 말해 준 사람은 이 남자가 처음이었다.

"……도희 씨, 설마 울어요?"

"안 울어요. 내가 뭐 맨날 우는 사람인 줄 알아요? 어이가 없어서 진짜…….."

"안 우는데 얼굴은 왜 가려요?"

"가리든 말든 내 맘이지……."

물기는 고이지 않았으나 눈가가 약간 발갛게 달아올랐다. 도희는 괜히 머쓱해서 고개를 돌리고 눈앞에 손바닥을 펼쳐 드리웠다.

"얼굴 가리지 말아요, 귀여운데."

"아, 그만 좀 쳐다봐요. 사람 민망하게……."

하도 뚫어져라 쳐다보니 얼굴에 구멍이라도 뚫릴 지경이었다. 당황하거나 창피해지면 본능적으로 물리적 방어기제가 발동되는 도희가 작은 주먹을 준원의 앞에 들이댔다.

"진짜 또 내 주먹맛 좀 봐야 정신을……."

차리지. 라고 말하려고 했으나 말꼬리는 힘을 잃고 흐릿하게 희석되었다. 도희의 손을 부드럽게 끌어당겨 키스한 준원은 그대로 소파 위로 지그시 눌렀다. 밀려오는 거구에 눌려 자연스럽게 아래로 깔린 도희가 떨리는 시선으로 준원을 올려다보았다. 한눈에 담긴 까만 눈동자는 점점 더 축축하고 어둑하게 젖어 들어갔다. 유혹하듯 머리부터 발끝까지를 샅샅이 훑는 끈적한 시선에 도희의 몸이 긴장으로 빳빳하게 수축하였다.

"다리 다 나을 때까지 참으려고 했는데……."

관능적으로 토해지는 숨이 목을 아찔하게 조르는 듯했다.

"귀여워서 안 되겠어요."

정성껏 허리를 어루만지는 뜨거운 손 외에도 끈적끈적하게 섞이는 시선은 무더운 열을 머금고 있었다. 쪽, 뺨에 입술을 누른 준원이 비스듬히 고개를 틀며 여유로운 미소를 짓는다.

"우리 침대로 갈까……?"

이미 도희의 무릎 아래로 파고든 손을 보면 물음이 아닌 통보였다. 아니, 어쩌면 그보다 더한 유혹……. 젖은 분위기에 과열된 도희가 꼴깍 마른침을 삼켰다.

……그런데 이 남자가 저번부터 자꾸.

"은근히 반말을…….."

도희가 중얼거리자 준원이 낮게 웃었다. 그에 맞춰 바람 빠지듯 픽 웃은 도희의 눈이 반달처럼 휘었다.

"그래. 내가 오늘만 봐준다."

가느다란 팔이 뻗어져 준원의 목덜미를 강하게 끌어당겼다. 시선이 마주침과 동시에 두 입술이 파열하듯 부딪혔다. 도희는 적극적으로 그의 입술을 삼키며, 내면에 들끓는 이 감정을 인정하지 않을 수가 없었다.

……내 나이 서른.

'나는 서준원을…….'

태어나서 처음으로 사랑하는 사람이 생겼다.

'사랑해.'

고동치는 심장은 느지막한 첫사랑의 수줍은 기록이었다.

……사랑하게 됐어요.

등 뒤로 푹신하게 눌리는 매트리스의 감촉에 도희의 눈꺼풀이 가늘게 떨렸다. 커다란 침대의 시트가 꾸욱 밀리며 거대한 남자의 몸이 느슨하게 위로 올라왔다. 하얀 천장을 완전히 가린 준원의 얼굴에 도희의 심장이 아플 정도로 뛰었다.

"다리 아프면 말해요. 최대한 조심히 할 테니까."

늘 그랬듯이 그는 부드럽게 속삭이며 하얀 허벅지를 잡고 옆으로 밀었다. 민망한 자세에 얼굴이 붉어졌으나 깁스한 쪽의 발목을 배려한 자리 선점이었다.

"……알았어요."

도희는 저를 꿰뚫을 듯이 쏟아지는 까만 시선에 등 뒤로 땀이 삐죽 흐르는 것만 같았다. 이 팽팽한 긴장을 도무지 견딜 수 없어 확 고개를 옆으로 돌려 버렸다.

"아……."

눈이 오네…….

창밖으로 꽃잎처럼 아롱아롱 내리는 눈송이를 발견하자마자 커다란 손이 도희의 뺨을 감싸 돌렸다.

"지금만큼은 나만 봐 줬으면 좋겠는데……."

안 될까? 그렇게 묻는 음성이 아릴 정도로 자상했다. 작은 턱을 잡고 부드럽게 상체를 내린 준원은 느리게 턱을 비틀며 입을 맞춰 왔다. 달콤하고도 강렬한 키스가 이성을 완전히 녹여 버리는가 싶더니 이내 단단한 팔이 잘록한 허리를 꽉 끌어안았다. 섬유를 가르며 들어온 서늘한 손이 굴곡진 허리를 타고 흐르자 후끈한 열기가 한군데로 응집되었다.

집요하게 키스하던 그의 입술이 떨어지자 거친 숨이 훅하고 터졌다. 느슨하게 해방된 열감이 목덜미로 이동하자 온몸의 감각기관늘이 폭발하듯 움찔거렸다.

"준원 씨, 잠깐……."

도희는 미칠 것만 같아 저도 모르게 타임을 외쳤으나, 그는 자비 없이 다시 입술을 덮을 뿐이었다. 흠칫한 도희가 손끝을 움찔거리자 준원이 작은 손을 꽉 움켜쥐었다. 그대로 매트리스 위로 꾸욱 누르는 힘에 도희가 눈을 꽉 감아 버렸다.

거친 호흡 때문에 가슴이 가쁘게 오르락내리락했다. 흐릿해진 눈을 아래로 내리자 조금의 흐트러짐도 없이 도희를 뚫어져라 바라보는 검은 눈동자와 정면으로 마주했다.

예고 없는 충격에 도희의 심장이 쿵 내려앉았다. 툭, 가녀린 소리와 함께 풀린 것은 가까스로 붙잡고 있던 이성이었다. 도희는 넋이 나간 듯 준원을 바라보며 입술을 벌렸다.

"……오늘 준원 씨, 무슨 일 있어요?"

이상야릇한 감각과 함께 온몸의 솜털이 곤두서는 듯했다. 그의 얼굴이 낮의 창고에서의 다급했던 표정과 겹쳐지며 도희의 심장을 발작하듯 뛰게 하였다.

"왜요?"

"……그냥……."

원래의 서준원이라면 훨씬 더 차분하고 부드럽게 절차를 밟을 터였다. 그런데 지금 그의 손길과 입술에서는 정제되지 않은 숨과 격정이 느껴졌다. 당장 저 어둑하게 타오르는 눈만 보더라도 찢고 맘대로 휘두르고 싶은 동물적인 욕망이 훤히 내다보였다.

"그냥…… 좀 이상해요. 평소랑 좀 다르달까."

"그래요?"

그가 낮게 웃음을 흘렸다.

"좀 더 여유가 없을지도 모르겠네요……."

달뜬 저음이 고막을 끈적하게 적시자 도희의 동공이 탁해졌다.

"불편한 부분이 있으면 바로 말해 줘요. 난 무엇보다도……."

곡선을 그리며 올라가는 입꼬리에 도희는 심장이 부서질 것만 같았다.

"도희 씨가 좋았으면 하니까."

저런 난잡한 눈을 하고서 목소리는 여전히 친절하고 배려심이 넘치니 더 미칠 노릇이었다.

"……아."

툭, 준원이 잠옷의 단추를 하나 풀었다. 툭, 툭, 단추가 풀리는 소리가 고요히 귓가를 울릴 때마다 도희의 심장에서는 무언가 어긋나는 소리가 들렸다.

이내 마지막 단추까지 툭, 풀어지고 꽃잎처럼 갈라진 실크 잠옷 틈으로 새하얗고 봉긋한 가슴이 드러났다. 그 위에 뜨거운 시선이 집요하게 와닿자 도희의 뺨이 발갛게 달아올랐다.

뚫어져라 응시하는 눈빛이 부끄러워 얼굴을 옆으로 돌린 순간, 달뜬 숨이 훅하고 파고들었다. 반질반질한 쇄골 위로 내려앉은 입술은 티 없이 맑은 살결을 부드럽게 핥고 빨아들였다. 허리를 문지르던 커다란 손은 부드럽게 올라가 하얀 가슴을 쥐었다.

길쭉한 검지와 중지 사이로 쫑긋 곤두선 유두가 끼워지자 도희가 허리를 비틀며 신음을 흘렸다. 준원의 입술이 도희의 가슴께에서 숨소리 같은 웃음을 뱉었다.

"피부가 하얘서, 예쁘네요……."

눈처럼 희고 고운 살결은 눈이 부실 지경이었다.

"자국 남기면 안 되겠죠?"

웃으며 속삭이는 입술은 선발대였던 손의 경로를 따라 쪽, 쪽, 부드럽게 움직였다. 아무도 밟지 않은 하얀 눈밭에 첫발자국을 내딛는 기분이었다.

"……안 보이는 곳이면 괜찮아요."

촉촉해진 분위기에 히죽 웃은 도희가 속삭이자 여유롭던 거구가 움찔하며 멈췄다.

"그리고 나보다는……."

도희가 느슨하게 무릎을 세워 그를 툭 쳤다.

"별말도 아닌데 반응하는 준원 씨가……."

도희의 시선이 가파르게 아래로 내려갔다가 올라왔다.

"훨씬 더 귀여운 거 같은데?"

속이 뻔히 보이는 도발에 넘어간 준원이 헛웃음 치며 무거운 상체를 일으켰다. 곧장 입고 있던 티셔츠를 벗어 침대 아래로 던졌다.

"그러는 도희 씨야말로 오늘따라 좀 이상하네요……."

티셔츠 아래에 은밀하게 가려져 있던 그의 우람한 근육들이 터질 것처럼 부풀어 올랐다.

"설마 와인 한 잔에, 취한 건 아니겠지."

잘게 나눠진 근육이 각기 살아 숨 쉬는 듯이 꿈틀거렸다. 꼴깍 침을 삼키자 거대한 몸이 밀물처럼 밀려오고 도희는 저도 모르게 신음을 흘리며 목을 뒤로 훅 젖혔다.

하얀 가슴을 핥고 빨아들이던 준원이 돌연 선홍빛 유두를 입안에 머금자 도희가 움찔 몸을 떨었다. 작은 돌기를 빨아들이고 혀로 튕기는 행위에 도희는 쾌감이 온몸을 지배하는 경험을 했다.

쪽, 쪽, 윗배, 아랫배를 타고 부드럽게 흘러내린 입술이 도희의 다리 사이 위에서 섹시하게 길어졌다. 잠옷 바지를 아래로 끌러 내리는 손길을 느끼며 도희가 두 눈을 꼭 감아 버렸다.

마지막 남은 속옷마저 준원의 손에 벗겨지니 완전히 나체가 되어 버렸다. 알몸 구석구석을 탐색하듯 훑는 뜨거운 시선에 괜히 창피해진 도희는 얼굴을 붉혔다.

"귀여워……."

준원이 나직하게 웃으며 빨개진 도희의 볼을 꼬집었다. 그 행위에 항변할 새도 없이 준원은 도희의 입술을 틀어막고 강렬하게 키스했다. 갈급하게 입술을 빨아들이고 내부를 연 준원이 뜨거운 혀로 도희의 입안을 샅샅이 훑어 내렸다. 입으로는 진한 키스를 퍼부으며 오른손으로는 부드럽게 도희의 허벅지를 쓰다듬었다.

골반을 보듬다가 점점 다리 사이로 향하는 은밀한 경로에 도희의 심장이 터질 것처럼 뛰었다. 숨도 쉴 수 없게 키스해 오는 입술과 아래를 헤집는 길쭉한 손가락에 정신이 나가 버릴 것만 같았다.

"하아……!"

입술이 떨어지자 거친 숨이 터졌다. 준원은 그런 도희의 얼굴을 녹녹하게 보듬으며 웃었다. 하지만 남자의 입술은 쉴 시간을 주지 않고 곧바로 몰아붙였다. 발목부터 종아리, 허벅지까지 부드럽게 키스해 올라온 준원은 이내 가느다란 다리 사이에 입술을 묻었다. 화드득 놀란 도희의 고개가 한껏 뒤로 꺾였다.

"아앗……!"

뜨겁고 몰캉한 혀의 감각이 적나라하게 느껴졌다. 채 말로 이룰 수 없는 짜릿한 쾌감이 다리 사이로 모여들며 견딜 수 없는 기분이 되었다. 길쭉한 손가락과 입술이 동시에 아래를 헤집어 오자 계속해서 교성이 흘렀다. 이어진 정성스러운 애무에 도희는 마치 한여름의 아스팔트 위 아이스크림처럼 흐물흐물 녹아내렸다.

곧 허리를 확 끌어당겨 단단하게 하체를 밀어붙여 오는 감각에 도희가 거칠어진 호흡을 집어삼켰다. 감당할 수 없을 만큼 커다란 이물이 내부를 파고들었으나 결코 물러날 수 없다는 듯 그의 허리를 꽉 잡았다. 탁 풀린 눈으로 준원을 올려다보자 한껏 질척해진 시선이 난잡하게 얽혔다. 곧바로 두 팔을 뻗어 준원의 목을 꽉 끌어안고 눈을 질끈 감았다.

준원이 느리게 허리를 움직이기 시작하자 심장의 수축과 이완이 점점 더 빨라졌다. 불쑥 내부를 깊숙이 파고들었다가 빠지는 감각이 반복되며 도희의 팔다리가 격렬하게 흔들렸다. 내부를 꿰뚫을 듯한 무더운 열기가 증폭하며 근육의 떨림이 온몸으로 쿵쿵 번져 갔다. 움직임은 점점 더 빠르고 거칠어졌고, 살갗이 마찰하는 음란한 소리가 방 안을 한가득 울렸다.

"하아……!"

절정에 치달은 쾌감에 도희가 산발적으로 신음을 토해 내며 전율했다. 커다란 손이 땀에 젖은 이마를 쓸어내리자 길쭉한 손가락으로 붉은 머리카락이 끈적하게 엉겨 붙었다.

"준원…… 씨……."

윽, 숨을 헐떡이자 준원이 픽 웃음을 터뜨렸다. 폭주하는 감각에 가까스로 붙어 있던 이성마저도 어긋나며 나달거렸다.

"귀엽게 굴어……."

낮게 깔린 음성이 무례하게 고막을 파고들었다.

"침대에서는 반말해도 되지?"

……이미 하고 있으면서. 실소가 터진 도희는 준원의 어깨에 얼굴을 묻고 짙은 숨을 토해 냈다.

"좋아……."

나는 이 남자가 너무 좋아서…….

"주도권 쥐여 줬으니, 어디 맘대로 해 봐."

……미칠 것 같아. 더는 아무 생각도 하고 싶지 않아.

그 어느 때보다도 격정적인 하룻밤을 보내고 찾아온 아침. 허물처럼 바닥에 버려진 옷들과 어지럽게 흐트러진 침실을 정돈한 준원과 도희는 함께 식탁에 마주 보고 앉아 식사했다.

전날 밤의 만만치 않은 열량 소모로 인해 허기가 진 도희는 바쁘게 수저를 움직였다. 하지만 곧 슬쩍 앞에 앉은 준원을 곁눈질하느라 손의 속도는 자연스럽게 느려졌다.

'……아침부터 뭐 저렇게 잘생긴 거야.'

된장찌개 먹는 모습조차 혼자 화보를 찍고 앉았으니 가슴이 마구 두근거려서 야단이었다. 진심으로 서준원이란 남자를 사랑한다는 것을 깨닫고 나니, 이제까지와는 비교도 안 될 만큼 가슴이 뛰고 설레었다.

'진짜 세상 완벽한 피조물이다…….'

두 뺨에 핑크빛으로 열이 오른 도희는 반쯤 넋을 놓고 준원을 지그시 바라보았다.

'와……. 드디어 내 눈깔이 미쳐 돌았구나.'

김을 먹다가 툭 떨어진 김 가루가 준원의 턱에 붙었으나 그조차 귀엽고 잘생겨 보였다. 한평생 턱에 김 붙인 남자를 보며 사랑스럽다고 느낄 줄은 상상도 못 했는데.

"왜 그렇게 빤히 쳐다봐요?"

줄곧 쏟아지는 도희의 시선을 느꼈는지 준원이 대수롭지 않게 물었다.

"내 얼굴에 뭐 묻었어요?"

"네…… . 묻었네요, 잘생김…… ."

저도 모르게 홀린 듯 중얼거린 도희가 화들짝 놀랐다.

"……네?"

미친. 미친, 미친, 미친.

"이 아니라 김 묻었어요. 김."

동그랗게 뜨여진 눈으로 황급히 수습하자 준원이 픽 웃었다.

"큼…… . 왜 다 큰 남자가 칠칠치 못하게 흘리고 그래요."

"어디에 묻었는데요?"

"여기요, 여기."

"여기?"

"아니, 거기 반대쪽."

준원의 턱을 가만히 들여다보던 도희가 가느다란 검지를 뻗어 그의 턱을 미끈하게 훔쳤다.

"여기."

곧바로 김 가루가 붙은 검지를 입에 문 도희가 해맑게 웃었다. 면도하기 전의 아침이라 살짝 까슬한 턱까지도 지금 도희에게는 귀엽게 느껴졌다.

"이제 됐어요."

검지를 쪽 빨아들인 도희가 아이처럼 환하게 웃자 순간 움찔한 준원의 동공이 커졌다.

"……."

놀라 잠시 멈추었던 준원이 이내 숨소리처럼 웃었다.

"역시 기분 탓이 아니네요. 어제부터 도희 씨가 좀 이상해졌어요."

"그래요? 왜 그럴까?"

픽 웃은 도희가 창밖을 보며 실없이 웃었다.

"날씨가 좋아서 그런가?"

평소라면 운전하기 짜증 나게 눈이 왔다고 불평했을 도희인데 뜬금없이 날씨가 좋다고 히죽거리니 의혹은 증폭되었다.

"좀…… 평소와 많이 다른 것 같은데요?"

"기분 탓이에요. 기분 탓."

준원이 사랑한다고 말해 주기 전에는 절대 먼저 사랑을 속삭여 줄 생각은 없었다. 자존심 빼면 시체인 도희였기에 어젯밤의 깨달음은 스스로의 가슴에만 저장이었다.

"참. 아버님께 오늘 자 인증 셀카 보내야 해요."

얼른 핸드폰을 꺼내 든 도희가 허리를 비틀며 쭈욱 팔을 늘렸다.

"자, 자. 여기 보고 웃어요."

찰칵.

도희가 찍은 사진은 곧바로 준원의 아버지 윤건에게 전송되었다.

기력이 떨어져 병실에 시체처럼 누워 있던 윤건은 경쾌한 소리와 함께 도착한 사진을 보며 흐뭇하게 웃었다. 한 프레임 안에 담긴 도희와 준원은 퍽 잘 어울리는 한 쌍이었다.

이대로 두 사람이 행복하게 가정을 이루고 살기만을 바라는 윤건은 한참 동안 사진을 바라보며 미소를 지었으나, 옆에 앉아 있는 그의 부인 이수연의 반응은 사뭇 달랐다.

"정말 준원이를 그 아가씨하고 결혼시킬 생각이세요?"

흘끗 사진을 보자마자 구역질이 나왔던 수연은 억지로 웃으며 입을 열었다.

"그 아가씨 집안도 그렇고 별로 어울리는 짝은 아닌 것 같던……."

말을 채 잇기도 전에 서늘한 눈빛이 쏟아지자 수연이 흠칫했다.

"미안해요. 제가 또 실없는 소리를……."

"당신 몫은 섭섭지 않게 챙겨 주고 떠날 테니 괜한 욕심 부리지 마."

살짝 당황한 수연의 동공이 흔들렸다. 사과를 깎던 그녀의 손이 그대로 멈추었다.

"어차피 내가 죽으면 준원이하고 생판 남으로 살 거잖아? 괜히 꼴 같잖게 새아가한테 시어머니 흉내 낼 생각 말고 주제 파악해."

"……."

과도를 꽉 움켜쥔 수연의 손이 파르르 떨렸다. 새빨간 사과 껍질을 깎아 내던 날카로운 날붙이가 분노로 점철되어 움찔움찔 떨렸다.

'지금 당장 이 노인네만 죽으면…….'

아직 윤건이 아들인 준원에게 그림을 전부 상속한다는 유언장을 쓰기 전이니, 지금 윤건이 죽으면 그림은 현재 법적 부인인 수연의 차지였다. 눈앞이 노랗게 물든 수연은 당장에 윤건을 찌르고 싶은 충동을 누르며 부드럽게 웃었다.

"여보, 왜 그렇게 무서운 말씀을 하세요……."

"설마 내가 모를 거로 생각하는 건 아니겠지?"

"……무슨……."

"2년 전에 유나하고 준원이 결혼이 깨진 이유."

수연의 심장이 덜컥 내려앉았다.

"당신이 중간에서 이간질했기 때문이란 것을."

윤건의 눈이 날카롭게 번뜩였다. 화들짝 놀란 수연의 눈이 크게 뜨여졌다.

"아니……. 준원이가 파혼한 게 왜 저 때문이에요? 당신도 참……."

……알고 있었나? 대체 언제부터? 왜 다 알고 있었으면서 아무 제제 없이 내버려 둔 거지?

"이럴 줄 알았으면 당신 같은 여자하고 재혼하지 않았을 텐데."

"……하, 무슨 말을 그렇게 해요. 여보."

발끈한 수연은 머릿속으로 윤건의 목을 조르는 상상을 하며 억지로 입꼬리를 들어 올렸다.

"자꾸 그러시면 정말 서운해요. 저는 준원이를 이제껏 친아들처럼 생각해 왔는데……."

상냥한 음성으로 호소해도 윤건은 고개를 돌리고 쯧, 혀를 찰 뿐이었다. 수연은 분노로 떨리는 손을 가까스로 추스르며 더욱 부드러운 목소리를 내었다.

"……근데 여보, 정말 궁금해서 묻는 건데……. 당신은 정말 준원이 그 애가 평범한 사람들처럼 가정을 꾸리고 살아갈 수 있다고 생각하시는 거예요?"

"······많이 나아졌어. 적당히 평범하게 살 수 있어."

윤건이 낮게 읊조리자 수연이 헛웃음 쳤다.

"아니요. 제 눈에 준원이는 여전히 문제가 많아요. 고등학생 때와 별반 차이가······."

윤건의 고개가 확 돌아가며 흉흉한 눈빛이 수연을 찔러 왔다. 그는 희번덕하게 눈을 뜨고 수연을 노려보았다.

"나가. 혈압 오르게 해서 죽일 작정 아니면 당장 나가."

"······."

"한 번 더 헛소리하면, 눈 감기 전에 이혼 서류에 도장 먼저 찍을 줄 알아!"

손을 바들바들 떨던 수연이 천천히 들고 있던 사과와 과도를 옆에 내려놓았다. 소리 없이 의자를 끌고 일어나 윤건에게 인사한 뒤 병실을 나섰다. 탁, 문을 닫고 나오자마자 억지로 웃고 있던 얼굴이 험악하게 일그러졌다.

'······저 다 늙어빠진 노인네가!'

두껍게 화장한 얼굴에 노기가 등등했다. 26살에 고등학생 아들이 딸린 늙은이에게 시집와서 14년을 살랑살랑 비위 맞춰 가며 살아왔던 수연이었다.

'저 인간 죽으면 병원이고 건물이고, 모든 재산 전부 내 차지여야 했는데······!'

수연의 얼굴이 붉으락푸르락 달아올랐다.

'그 백도희인지 뭔지 하는 계집애가 껴들어서 그쪽으로도 돈이 흘러가게 생겼으니······!'

죽기 전에 예비 며느리 명의로 건물이라도 하나 해 주겠다며 사람을 시켜 알아보게 한 것을 수연은 다 알고 있었다.

'감히 내 재산 뜯어먹겠다고 들러붙어?'

이제 단순히 고(故) 전희선 화백의 그림의 상속권을 둘러싼 싸움이 아니었다.

"시간이 별로 없어……."

하루빨리 그 계집애를 서준원에게서 떼어 놓아야 했다. 표독스럽게 얼굴을 굳힌 수연이 거친 손동작으로 핸드폰을 꺼내 어디론가 전화를 걸었다.

그 시각, 도희는 식탁에 앉아 윤건에게 보낸 셀카를 물끄러미 바라보았다. 새삼 사진 속 준원과 자신의 표정이 대비되어 보이자 괜히 가슴이 뜨끔했다. 무표정에 살짝 입꼬리만 올라간 준원에 비해 활짝 해맑게 웃고 있는 자신의 꼬락서니는 영락없이 사랑에 빠진 여자였다.

'……아, 씨. 이래서야 서준원한테 다 들키겠네.'

스스로도 처음 보는 자신의 얼굴에 견딜 수 없을 만큼 부끄러움이 밀려왔다. 대놓고 사랑한다고 광고하는 것도 아니고, 이게 무슨 쪽 팔린 표정이란 말인가. 찜찜한 기분으로 슬쩍 고개를 들어 건너편의 준원을 봤는데, 아니나 다를까 그는 무슨 생각을 하는지 전혀 알 수 없는 표정으로 도희를 빤히 바라보고 있었다.

"뭐…… 왜 그렇게 봐요?"

"글쎄요. 별로."

흠칫한 도희가 제 발 저려 묻자 준원이 어깨를 으쓱했다. 약간 머쓱해진 도희가 커다란 동공을 굴리다가 눈을 어색하게 깜빡거렸다.

"저기……."

"네."

"나 있죠. 그……."

"그?"

"서준원 씨 그렇게 엄청나게 좋아하는 거 아니거든요?"

당황한 도희는 아무 말을 하며 횡설수설했다.

"갑자기요?"

"괜히 오해할까 봐 미리 말해 두는 건데……."

"무슨 오해를?"

"아니, 그렇게 많이 좋아하는 거 아니고……. 그냥 적당히…… 조금 괜찮다고 생각하는 정도니까……."

삐죽거리는 도희를 보며 준원이 웃음을 터뜨렸다. 무슨 말을 하는가 했더니…….

"결론은 혼자 착각하고 김칫국 마시지 말라고요. 그냥 미리 말해 두는 거니까."

퉁명스럽게 말하는 어투와 달리 두 뺨은 능금처럼 달아올라 있었다. 복숭아 같은 귀여운 볼을 보고 큰소리로 웃어 버린 준원이 손등으로 입가를 가렸다.

"알았어요. 명심할게요."

손 틈새로 픽 픽 새어 나오는 웃음을 감추지 못하며 준원이 귀엽다는 듯이 도희의 뺨을 톡톡 보듬었다. 그 손길에 발끈한 도희가 불퉁한 표정으로 준원을 흘겨보았다.

"……웃지 마요. 얄미우니까."

달아오른 얼굴에 손부채질하며 중얼거렸다. 못마땅하게 삐뚤어져 있던 표정은 앞에서 점점 더 번지는 웃음소리에 결국 설핏 풀어지고 말았다. 저도 모르게 소리 내서 웃은 도희의 웃음은 준원의 것과 섞여 어우러졌다.

"도희 씨. 지금 내가 어떤 생각한 줄 알아요?"

"무슨 생각 했는데요?"

"당장 타임 루프가 일어났으면 좋겠다고 생각했어요."

의외의 대답에 도희가 고개를 갸웃했다.

"다시 어젯밤으로 돌아가서, 이렇게 아침까지 하룻밤 더 같이 있고 싶다고 생각했어요."

"아……."

"처음이에요. 타임 루프가 일어났으면 좋겠다고 생각해 본 거."

진지한 고백에 도희의 가슴이 두근거렸다.

"도희 씨도 알다시피 난, 이때까지 타임 루프를 지긋지긋하고 끔찍한 현상이라고만 생각했는데……."

"……."

"이 시간의 반복에 갇힌 사람이, 나 혼자가 아닌 둘이라서."

느슨하게 손을 뻗은 준원이 도희의 작은 손을 맞잡았다.

"그리고, 그 사람이 도희 씨라서……."

준원이 설핏 웃었다.

"정말 다행입니다."

잔잔하던 가슴에 물보라를 일으키는 말이었다. 수줍게 웃은 도희의 눈꼬리가 반달처럼 휘었다.

"그렇게 말해 주니까 고맙네."

사랑하는 남자에게 들은 달콤한 말들은 이토록 세상을 아름답게 만드는 것이었다. 가슴이 몽글몽글해진 도희는 웃음기 젖은 입술로 말했다.

"참, 나 궁금한 거 있었는데……."

고개를 들어 준원과 두 눈을 마주했다.

"서준원 씨는 처음 타임 루프를 겪을 때 어땠어요?"

아무렇지 않게 던진 물음에 준원이 멈칫했다. 순간 준원의 입가에는 웃음기가 온데간데없이 사라졌고, 그의 표정은 언제나 그랬듯 공허한 백지가 되었다.

"……."

갑작스러운 그의 반응에 움찔한 도희가 놀라 숨을 멈추었다. 준원은 대답하지 않고 무표정으로 말없이 도희를 바라보고 있을 뿐이었다.

'……뭐지?'

혹시 내가 건들면 안 되는 이야기를 건든 건가. 물론 도희에게도 첫 타임 루프와 얽힌 안 좋은 일이 있듯이, 그에게도 무언가 트라우마가 있을 거라고 생각했다. 하지만 이런 반응을 보일 줄 미처 몰랐기에 당혹감만 짙어질 뿐이었다.

"……아, 저기……."

당황한 도희가 아무 말이나 하기 위해 입을 열었는데, 잠시 굳어 있던 준원의 입꼬리가 다시 부드럽게 올라갔다. 그는 도희의 머리를 다정하게 쓰다듬으며 웃었다.

"출근 준비해야죠, 이제?"

그렇게 말하며 식탁에서 일어난 준원은 끝내 자신의 이야기를 털어놓지 않았다. 뚜벅뚜벅 방 안으로 들어가는 뒷모습을 보며 들떴던 도희의 가슴이 가라앉았다.

"……."

나는 저 남자에게 자신의 상처와 아픔을 전부 털어놨었는데. 그는 아직 자신의 모든 것을 공개할 만큼, 나를 온전히 믿지 않는 것 같다고, 도희는 생각했다.

'이해하고 있지만…….'

도희가 그랬던 것처럼, 준원도 오랜 세월 동안 그 누구에게도 의지하지 않고 혼자 묵묵히 이겨 내는 것이 습관이 되어 버렸기 때문이란 것을 잘 알고 있었다. 하지만 역시, 조금 서운한 마음이 드는 어쩔 수 없는 이치였다.

"하아……."

도희의 벌어진 입술 틈으로 작은 한숨이 흘러나왔다. 언제까지 식탁에서 이렇게 멍하니 시간을 보낼 수는 없었기에 손바닥으로 뺨을 두어 번 쳤다. 서둘러 출근 준비를 하기 위해 무릎에 힘을 주고 일어난 찰나였다. 지이잉. 식탁 한편에 올려 두었던 핸드폰이 부르르 진동했다. 누구지? 습관적으로 들어 문자를 확인한 순간 도희의 얼굴은 흙빛이 되었다.

[망할 년, 네 덕분에 새 번호를 또 만들었다.]

욕부터 시작하는 날 선 문자에 도희의 등골이 서늘해졌다. 문자의 주인은 한동안 잊고 있었던 새아버지였다. 그를 떠올림과 동시에 그가 소주병으로 제 머리를 내려치던 장면이 겹쳐지며 어깨가 파르르 떨렸다. 온몸에 오한이 오는 듯한 착각이 들었다.

[그동안 잠잠하니까 살맛이 났겠구나. 그렇지? 네 친어미 버리고 두 발 뻗고 잠이 오던?]

"하……."

어처구니가 없어 헛숨이 터졌다.

[피는 물보다 진하다는데, 이 싸가지없는 년! 제 어미가 병원에서 다 죽어가는데 그깟 병원비 몇 푼을 안 내주냐?]

"요즘 잠잠하다 했더니……."

약 3주 전, 새아버지가 소주병으로 도희를 위협했을 당시 도희는 더 이상의 그의 접근을 막기 위해 접근금지가처분신청을 하려고 했었다. 하지만 이어진 준원과의 일과 쏟아지는 업무 때문에 차일피일 미뤄지다가 이렇게 시간만 지나버린 것이었다.

[넌 나중에 네 낳아준 어미 죽거든, 장례식장에는 얼씬도 하지 마라!]

"허, 지랄하네……."

내가 거기를 왜 가? 애초에 갈 생각도 없어! 겨우 일곱 살짜리 자식을 자기 살겠다고 길바닥에 버린 여자인데. 그것도 엄마라고 병원비를 내줘야 해, 내가?

"……하."

치밀어오르는 화에 속이 부글부글 끓었다. 더군다나 이 새아버지라는 작자는 도희와 피 한 방울 섞이지 않았으며, 심지어 소주병으로 일곱 살 도희를 때려죽였던 사람이었다.

무엇보다도 도희는 허구한 날 발로 밟고 소주병 들고 설치던 그가 십수 년 전 친모에게 도희를 버리자고 부추긴 장본인이란 것을 잘 알고 있었다. 그 기억을 떠올리자 다시금 울컥한 도희는 떨리는 손으로 핸드폰을 꽉 잡고 한 글자, 한 글자를 눌러썼다.

[그 여자가 죽든 말든 나랑 상관없고! 오히려 빨리 죽어버렸으면 좋겠으니까…….]

"……."

문자를 쓰던 도희가 입술을 꽉 깨물었다. 작년, 7살 때 버려진 이후로 22년 만에 만났던 엄마의 기억이 문득 떠오른 탓이었다. 교통사고로 손가락 하나 까딱할 수 없는 식물인간이 되어 시체처럼 누워 있던 그녀의 기억이 생생했다.

"……하."

전송 버튼을 목전에 두고 부들부들 떨리던 엄지는 이내 하릴없이 물러났다. 악에 받친 답장을 보내는 대신 무시하기로 한 도희는 깊게 한숨을 내쉬었다.

'빨리 접근금지가처분신청을 해야 하지만…….'

사실상 새아버지는 현실에서 도희나 친모를 소주병으로 때린 적이 없었다. 타임 루프로 인해 없었던 일이 되었기에 그가 저지른 살인과 폭행은 오로지 도희의 머릿속에서만 남아 있었다.

'피해를 입증할 만한 자료가 충분하지 않아서, 신청해봐야 기각될 것 같은데…….'

지난번, 소주병으로 도희를 위협하던 장면은 안타깝게도 블랙박스 확인 결과 제대로 찍히지 않아서 자료로 제시하기엔 다소 미흡했다. 결국, 지금 제대로 확보한 증거라고는 이 협박성 문자가 전부였다.

'이걸 어떻게 한다…….'

증거가 미비하니 당장에 조처할 돌파구가 보이지 않았다. 그저 새아버지가 다시 찾아오지 않기를 바랄 수밖에 없었다.

'만에 하나 또 찾아온다면…… 그땐 확실하게 증거를 남기면 돼.'

직장인들이 낙엽만 굴러가도 눈물을 줄줄 흘리며 오열한다는 월요일 아침. KSS그룹 본사 건물 14층의 휴게실에서는 때아닌 활기가 돌았다. 저 멀리서 상품개발팀의 박문기 팀장과 준원이 이야기하는 걸 슬쩍 훔쳐보며, 지예와 새봄은 속닥거리며 즐거운 덕질의 꽃을 피웠다.

　"크, 오늘도 팀장님의 수트빨은 세계최강이네요."

　"내 말이. 심지어 조금 전에 출근하실 때 까만색 롱코트 입고 들어오시는 거 봤어?"

　"봤죠, 봤죠. 저 심장 박살 나는 줄 알았잖아요. 주머니에 손 딱 꽂고 들어오시는데…… 무슨 드라마 속 한 장면인 줄."

　"어떻게 그렇게 완벽한 비주얼이 존재할 수가 있지? 그렇지 않아요, 과장님?"

　저도 모르게 같이 넋을 놓고 저 멀리 준원의 뒷모습을 보던 도희가 흠칫했다.

　"어? 어…… 몰라."

　도희는 당황한 기색을 숨기며 물을 담던 텀블러를 정수기에서 떼어 냈다. 그대로 뚜껑을 닫으려다가 목이 타서 냉수를 한 모금 머금었다. 꿀꺽 삼키고 한 모금 더 넘기기 위해 고개를 뒤로 넘기는데, 옆에서 잠시 눈치를 보던 지예가 조심히 입을 열었다.

　"근데 과장님. 저 궁금한 게 있는데……."

　지예는 호기심 넘치는 순수한 눈을 하고 물었다.

"혹시 팀장님하고 사귀세요?"

풉! 놀란 도희는 저도 모르게 마시던 물을 그대로 뿜어 버렸다.

"뭐…… 뭐라고?"

너무 격한 반응 때문에 되레 놀란 지예가 동그란 눈을 끔뻑거렸다.

"어, 음…… 아니, 그게. 저번 주에 화재 난 줄 알았을 때 팀장님이 과장님 안은 것도 그렇고…… 뭔가 그때 분위기 심상치 않았던 것 같아서요."

"헐, 저도 그 생각했는데. 뭐예요, 뭐예요?! 진짜 뭐 있는 거 맞죠?!"

웅성웅성 정곡을 찌르는 말들에 움찔한 도희가 물기 젖은 입가를 엄지로 닦아 냈다. 가까스로 당황한 기색을 황급히 숨기고 억지로 입꼬리를 들어 올리며 웃었다.

"하하, 둘 다 참. 별소리를 다 한다. 정말."

가볍게 답한 도희는 곧바로 웃음기가 싹 가신 입으로 정색했다.

"나 지금 끔찍해서 토 한 바가지 쏟을 뻔했으니까, 그런 위장장애 유발하는 발언하지 마."

"그래요? 아니에요?"

"당연하지. 그런 테러 같은 일이 있을 리가 없지. 본부장님이 사내 연애 딱 싫어하시는데 내가 미쳤다고."

"하긴 그건 그래요."

"그렇다니까. 만년 과장 할 일 있어? 사내 연애하는 순간 승진은 다음 생에 할 텐데."

똘망똘망한 눈동자로 지그시 바라보는 지예와 새봄의 눈이 부담스러웠으나 도희는 꿋꿋하게 소신을 펼쳤다.

"그리고 내가 늘 말했던 거 있잖아."

도희는 텀블러 뚜껑을 꼭 눌러 닫으며 능청스럽게 말을 이었다.

"사내 연애는 자멸, 그야말로 파국의 지름길……."

말꼬리를 끌던 도희는 문득 지예와 새봄의 표정이 오묘한 것을 느끼고 멈칫했다. 제 뒤를 보고 있는 듯한 시선에 도희가 슬쩍 뒤를 돌아보았다.

"……."

언제 왔는지 소리소문없이 온 준원이 장승처럼 가만히 서서 도희를 내려다보고 있었다. 준원은 도희를 지그시 응시하며 입술을 벌렸다.

"김새봄 씨."

"네, 네?"

눈은 도희를 바라보고 있었지만 정작 입은 새봄을 찾고 있었다.

"오늘 내로 고객 만족도 리서치 결과 제 자리 위에 올려놓으세요."

"아, 네네!"

"양지예 대리는 어제 말했던 트렌드 분석 자료 제출하고."

"네, 바로 정리해서 올려놓겠습니다!"

"그리고…… 백 과장."

무표정으로 부르는 그에 도희가 저도 모르게 살짝 움찔했다.

"바이오 식품 프로젝트 관련해서 상의할 게 있는데 잠깐 얘기 좀 하죠."

……이 남자, 설마 내 말을 다 들은 건가?

"네, 알겠습니다."

속을 알 수 없었으니 일단 고개를 끄덕여 주었다.

그 시각, 유나는 레스토랑의 시설 공사 현장을 검토 후 집으로 막 돌아온 참이었다. 최근 일이 몰아닥쳐 피곤한 와중, 외투를 채 벗기도 전에 걸려 온 전화에 한숨을 쉬었다.

"하아……."

KSS그룹과의 콜라보 프로젝트의 담당자인 하동현으로부터 걸려 온 전화였다. 응답하기 싫어서 한참을 고민하던 유나는 할 수 없이 통화 버튼을 꾹 눌렀다.

-네네, 그렇죠! 하하…… 그런데 셰프님, 혹시 신제품 레시피는 언제쯤 완성될 수 있을까요?

통화가 연결되자마자 지루한 날씨 얘기만 5분간 떠들어 대던 동현은 아니나 다를까 조심스레 본론을 꺼냈다. 어느 일 하나 제 맘처럼 돌아가는 게 없어 짜증이 치민 유나가 화를 꾹꾹 눌러 참으며 목소리를 내었다.

"한창 준비 중이니까 기다려 주세요. 지금 가게 수리도 하느라 제가 정신이 없어서 그래요."

평소와 다르게 뾰족한 말투가 나갔다.

"계속 이렇게 독촉하시면 저도 결과물 퀄리티 보장 못 해요."

-아이고, 독촉이라니요! 전혀, 전혀 아닙니다. 저는 그냥 순수하게 현황이 궁금해서…….

또 횡설수설 헛소리를 늘어놓는 동현에 유나가 조용히 짜증 섞인 숨을 뱉었다. 본래 콜라보 프로젝트를 수락했던 것에는 다른 목적이 있었는데, 이루지 못했으니 계약서에 도장을 찍은 일이 후회스러울 뿐이었다.

－저희는 항상 셰프님 일정이 최우선이니 너무 부담 갖지 마시고⋯⋯.

원래의 목적은 프로젝트 미팅을 빌미로 서준원의 얼굴을 몇 번 더 보고자 하는 마음이 가장 컸다. 하지만 정작 준원의 얼굴은 계약서에 도장을 찍은 날 본 게 전부였으며, 연락도 전부 이 하동현 대리라는 사람에게서만 올 뿐이었다.

"네. 알겠습니다. 그런데 앞으로 업무 관련한 모든 연락은 제가 아니라, 제 매니지먼트를 통해서 전달⋯⋯."

유나가 말끝을 흐렸다. 문득 좋은 생각이 떠오른 탓이었다.

－네?

"아, 아니요. 레시피 개발 도중에 꼭 상의해야 할 부분이 있는데요."

잠잠하던 입꼬리가 부드럽게 호선을 그렸다.

"네, 네. 맞아요. 그럼 서준원 팀장님도 참석하시는 거죠?"

동현의 대답에 유나가 만족스럽게 웃으며 눈을 반달처럼 접었다.

"알겠습니다. 그럼 내일 본사에서 뵐게요."

뚝 끊어진 전화와 함께 유나는 히죽거리며 코트를 벗어 던졌다. 풀썩, 소파에 대자로 누워 멍하니 천장을 바라보다가 느릿하게 핸드폰을 들어 카메라 앨범을 들어갔다.

"⋯⋯오빠 보고 싶다."

2년 전 준원과 찍었던 웨딩 사진, 하루에도 수십 번을 눌러 보았기에 즐겨찾기에 저장해 두었다. 여러 장의 사진들을 묵묵히 넘겨 보던 유나의 입꼬리가 이내 차갑게 식었다. 이 수십 장의 사진 중 그어느 것에서도 준원은 결코 웃고 있지 않았다.

"······나도 참, 어쩌다 이런 남자한테 반해서."

부모님의 성화에 어쩔 수 없이 나간 선 자리에서 준원을 처음 봤을 때, 유나는 그에게 반해 완전히 빠져 버렸었다. 출중한 외모뿐만 아니라 저와 결이 비슷한 식품 업계 종사자라는 것도 운명처럼 느껴졌고, 차분한 말투나 과묵한 성격, 무뚝뚝한 표정 등 그의 모든 게 마음에 들었었다.

그리고 그런 그는 처음 보자마자 대뜸 결혼을 제안했고, 유나는 형식뿐인 결혼인 걸 알았지만 고민 없이 흔쾌히 수락했다. 어차피 사랑 없는 결혼이라고 해도 같이 살다 보면 정이 들 테고, 언젠가는 그가 날 사랑해 줄 거라고 믿어 의심치 않았기 때문이었다.

'하지만······.'

그 모든 것은 전부 유나의 자만이었다. 결혼을 준비하면서 그는 절대 유나에게 마음을 열지 않았다. 오히려 시간이 지날수록 가능성만 제로에 수렴하는 기분이었다. 그 자체만으로도 힘든 나날이었는데, 준원의 새어머니라는 여자, 이수연은 툭하면 찾아와 유나의 신경을 살살 긁었다.

'유나 씨, 준원이가 유나 씨를 사랑해 줄 수 있을 것 같아요?'

처음엔 헤어지라며 돈으로 회유하다가, 안 먹히니 가시 돋친 말로 유나의 상처를 파고들었다.

'왜 똑똑한 사람이 바보 같은 결정을 하는지 모르겠네요. 내가 안타까워서 그래.'

이수연은 청첩장까지 전부 돌린 후에도 지치지 않고 쫓아와 어떻게 해서든지 결혼을 파투내려고 했다.

'준원이 걔, 자기 친엄마가 죽었을 때, 장례식에서도 눈물 한 방울

안 흘린 애예요. 내가 장담할게요. 걘 유나 씨가 눈앞에서 차에 치여 죽어도 아무 감정 못 느낄걸?'

그 말을 들었을 때, 유나는 솔직한 심정으로 심장에 칼이라도 꽂힌 기분이었다. 준원에게 제가 얼마나 하찮은 존재인지, 그저 상속을 위한 도구일 뿐이란 걸 잘 알고 있었으면서도 남의 입으로 들으니 그 상처가 배가 되었었다.

'저기요. 말도 안 되는 소리 하지 마세요. 그리고 결혼식까지 한 달도 안 남았는데 왜 자꾸 저한테 이러시는 거예요? 이렇게 저한테 찾아와서 오빠하고 저 사이 이간질하는 거, 아버님도 아세요?'

유나가 세게 따지자 수연이 낯빛을 표독스럽게 바꾸었다.

'똑똑한 줄 알았더니 이거 순 등신이잖아?'

'……뭐라고요?'

'얘. 네가 서준원하고 결혼하면 난 네 시어머니 될 사람이야. 어디 싸가지없는 게 근본 없이 목소리를 드높여?'

'시어머니라니……. 준원 오빠가 저한테 말했어요. 당신은 전혀 신경 쓸 필요 없다…….'

짜악, 말을 채 끝내기도 전에 고개가 거칠게 돌아갔다. 충격에 말도 채 잊지 못하고 얼얼한 뺨을 가린 채로 수연을 황당하게 바라보았다.

'지금 그쪽 이러시는 거…… 오빠한테 다 말할 거예요.'

나름 굳게 마음을 먹고 독하게 내지른 말이었는데, 수연은 그런 유나가 우습다는 듯 깔깔깔 웃으며 '일러보든가.'라는 한마디를 남기고 떠났었다. 그렇게 수연이 떠나고 홀로 남았던 유나는 반나절 동안 쭈그리고 앉아 엉엉 눈물을 흘렸었다.

수연에게 맞은 뺨이 아파서도, 그녀에게 들은 폭언이 불쾌해서도 아니었다. 단지, 수연의 말대로 준원에게 말해 봐야 그는 자신을 도와주지 않을 거라는 것을 알아서였다. 아무 조치도 취하지 않고 방관할 거란 걸, 그 누구보다도 잘 알고 있었다.

'흑…… 흐윽……'

그는 날 사랑하지 않으니까.

"하아……"

2년 전, 외롭고 서러웠던 기억을 떠올린 유나가 깊게 한숨을 내쉬었다. 또다시 울컥하는 감정을 내리누르며 핸드폰 액정에 떠오른 웨딩 사진을 가만히 쓰다듬었다.

'만약 그때 내가 나가떨어지지 않고, 준원 오빠와 그냥 결혼했다면……'

지금쯤 난 행복했을까?

"……"

유나는 그 답을 누구보다도 잘 알고 있었다.

바이오 식품 프로젝트 관련해서 논의할 게 있으니 시간 좀 내라던 준원은 도희와 회사 건물 옥상에서 마주했다. 복잡하던 사무실을 벗어나 단둘이 되자마자 은밀한 밀회가 시작되었다.

"팀장님, 바이오 식품 관련해서 얘기할 거 있다고 하셨잖아요?"

말없이 지그시 내려다보는 시선에 심장이 떨려 말을 건넸다. 일하는 내내 무뚝뚝하던 그의 입꼬리가 부드럽게 휘는 걸 똑똑히 목격한 도희의 가슴이 두근거렸다. 그는 한참 동안 웃음기 젖은 얼굴로 도희를 뚫어져라 바라볼 뿐이었다.

"뭐, 하실 말 없으면 전 이만……."

내려가기 위해 어깨를 틀자 커다란 손이 도희의 볼을 감쌌다. 순식간에 구석으로 몰아붙이고 강하게 입술을 맞부딪혀 오는 준원 탓에 놀란 도희의 심장이 쿵쾅거렸다. 기세 좋게 키스해 오는 준원에 뒷걸음질 치던 도희의 등 뒤로 차가운 난간이 꾸욱 눌렸다. 질척질척하게 뒤엉키는 혀의 감각과 흥건해진 입안을 꾹 누르고 빠지는 행태에 아슬아슬하게 붙잡고 있던 이성이 뚝뚝 어긋나기 시작했다.

느릿하게 턱을 비틀며 탐하는 못된 입술, 회사 옥상이라는 장소와 맞지 않는 진득한 키스에 도희의 배꼽 근처가 간질간질하며 아릿해졌다. 허리를 꽉 끌어당겨 제 하체와 밀착시키는 팔뚝은 어찌나 단단한지 빠져나올 틈조차 주지 않았다. 짧지만 강렬했던 키스 끝에 겨우 입술을 뗀 도희가 진한 숨을 몰아쉬었다.

"거참, 회사에선 이런 거 하지 말라니까……. 누가 보기라도 하려면 어쩌려고요."

"무슨 짓 할지 다 알면서 따라온 거 아니었어요?"

"……바이오 식품 프로젝트로 할 말 있다고 해서 온 거잖아요."

"그걸 믿을 줄이야, 백 과장은 보기보다 순진하네요."

준원은 양팔로 난간을 짚고 도희를 그사이에 가둔 채 웃었다.

"저리 비켜요. 이러다 누가 들어오기라도 하면 어쩌려고……."

"왜. 사내 연애는 자멸이자 파국의 지름길이라서요?"

아까 도희가 했던 말을 은근히 따라 하며 턱을 뒤로 당겼다. 작은 손이 준원의 가슴을 밀자 거구는 순순히 물러났다.

"그건 또 귀신같이 듣고 꼬투리 잡지."

픽 웃은 도희가 립스틱이 번진 입술을 엄지로 갈무리하며 말을 이었다.

"그래요. 파국의 지름길. 내 인생에 사내 연애 같은 끔찍한 이벤트가 있을 줄 몰랐는데, 서준원 씨 때문에 겪는 거잖아요, 지금."

오로지 승진만이 인생의 목표였던 도희에게 날아든 사내 연애라니.

"팔자에도 없는 재난이지, 뭐."

"그럼 내가 문자 보내면 재난 문자인가?"

"……와. 농담엔 진짜 소질이 없어요. 알죠?"

썰렁해 죽겠다는 듯 어깨를 움츠리자 준원이 낮게 웃었다.

"어쨌든 들켜도 상관없으니까 너무 걱정하지 말아요."

무슨 소리냐는 듯 눈을 동그랗게 뜬 도희에게 준원이 웃으며 다가갔다.

"내가 또 이직하면 되죠, 뭐."

"허, 무슨 말도 안 되는……."

쪽, 준원이 도희의 입술에 부드럽게 버드 키스를 남겼다.

"능력 있는 인재는 어디서든 환영받거든요."

잘난 듯이 길어지는 입술이 이상하게 밉지 않았다. 빈말이어도 내심 기분이 좋아진 도희가 픽 웃음을 흘렸다. 은근하게 팔을 뻗어 준원의 허리를 끌어안으려던 찰나……. 옥상 문으로 다가오는 인기척에 화들짝 놀란 도희가 두 팔로 준원을 퍽 밀쳤다.

"오? 이게 누구야!"

허허 웃으며 옥상으로 걸어 들어온 것은 상품개발팀의 강주엽 과장이었다.

"백 과장님하고…… 서 팀장님? 은 왜 난간에 널브러져 계시나?"

준원의 고등학교 동창이자 친구인 주엽은 허물없이 농담 따먹기 하며 웃었다.

"신종 체조? 아니면 빨랫감 코스프레 중?"

도희에게 퍽 밀쳐진 자세 그대로 난간에 널브러져 있던 준원이 주엽의 장난에 무응답으로 일관하며 뻐딱한 몸을 세웠다.

"어, 근데 우리 서 팀장님 입에 뭐가 묻었는데?"

주엽의 말에 흘끔 준원의 입가를 본 도희의 심장이 쿵 내려앉았다. 정신없이 키스한 탓에 그의 입술에는 립스틱의 붉은색이 조금 남아 있었다.

"뭐야. 설마 요즘 막 색 있는 립밤 바르고 그래요?"

하지만 눈치 없기로 유명한 주엽은 전혀 알아채지 못하고 낄낄거렸다.

"이야, 진짜 서 팀장님은 남자들의 적이다. 적. 저 얼굴에 꾸미기까지! 안 그래요, 백 과장님?"

"네? 아하하, 네…… 뭐. 남자들이 더 꾸며야 하는 시대 아닐까요."

도희는 적당히 대답하며 어색하게 웃었다.

"근데 여기서 둘이 뭐 해요?"

"아…… 신규 프로젝트 관련해서 얘기하고 있었어요."

주엽이 대수롭지 않게 건네는 질문에도 놀란 도희의 심장이 널을 뛰었다. 이래서 들키는 건 시간 문제라는 생각에 초조해졌는데, 흘끔 곁눈질로 본 준원의 표정은 별생각 없는 듯 평온했다.

"아, 이번에 새로 들어가는 그 중국 쪽 사업?"

"네, 네. 그거요."

"그거 백 과장이 맡기로 했나 봐요? 하긴 백 과장 아니면 누가 맡겠어. 에이스인데!"

강주접이라는 별명대로 주접을 떨며 도희에게 은근히 윙크했다.

"하하, 네에."

"참, 그리고 이번 차유나 셰프 콜라보, 레시피 좀 빨리 받아서 넘겨줘요. 박 팀장님이 엄청나게 재촉한다?"

"네, 그럴게요."

대충 대답한 도희는 고개를 살짝 까딱하며 인사했다.

"그럼 전 일이 있어서 이만⋯⋯."

서둘러 뒤를 돌아 자리를 뜨는 도희의 뒷모습을 보며 주엽이 새삼 감탄하며 혀를 내둘렀다.

"크⋯⋯ 백 과장은 날이 갈수록 예뻐진단 말이야. 안 그러냐?"

주엽은 말없이 가만히 서 있는 준원의 어깨를 툭 쳤다. 준원은 한 번 더 키스하려던 걸 방해받아 기분이 썩 좋지 않은 상태였다.

"요즘 완전 미모에 물이 올랐는데⋯⋯ 남친 생겼나? 너 뭐 아는 거 없냐?"

그 남친이 준원이라는 건 꿈에도 모르는 주엽에게 준원은 말없이 고개를 저었다.

"누군지 몰라도 좋겠다, 희대의 도둑놈. 탈모에 발기부전이나 왔으면."

낄낄거리는 웃음소리와 함께 들려오는 뒷말에 준원이 멈칫했다. 무표정으로 고개를 돌린 준원이 담배를 꺼내 입에 끼우는 주엽을 가만히 바라보았다.

"야, 불 있냐?"

"……."

"나 라이터 밑에 놓고 왔…… 아악!"

구두 끝으로 정강이를 살짝 걷어차자 주엽이 돼지 멱 따는 소리를 내며 발목을 부여잡았다.

"아니, 왜 때려!"

깽깽이걸음으로 따지는 주엽을 쳐다도 보지 않고 준원은 양손을 주머니에 느슨하게 찔러넣었다.

"네 발이 재수 없게 생겨서."

졸지에 눈앞에서 탈모에 발기부전까지 오라는 저주를 당한 준원이 무표정으로 답했다. 설렁설렁 옥상 문으로 걸어가는 준원을 보며 주엽이 한껏 억울함을 터뜨렸다.

"아 씨, 저 자식은 왜 맨날 나만 보면 발을 밟는 거야!"

주엽은 준원의 뒷모습에 대고 소리쳤다.

"야, 불 있으면 좀 주고 가!"

"끊었다. 담배."

"네가? 너 같은 골초가?"

의심스러운 듯 묻는 주엽에게 준원은 무뚝뚝하게 한마디를 남겼다.

"미련이 생겼어."

서준원은 한번 뱉은 말에 무조건 책임을 지는 사람이었다.

"오래 살아야 할 이유가."

먼저 떠나지 않는 이상 평생 곁에 있어 주겠다는 약속을 위해서라도. 담담히 답한 준원은 옥상 문을 닫고 사라졌다.

첫날밤만
세 번째

VOL. 2

 Three First Nights

CHAPTER **12**

심쿵주의보

12

심쿵주의보

아침까지만 해도 기분이 좋았던 도희는 현재 최악의 기분이었다. 눈앞에 마주 보고 앉은 유나 때문에 조금 전 먹은 점심까지 올라오는 듯했다.

물론 그런 도희를 보고 있는 유나의 감정 상태 역시 마찬가지로 최악이었다. 오늘 준원을 만날 생각에 들뜬 기분으로 KSS그룹 본사로 미팅을 왔으나 로비를 밟자마자 차갑게 가라앉았다. 샵에서 몇 시간을 들여 치장하고 끼니도 걸렀는데, 정작 기다리고 있는 건 도희였기 때문이었다.

"……."

본사의 작은 회의실에 앉아 서로 말없이 대치하고 있는 도희와 유나의 사이로 차가운 기류가 흘렀다. 준원은 앞선 외부 미팅에 차질이 생겨 회사 복귀가 늦어지고 있었고, 동현은 갑작스러운 부친상으로 자리를 비운 상황이었다.

"언니, 깁스 풀었네?"

두 사람이 이렇게 단둘이 얼굴을 마주한 것은 몇 주 전, 유나의 가게에서 사고가 일어났던 날 이후 처음이었다.

　"생각보다 별로 안 다쳤나 봐. 2주 만에 깁스 푼 거 보면."

　무표정하게 도희를 바라보고 있던 유나가 부드럽게 웃었다. 빈정대는 꼴에 도희는 어이가 없어 헛숨을 터뜨렸다. 애초에 발을 다친 것도 차유나를 구해 주려다가 다친 것인데, 저렇게 뻔뻔하게 나오니 황당할 뿐이었다.

　"왜. 내 다리가 부러져서 못 걸어 다녔으면 좋았겠어?"

　"그럴 리가. 난 언니가 너무 힘들게 일하는 것 같아서 이참에 푹 쉬었으면 하는 맘이었던 거지."

　가식적으로 눈웃음 짓는 유나에 도희는 상대하기를 포기했다.

　"일 얘기하자. 쓸데없는 소리 그만하고."

　빠르게 미팅을 끝내고 저 지긋지긋한 얼굴을 그만 보고 싶은 마음이었다. 차분하게 눈을 내리깐 도희는 자료들을 천천히 넘겨보며 사무적인 태도로 입을 열었다.

　"그래서 레시피는 언제까지 전달 가능하세요? 빨리 전달해 주셔야 저희도 일정대로 진행할 수가 있는데."

　"음, 글쎄요. 아시다시피 일전에 그 사고 때문에 가게 사정이 좋지 않아서요. 저도 신경 써야 할 부분이 많네요."

　"사정은 이쪽도 있습니다. 기한은 맞춰 주셔야죠."

　"그럼 그냥 그만둘게요."

　"……네?"

　"계약 해지하는 걸로."

　……이 미친년이.

"정말 어렸을 때하고 다른 게 하나도 없구나, 넌. 막무가내에 자기 멋대로 하려는 거."

"그러는 언니도 학생 때하고 똑같잖아?"

유나는 입가를 가리며 작은 소리로 뇌까렸다.

"아무것도 없으면서 잘난 척 고고하게 구는 거."

그 말에 발끈한 도희가 까득 입안을 씹었다. 마음 같아서는 멱살이라도 잡고 싶었으나 소란을 일으킬 수는 없는 일이었다. 가까스로 화를 눌러 참으며 유나를 노려보던 도희는 그녀의 싸구려 도발에 넘어가지 않기로 다짐하며 흐트러진 정신을 가다듬었다.

"근데 언니, 나 궁금한 게 하나 있는데."

하지만 그런 도희가 평정을 되찾기도 전에 유나는 혓바닥을 놀렸다.

"오빠하고 잤어?"

뚝 끊긴 숨과 함께 어긋난 것은 겨우 붙잡고 있던 이성이었다.

"……이거 미친년이네, 진짜? 너 지금 여기가 어디인지 몰라?"

"잤냐고."

"그걸 내가 너한테 왜 말해 줘야 해?"

도희는 격양되려는 목소리를 낮추며 유나를 서늘한 눈으로 쏘아보았다. 살짝 주춤한 유나는 밀리지 않기 위해 억지로 입꼬리를 들어 올리며 여유로운 척을 했다.

"오빠는 사랑 없이도 잘 수 있는 남자거든. 성욕과 사랑을 별개로 생각하니까."

"대체 무슨 말을 하고 싶은 건데?"

"착각하지 말라고 충고해 주는 거야."

허, 도희는 황당함을 감추지 못했다. 저번부터 충고랍시고 이간질을 하는 꼴이 같잖을 뿐이었다.

"오빠가 나한테 차가워진 계기가 뭔 줄 알아? 내가 실수로 사랑한다고 말해 버렸거든. 그 순간 표정이 싸늘해지는데, 그게 너무 무서워서 엄청나게 울었어."

"……."

"언니. 내가 하나 조언해 주면……."

유나는 목소리를 내리깔며 은밀하게 속삭였다.

"절대 사랑한다고 말하지 마."

"……."

"오빠는 관계가 부담스러워지면 본능적으로 선을 긋는 스타일……."

"야."

더 들어 주기도 짜증 났던 도희는 유나의 말을 가차 없이 끊었다.

"왜 물어보지도 않은 거 좋다고 지껄여. 주절주절."

"와, 발끈하는 걸 보니까 내 말이 맞나봐?"

"야, 입 안 다물어?"

"내가 하나 장담할게. 언니가 오빠한테 헤어지자고 하면, 오빠는 이유도 묻지 않고 바로 알겠다고 하고 떠나 버릴걸?"

유나는 자조적으로 웃었다.

"왜냐하면, 내가 그렇게……."

참다 참다 터진 도희가 자리에서 벌떡 일어났다. 뭐라고 한마디 하려는 순간 회의실 문을 낮게 두드리는 소리가 들려왔다. 차분하게 열린 문 사이로 걸어 들어오는 사람은 무표정한 준원이었다.

"늦었습니다. 일정이 밀려서."

짧막하게 한마디 남기는 태도는 사무적이었으나, 그조차 좋다는 듯 유나의 얼굴이 활짝 피어났다.

"아니에요, 괜찮아요. 별로 오래 안 기다렸어요."

언제 표독스럽게 굴었냐는 듯 안면을 싹 바꾼 유나가 생글생글 웃으며 인사했다. 그 엄청난 태세 전환에 목구멍 아래까지 욕지거리가 들끓었으나 여기서 울컥해 봐야 이상해지는 것은 도희였다. 결국 도희는 준원이 제 옆자리에 앉자마자 따라 앉을 수밖에 없었다.

"일단 이 자료부터 받으시고⋯⋯."

조금 전까지 이곳에서 어떤 대화가 오갔는지 모르는 준원은 언제나처럼 딱딱하게 가져온 자료를 건넸다. 내내 삐딱선을 타며 비협조적인 태도를 일삼던 유나도 그제야 미소를 띠며 적극적으로 회의에 임했다.

눈을 반짝반짝 빛내며 준원의 얼굴에서 시선을 떼지 않는 유나의 모습이 여간 꼴 보기 싫은 것이 아니었다. 재수 옴 붙은 차유나뿐만 아니라, 저렇게 뚫어져라 보는데도 별말 없이 회의만 계속하는 준원에게마저 짜증이 일었다.

짧았던 미팅이 끝나고 유나는 역시나 별 수확 없이 집으로 돌아왔다. 처음엔 준원의 얼굴만 봐도 좋다는 생각이었는데 갈수록 심사가 뒤틀렸다. 준원은 무표정으로 회의실에 들어와서는 미팅 내내 딱딱하게 존댓말로 업무적인 얘기만 할 뿐, 유나에게는 조금의 관심도 없어 보였다. 거기까지만 해도 이미 서러운데, 더 맘에 들지 않았던 것은…….

"하."

준원이 화가 난 도희의 눈치를 살피는 듯해서 불쾌했었다.

"어이가 없어서."

유나가 아는 한, 서준원이란 남자는 절대 남을 신경 쓰거나 눈치를 보는 성격이 아니었다. 누구 하나를 고집하는 성격은 더더욱 아니었고, 가는 사람도 절대 붙잡지 않는 차가운 남자였다.

근데 다른 사람 눈치를 본다고? 그것도 백도희를?

"……짜증 나."

굳은 얼굴로 핸들을 잡고 있는 유나가 씹듯이 중얼거렸다. 이내 머릿속을 파고드는 것은 2년 전의 악몽 같았던 기억이었다.

하루가 멀다고 이수연이 쫓아와서 준원과 헤어지라며 난리를 피우며 가슴에 비수를 꽂았을 때, 결혼식의 날짜가 2주 앞으로 다가오자 유나는 불안과 우울함에 휩싸였었다. 하지만 그만큼 준원에 대한 사랑은 점점 더 깊어져만 갔었다.

결국 감정이 격해진 순간, 유나는 실수로 그에게 사랑한다고 말해 버렸었다. 그리고 그 순간 봤던 준원의 표정을 평생 잊을 수가 없었다.

늘 짓던 무표정도 아닌 싸늘하게 굳은 얼굴. 그는 아무 말도 하지 않고 그 오싹한 눈으로 가만히 내려다볼 뿐이었지만, 유나는 당시 씻을 수 없는 상처를 받았었다.

그 이후로 저를 투명인간 취급하는 준원 때문에 유나는 견딜 수 없는 공허함과 외로움에 발버둥을 쳤었다. 준원을 사랑하지만, 저를 사랑하지 않는 그 때문에 생긴 공허함을 다른 사람으로라도 채우기 위해 몰래 뒤에서 다른 남자를 만나고 다녔다. 예비 신부로서 해서는 안 되는 부도덕한 짓이라는 것을 알고 있었지만 이렇게라도 하지 않으면 밤마다 솟구치는 외로움을 견딜 수가 없었다.

그렇게 결혼식 일주일 전이 되었을 때, 유나는 다른 남자와 차 안에서 키스하는 장면을 준원에게 들켰었다. 심장이 철렁 내려앉고 온몸이 떨려 오며 이대로 차이는 건가 싶어 눈앞이 까마득해졌었다.

'……오빠, 저기…….'

하지만 두려움과 후회에 휩싸여 집에 들어온 유나에게 준원은 어떠한 말도 건네지 않았다. 그저 언제나 그랬듯 투명인간 취급할 뿐이었다.

질투해 주길 바란 것은 아니었다. 화를 내주길 바란 것도 아니었다. 하지만 다른 남자와 놀아나는 장면을 보고도 눈 하나 꿈쩍하지 않는 태도는 너무도 충격적이었다. 자신이 그에게 기쁨은커녕 분노조차 일으킬 수 없는 미미한 존재라는 사실에 상처를 받아 홧김에 헤어지자고 소리쳤었다.

'그래.'

짧은 한마디가 준원의 대답 전부였다. 자그마치 결혼식 일주일 전이었으나, 그는 이유도 묻지 않고 곧바로 등을 돌렸다. 2년 전, 먼저 파혼을 요구한 것은 유나였으나, 유나는 사실상 자신이 차인 것이나 마찬가지라고 생각했다.

그날 저녁, 도희는 오랜만에 누리와 이언을 만나 함께 술잔을 기울였다. 근래 계속되던 이언의 칩거 생활이 끝나고 이렇게 셋이 모인 것은 약 한 달 만이었다.

"야. 강이언. 너 체감상 얼굴 한 5년 만에 본다?"

누리가 쯧, 혀를 차며 이언의 잔에 술을 따라주었다.

"게임은 이제 더 이상 안 해?"

"어. 목표 티어까지 도달했거든. 시즌 말이라 더 안 하고 유지만 할 거다."

"미친놈. 너 밥 먹고 게임만 했지?"

도희가 꾸중하자 이언이 헛웃음 쳤다.

"보태 준 거 없으면 뭐라 하지 마라."

누구 때문에 칩거해서 게임에만 몰두한 건데, 이언은 서러움을 잔에 담긴 알코올과 함께 꿀떡 넘겼다. 어찌 됐건 이제 다시 맘을 다잡고, 도희의 옆에서 가장 친한 친구로서의 자리를 지키기로 다짐했다. 죽을 때까지 입 밖으로 고백 한마디 뱉지 못할지언정, 그렇게라도 도희의 옆을 지키는 게 이언의 사랑 방식이었다.

"야, 근데 도희 너 얼굴 때깔이 좋아졌다?"

누리는 장난스럽게 웃으며 도희의 옆구리를 쿡 찔렀다.

"요즘 남친이 잘해 주나 봐?"

"어? 아……."

이언의 앞에서 준원의 이야기를 하기 껄끄러웠던 도희가 대충 얼버무렸다.

"그냥 뭐……."

전처럼 이언과 편하게 지내고 싶었지만, 그의 마음을 알고 있는 도희는 자꾸만 이언이 불편해졌다. 그런 도희의 상태를 눈치챈 이언은 괜히 호탕하게 웃으며 화제를 돌렸다.

"야, 야. 백또. 너 생일까지 얼마 안 남았지?"

도희의 생일은 크리스마스이브로 이제 보름 정도밖에 남지 않았다.

"네 생일날 셋이 여행 갈까?"

"여행? 어디로?"

"이왕이면 해외로 가야지. 나 조만간 대회 훈련 때문에 필리핀 가는데. 세부 어때?"

"야, 이 멍청아. 생일인데 남친이랑 시간 보내겠지. 애가 우리랑 왜 있냐?"

가만히 듣고 있던 누리가 타박하자 이언이 머쓱하게 뒷머리를 긁적거렸다.

"아, 그런가? 그럼……."

"아니야. 여행 가자."

도희가 술잔으로 입가를 적시며 단호하게 답했다.

"어차피 그 사람, 그런 거로 서운해하거나 질투 같은 거 안 하거든."

그렇게 말하며 술잔을 꽉 쥐는 손에는 핏줄이 서 있었다.

"분노 임계점이 평범한 사람들하고는 좀 다른 남자라서 말이지. 사람이 아주 쿨해."

웃으며 말하는 듯했으나 누가 봐도 불만 가득한 말투였다.

"편해, 그래서. 아주 너무 편해."

한편, 도희에게 바람맞은 준원은 주엽과 함께 고깃집에서 저녁 식사를 했다. 앞에서는 말 많은 주엽이 입 아프게 떠들어 대고 있었으나 준원은 머릿속으로 다른 생각을 하느라 바빴다.

'왜……'

왠지 도희가 아까 차유나를 만난 이후로 화가 난 듯한데, 그 정확한 이유를 알 수 없어 답답했다. 무표정으로 심각하게 생각하던 준원은 조금 전 도희에게 바람맞았던 때의 상황을 떠올렸다.

'오늘 저녁에 같이 맛있는 거 먹으러 갈까요?'

도희의 기분이 좋지 않은 것 같아, 퇴근 전 데이트를 제안했으나 도희는 칼같이 거절했었다.

'아니요. 저 오늘 선약이 있어서요.'

'선약이요?'

'네. 죄송하지만 저와 약속 잡으시려면 최소 일주일 전에는 예약 걸어 놔야 하거든요. 앞으론 기억해 두세요.'

'같이 사는데도요?'

'그게 무슨 상관이에요? 우리 연애 계약 3조 몰라요? 데이트는 쌍방의 합의가 있을 때만 진행한다.'

'……누구 만나는데요?'

'누리요.'

익숙한 이름에 고개를 끄덕이려는 찰나 도희는 작게 뒷말을 덧붙였다.

'그리고 강이언.'

'……네?'

'셋이 오래간만에 뭉치기로 했어요.'

'어디서요?'

'예전에 서준원 씨하고 갔던 곱창전골집이요. 거기 원래 저희 셋

이 자주 갔던 집이거든요.'

더 이상 말 걸지 말라는 듯 고개를 돌린 모습에 딱히 할 말이 없었다.

'알겠습니다. 이따 집에서 봐요.'

그래서 그렇게 흔쾌히 도희를 보내 주었었는데…….

"……."

지금 이 찝찝함은 대체 뭘까. 도희가 마지막에 말했던 '강이언'이라는 이름이 계속해서 머릿속에 맴도는 듯했다.

강이언. 강이언…….

"야, 너 무슨 일 있냐?"

그놈의 강이언. 준원이 한창 깊이 생각에 몰두하고 있는데, 옆에 있던 주엽이 넌지시 물었다.

"아니. 없는데."

"근데 왜 물수건을 굽고 있냐? 특이 식성이냐?"

"……아."

준원은 그제야 저가 불판에 놓고 뒤집고 있는 것이 고기가 아닌 물수건이란 것을 깨달았다. 흠칫 놀라 반쯤 태운 물수건을 집게로 집어 불판 밖으로 던졌다.

"와…… 살다 살다 서준원이 물수건을 굽는 것도 보고, 진짜 오래 살고 볼 일이다."

서준원이라 함은 누구인가. 행동은 늘 군더더기가 없고 깔끔했으며, 주변엔 일절 관심이 없고 자기 밥그릇만 챙기는 무심함의 대명사 같은 남자였다. 준원과 고등학교 동창인 주엽은 15년이나 준원과 알고 지냈으나, 그가 이렇게 다른 무언가에 정신 팔린 모습은 처음이었다.

"너 뭐야? 어디 아파?"

주엽이 심각하게 물었으나 또 고뇌에 빠진 준원은 말이 없었다. 지금 그의 머릿속을 가득 채운 것은 지금쯤 하하호호 사이 좋게 밥을 먹고 있을 도희와 강이언이었다.

'왜……'

왜 나는 흔쾌히 먹고 오라며 쿨한 척을 한 걸까.

"……하."

인정할 수밖에 없었다. 이제 도희와 얽힌 일이면 결코 쿨해질 수가 없다는 것을.

"야, 눈 뜨고 자냐?"

한참 동안 멍하니 동상처럼 굳어 있는 준원의 앞에 대고 주엽은 손을 몇 번 휘적거렸다. 그 순간, 갑자기 벌떡 일어난 준원은 그대로 다급하게 짐을 챙겨 사라졌다.

"나 먼저 일어난다."

"뭐? 야! 야!"

누리가 자신의 남자 친구와 통화하고 오겠다며 자리를 비우고, 이언과 도희는 단둘이 되었다. 곱창전골집의 분위기는 시끌벅적했으나, 도희와 이언의 테이블은 미묘한 어색함이 감돌고 있었다.

가족 같은 사이였기에 원래는 말없이 같이 있어도 전혀 어색함이 없었는데, 지금 이 정적은 평소와는 결이 달랐다.

'어떡하지⋯⋯.'

이언은 묵묵히 곱창전골을 먹고 있는 도희를 보며 홀로 고뇌 중이었다. 그의 코트 안쪽에는 티켓 두 장이 있었는데, 도희가 보고 싶다고 노래를 부르던 뮤지컬의 티켓이었다. 석 달 전에 도희 몰래 서프라이즈로 구해 두었던 것이었는데, 남자 친구가 생긴 지금, 같이 가자고 해도 되는 걸지 심각하게 고민되었다.

'아니야. 친구여도 이 정도는 할 수 있는 거잖아? 그렇지?'

도희가 가고 싶다고 해서 사방팔방으로 수소문해 겨우겨우 어렵게 구한 티켓이었다. 한참을 고민하던 이언은 제 코트 안으로 손을 집어넣어 티켓을 더듬거렸다.

"야. 백또."

"응?"

"너 이번 주 토요일에 뭐해?"

"음⋯⋯ 별거 안 할 것 같은데. 왜?"

그 말에 활짝 웃은 이언이 설레는 가슴을 느끼며 말을 이었다.

"그⋯⋯ 혹시 시간 되면 나하고⋯⋯."

지이이이잉. 그 순간, 도희의 핸드폰 진동이 이언의 말을 뚝 끊었다. 그대로 액정의 흘러간 이언의 동공에는 '서준원'이라는 이름 석 자가 담겼다.

"⋯⋯."

차갑게 식은 이언의 입꼬리가 가라앉았다. 도희의 휴대전화에 떠오른 '서준원'이란 이름 석 자에 두근거렸던 가슴이 쿵 내려앉았다. 코트 안에서 티켓 두 장을 쥐었던 손가락에 힘이 풀리며 들떴던 기분이 싸늘하게 식었다.

"나 잠깐 전화 좀 받을게."

양해를 구한 도희는 준원에게 걸려 온 전화를 받았다.

"……."

코트 안 주머니에서 하릴없이 빠져나온 이언의 손은 그대로 소주 잔을 움켜쥐었다.

"네? 이 앞에 왔다고요?"

활짝 웃으며 통화하는 도희의 표정에 이언의 가슴이 욱신거렸다. 누군가 심장을 움켜쥐고 쥐어짜는 듯했다. 도희의 저 표정은, 지난 15년간 단 한 번도 본 적 없는 얼굴이었다.

목구멍이 마르고 울컥 감정이 치솟았으나 가까스로 내리누르며 호흡했다. 속이 타들어 갈 것만 같아 잔에 담긴 알코올을 전부 넘긴 후 또 한 잔을 따랐다.

"아니, 왜 앞까지……. 알겠어요. 잠깐 나갈 테니까 기다려요."

웃으며 전화를 끊은 도희가 테이블에 핸드폰을 내려놓으며 이언에게 물었다.

"쏘리, 쏘리. 계속 말해 봐. 이번 주 토요일에 뭐?"

"어? 아……."

이언은 티켓이 든 코트를 여미며 고개를 저었다.

"아니야. 아무것도. 그보다 너 남자 친구 밖에 온 거 아냐?"

억지로 욱신거리는 입꼬리를 들어 올리며 웃었다.

"나가 봐. 기다리겠다."

"아……."

잠깐 주저하던 도희는 이내 의자를 끌며 자리에서 일어났다.

"미안. 그럼 잠깐 얼굴만 보고 올게."

겉옷도 입지 않고 빠른 걸음걸이로 가게를 빠져나가는 도희의 뒷
모습을 보며 이언은 씁쓸해지는 기분을 막을 수 없었다.

도희가 여태 다른 누군가를 진심으로 사랑하게 된다는 건 생각해
본 적 없었는데. 지금 도희의 표정은 영락없이 사랑에 빠진 여자였다.

급하게 식당 밖으로 나온 도희는 옷깃 틈을 파고드는 차가운 칼바
람에 어깨를 움츠렸다. 그제야 겉옷도 입지 않고 그대로 뛰어나온
걸 깨닫고 입술을 짓씹었다.

다시 들어가서 입고 나올까 고민했으나 건널목 너머에 서 있는 준
원을 발견하고 곧장 파란 신호로 뛰어들었다. 저도 모르게 방긋 웃
으며 달려가던 도희는 순간 아차 했다. 너무 티 나게 좋아했나 싶어
큼큼, 목을 가다듬으며 도도하게 또각또각 걸어가 앞에 섰다.

"도희 씨, 왔어요?"

"아니, 오면 온다고 연락이라도 하든지."

하늘 무서운지 모르고 치솟는 광대를 억지로 누르며 괜히 툴툴거
렸다.

"갑자기 전화해서 앞이라고 하면 내가 예, 예, 여부가 있겠습니까,
하고 나와야 해요?"

"얘기하면 재미없잖아요? 나름 서프라이즈인데."

준원이 낮게 웃으며 도희의 한쪽 어깨를 감쌌다.

"겉옷은 왜 안 입고 나왔어요. 추운데."

"그냥 깜빡했어요. 빨리 나오려다가……."

도희가 말끝을 흐렸다. 준원이 도희의 작은 손을 꼭 붙잡아 확 끌어당겨 제 코트 주머니에 넣은 탓이었다. 양손이 커다란 손안에 붙잡힌 채로 그의 코트 주머니 안에 안착했다. 준원의 단단한 몸과 밀착한 자세가 되자 가슴이 두근거려 고개를 들 수가 없었다. 몰려오는 설렘과 함께 괜히 긴장돼서 그의 손안에 잡혀 있는 손가락을 꼼지락거렸다.

"나한테 화난 줄 알았는데."

준원의 낮은 목소리가 도희의 머리 위로 따스하게 쏟아졌다.

"무슨 일인지 말해 주면 안 돼요?"

그윽한 저음으로 속삭이니 얼었던 마음이 눈 녹듯이 사르르 녹아내렸다.

"······아니. 내가 말 안 하려고 했는데. 차유나 그게 자꾸 내 신경을 긁잖아요."

결국 도희는 토로하듯 제 불만을 털어놓을 수밖에 없었다.

"자꾸 헛소리하면서 준원 씨 하고 나 사이 이간질하려고 하고. 난 또 걔 헛소리 흘려들으려고 해도 찝찝하니까 자꾸 마음에 남고."

"역시 차유나가 둘이 있을 때 뭐라고 한 거 맞죠?"

준원은 작게 한숨 지었다.

"차유나 말은 무시했으면 좋겠어요. 누가 뭐라고 해도 지금 나한테는 도희 씨밖에 없으니까."

"······."

이렇게 말해 주는 남자 앞에서 계속 심술부릴 수도 없었다. 애초에 차유나와 서준원 사이에 무슨 일이 있었다고 해도 그건 전부 과거의 일일 뿐이고, 도희가 불평 불만해야 달라질 건 없었다.

아는데……. 다 아는데. 참으로 사랑이란 게, 이토록 유치한 감정인 줄 도희는 미처 몰랐다.

"앗……!"

도희가 말없이 아래만 쳐다보고 있자 준원은 주머니에서 손을 빼고 그대로 코트를 활짝 열어 도희의 작은 몸을 감싸 안았다.

확 끌어 당겨진 도희는 그의 가슴에 포옥 들어가 안겼다. 흠칫 놀라 떨어지려고 한 순간 준원의 코트가 몸을 둘러싸며 빠져나가지 못하도록 감쌌다.

"아, 밖에서 뭐 하는 거예요!"

"춥잖아요. 이렇게 있으면 따뜻하지 않아요?"

"……좀 낫긴 하네요."

도희는 겉옷을 안 입고 오길 잘했다고 속으로만 생각했다.

"도희 씨 혹시, 질투한 거예요?"

흠칫한 도희가 발끈하며 따졌다.

"아니거든요! 질투는 무슨, 내가 그렇게 쫌생이 같고 유치한 사람인 줄 알아요?"

질투는커녕 별 분노도 못 느끼는 무미건조한 서준원 앞에서, 혼자 질투하고 삐지고 툴툴댄다는 건 바보 같은 일이라고 생각했다.

"서준원 씨 못지않게 나도 되게 되게 쿨한 사람이거든요?"

"그래요?"

하지만 도희의 고막을 촉촉하게 적신 것은 너무도 의외의 말이었다.

"난 했는데, 질투."

"……네?"

도희의 여린 가슴이 불현듯 두근거렸다.

"강이언 씨하고 밥 먹는다니까 신경 쓰여서 아무것도 못 하겠더라고요. 다른 남자하고 웃으면서 밥 먹을 도희 씨 생각하니까……기분이 영 별로라서."

"……."

"그래서 여기까지 찾아온 거예요."

솔직하게 질투하고 있다고 말하는 입술이 현실감 없이 느껴졌다. 무심하고 건조한 그가 질투 때문에 이렇게 불쑥 찾아오다니, 믿을 수가 없어 멀뚱멀뚱 준원을 올려다보았다.

"그렇게 귀엽게 보지 말아요."

준원의 고개가 아래로 내려오며 가까워졌다.

"키스하고 싶어지니까."

쿵, 내려앉은 심장과 함께 도희의 얼굴이 화악 붉어졌다.

"……뭐래, 느끼한 인간이!"

갑작스러운 멘트에 당황한 도희가 저도 모르게 그의 정강이를 퍽 걷어찼다.

"아……."

"나 오글거리는 거에 면역 없다고 했죠!"

미간을 찌푸리며 하릴없이 멀어진 준원이 제 다리를 짚으며 고통스러워했다.

"한 번만 더 오글 지수 경계 이상의 멘트 날리면, 바로 그냥 다리 몽둥이 날아갑니다!"

단단히 경고한 도희는 그대로 뒤를 돌아 신호등으로 향했다. 고통스러워하던 준원도 이내 곧바로 그런 도희의 옆에 따라붙었다.

"와우, 왜 저렇게 붙어 있대?"

남자 친구와의 전화를 끝낸 누리는 가게의 통유리창 너머로 이루어지는 준원과 도희의 애정행각을 관망하며 자리로 돌아와 앉았다. 흘끔 고개를 돌려 보니 이언이 잔뜩 성이 난 채로 두 눈을 부라리고 있었다.

"야. 당장 112에 신고해."

저 멀리 건너편에서 이루어지는 연애질을 눈이 빠지라 노려보는 이언의 기세가 흉흉했다.

"죄목은 테러범, 안구 테러리스트."

"야, 야. 화 좀 삭여라. 불나겠다."

눈에서 불꽃 스파크를 튀기는 이언을 보며 누리가 쯧쯧 혀를 찼다.

"그보다 우리 도희 남자 친구 검증 안 해 봐도 되겠어? 솔직히 난 네 편 내 편을 떠나서, 저 남자 외모하고 능력 외에는 아리송하거든. 좋은 남자인지, 아닌지. 내가 촉이 좀 좋잖아."

"딱 보면 몰라? 멀쩡한 도희 꼬드긴 거 보면 완전히 나쁜 놈에 희대의 생양아치……!"

"셧업. 네 주관적인 감정 한껏 담긴 의견 말고. 객관적인 검증을 해 봐야지. 제대로 된 놈인지 아닌지. 안 그래?"

누리의 말에 이언이 동의한다는 듯 고개를 끄덕거렸다. 이내 가게의 통유리창 너머로 준원과 도희가 함께 이곳으로 걸어들어오는 것이 보였다.

"어? 들어온다."

딸랑, 하는 종소리와 함께 도희와 준원이 나란히 가게에 들어섰다. 곧바로 계산대로 향한 준원은 능숙하게 코트 안에서 지갑을 꺼내 들었다.

"저쪽 테이블 이걸로 계산해 주세요."

길쭉한 손가락 사이로 카드가 뽑혀 올라갔다. 도희의 테이블이 먹고 마신 값을 전부 계산한 준원은 뚜벅, 뚜벅, 낮은 걸음걸이로 누리와 이언에게 다가와 섰다.

"안녕하세요. 오랜만에 뵙습니다."

"아, 네. 오랜만이네요."

누리는 가볍게 고개를 끄덕이며 회답했으나 이언은 말없이 준원을 노려볼 뿐이었다.

"이 근처 지나가는 길에 잠깐 들렀습니다. 도희 씨 친구분들이고……. 또 모두 구면이니까."

'친구'라는 단어에 강조를 두며 이언을 경고하듯 바라보았다.

"추가 결제도 해 뒀으니 편하게 많이 드세요. 그럼."

본래의 목적은 이언이 허튼수작을 부리지 않도록 경고하고자 함이었다. 이 정도면 충분히 목적은 달성했으니 쿨하게 집으로 돌아가려는 찰나…….

"아니, 어딜 가려고요?"

누리가 준원을 붙잡았다.

"이리 와서 앉아요. 같이 먹어요."

누리의 돌발 행동에 놀란 도희의 눈이 커졌다.

"그래요, 앉으세요."

옆에 있던 이언도 준원의 머리부터 발끝까지를 분해해 버릴 듯이 험상궂은 눈빛을 하고 말했다.

"아닙니다. 친구분들끼리 편하게 드셔야죠."

"아니에요! 앉아요. 여기 딱 앉아요!"

누리는 서 있는 준원을 반강제로 도희의 옆 좌석에 앉히며 웃었다.

"야, 너희 뭐 하냐? 가요, 어서."

"어허, 가긴 어딜 가!"

"허……."

도희는 벌써 골치 아픈 일로 번질 기미를 느꼈다. 준원이 굳이 결제해 주고 가겠다고 하길래, 그러라고 허락해 준 것이 이 사달의 원인이었다. 이런 충격적인 상황을 불러올 줄이야.

"계산도 하셨는데 드시고 가세요. 괜히 빼지 마시고."

이언은 비소를 터뜨리며 준원을 노려보았다.

"신경 쓰여서 오신 거 아닙니까?"

"아니요. 근처 지나가다가 우연히 들른 것뿐입니다."

하, 이언이 헛웃음 쳤다.

"거짓말에는 별로 재능이 없으시네요."

파지지직. 준원과 이언 사이에는 한 차례 스파크가 이는 듯했다. 무표정으로 이언을 쳐다보는 준원과 대놓고 험상궂은 얼굴로 노려보는 이언 사이에 팽팽한 기 싸움이 시작되었다.

"둘 다 눈 곱게 떠요. 나 빡돌기 전에."

도희의 나직한 말과 동시에 이언의 눈이 언제 그랬냐는 듯 온순해졌다. 준원도 얼른 이언에게서 시선을 떼고 도희를 향해 부드럽게 눈웃음 지었다. 도희에게 밉보이기 싫은 두 남자의 눈싸움 아닌 눈싸움은 그렇게 종결되고, 누리는 그사이를 중재하는 심판처럼 팔로 가르며 웃었다.

"다름이 아니라, 저희가 생각해 보니까 검증을 안 해서요."

"검증이요?"

"네. 우리 도희가 정상적으로 건강한 연애를 하는 건지, 아닌지."

누리는 준원에게 은근한 미소를 지어 보였다.

"저희가 도희 명예 보호자들이라서요. 제가 엄마."

"저는 아빠나 마찬가지입니다."

"뭐라는⋯⋯."

갑자기 엄마 아빠를 자처하고 나선 누리와 이언 탓에 도희가 미간을 찌푸렸다.

"에휴, 너희 맘대로 해라."

이내 짜증을 내 봐야 뭐 하겠나 싶어 자포자기했다. 그 옆에서 가만히 가족 놀이를 듣고만 있던 준원이 작게 입을 열었다.

"아, 그럼 두 분이 부부?"

그 말에 누리와 이언의 얼굴이 동시에 썩은 과일처럼 구겨졌다.

"우웩! 그런 끔찍한 말 하지 마세요! 어디 이런 뇌까지 근육으로 된 놈을!"

"뭐야? 진짜 구역질할 뻔한 게 누군데!"

"이거 봐요. 갑자기 급발진하는 성격까지 완전히 극혐, 비호감."

"누군 좋은 줄 아냐? 너야말로 비호감⋯⋯!"

"서준원 씨, 저 비위 약해서 그런 농담 안 돼요. 우욱⋯⋯."

토하는 척하는 누리를 보며 이언이 황당하다는 듯 혀를 차며 뒷목을 잡았다.

"그리고 저 남친 있거든요."

"하, 네가 1년 365일 중에 남친 없는 날이 있긴 하냐?"

"뭐래. 있거든? 많거든?"

누리가 작게 뒷말을 덧붙였다.

"한…… 이틀 정도."

쥐 죽은 듯 듣고 있던 도희가 낄낄 웃으며 한마디 일갈했다.

"미친놈들."

15년을 지내도 여전히 적응 안 되게 한결같이 미친 친구들이었다. 반쯤 해탈한 상태로 흘끔 곁눈질하니 무표정으로 누리와 이언의 싸움을 관망하고 있는 준원이 눈에 들어찼다. 도희는 이렇게 정신 나간 애들 앞에서도 평정을 잃지 않는 준원이 새삼 대단하게 느껴졌다.

"뭐, 항상 싸우는 것 같아도 잘 될 사람들은 잘 되죠."

"아니라니까요!"

"아닙니다!"

누리와 이언이 동시에 노발대발하며 꽥 소리쳤다.

"남녀 사이에 친구가 어딨겠습니까."

나직하게 덧붙인 준원의 말에는 뼈가 있었다. 이언을 도희의 친구로서도 받아들이고 싶지 않다는 뜻이 내포된 것이었다.

"눈에 힘 푸시죠. 실핏줄 터지겠습니다."

저를 흉흉하게 노려보는 이언을 보며 준원이 픽 비소를 터뜨렸다.

"어쨌든 검증하신다고 하셨으니……. 물어보고 싶은 거 있으시면 편하게 물어보세요."

"오, 정말요? 다 물어봐도 돼요?"

"네. 좋으실 대로."

"쿨하네. 맘에 들어요."

준원의 말에 누리는 건수를 잡은 사람처럼 눈을 빛냈다. 초롱초롱한 눈으로 준원을 보며 호기심을 불태웠다.

　"그럼 먼저 첫 번째 질문."

　도희는 또 누리가 어떤 돌발 행동을 할지 몰라 불안한 마음을 안고 물잔을 더듬거렸다.

　"사망보험금은 들어 났어요?"

　푸읍, 놀란 도희는 마시던 물을 그대로 뿜어 버렸다. 휘둥그레진 눈으로 턱으로 흘러내린 물을 닦으며 누리를 쏘아보았다.

　"수익자 도희로 변경 가능한…… 읍읍."

　더 헛소리를 늘어놓기 전에 누리의 입을 틀어막아 수습했다. 저런 소리를 듣고도 무표정인 준원의 귓가에 대고 소곤소곤 귓속말했다.

　"얘 말하는 거 신경 쓸 거 없어요. 성격이 원래가 좀…… 뭐랄까, 지랄…… 아니, 좋게 말하면 똥꼬발랄한 거니까."

　읍읍거리며 제 입을 막은 도희의 손을 가지고 씨름하던 누리가 겨우 손을 떼어 내고 파, 숨을 내쉬었다.

　"뭐? 야. 똥꼬발랄이 뭐야. 똥꼬가 발랄한 사람이야?"

　찾아온 프리덤과 함께 누리는 곧바로 자유분방하게 입을 움직였다.

　"어떻게 나도 모르는 신체의 비밀을 네가 알고 있는 거야! 어? 내 남친도 내 똥꼬가 발랄한지, 괴랄한지 모르는데! 네가 언제 내 똥꼬를 봤다고…… 읍읍."

　"네. 이런 애예요."

　입을 막으며 간결하게 설명하자 준원은 바로 수긍했다. 다시 도희의 손을 치운 누리가 방긋 웃으며 병아리 반 학생처럼 손을 번쩍 들었다.

"아저씨, 여기 소주 2병하고 맥주 3병이요! 아, 그리고 잔도 하나씩 더!"

준원에 대한 호기심과 궁금증이 1부터 1000까지 차 있는 누리는 이것저것 캐낼 생각에 신이 나서 깔깔 웃었다.

"우리 잔 채우고 짠하죠. 짠?"

술이 서빙되자마자 누리는 능숙한 솜씨로 소맥을 제조하기 시작했다. 네 잔의 소맥이 탄생하고 시끄럽게 잔이 부딪히는 소리와 함께 테이블 위로는 묘한 기류가 흘렀다. 지금, 이 테이블에 있는 사람은 총 네 명. 신난 사람 하나, 왠지 불안한 사람 하나, 열 받은 사람 하나. 그리고…….

"근데 서준원 씨, 참 새삼 잘생기긴 엄청나게 잘생기셨네요."

잘생긴 사람 하나. 총 네 남녀의 괴상한 술자리가 시작되었다.

이 괴상한 술자리에서 가장 말 많은 누리는 준원의 외모를 보며 새삼 감탄했다.

"작년에 선봤을 때도 외모는 진짜 연예인급이라고 생각했는데."

이내 호기심을 불태우며 질문을 던졌다.

"근데 작년부터 선보러 다니신 거면 결혼이 좀 급하셨던 거 아니에요?"

"네, 그랬었죠."

"도희는 결혼 생각 별로 안 할 텐데. 아시겠지만, 원래는 연애도 안 하는 주의였잖아요."

"알고 있습니다. 결혼은 온전히 도희 씨 선택에 맡길 생각이에요."

준원은 조금의 흐트러짐도 없이 담담하게 답했다.

"물론 하면 좋겠지만, 안 해도 크게 상관은……."

"아니, 결혼은 절대 안 돼!"

쾅, 갑자기 테이블을 내려친 이언이 발끈하며 소리쳤다. 까무러치게 놀란 도희가 눈을 크게 떴다.

"야. 너 취했냐?"

"아니. 그 어느 때보다도 제정신이야."

황당하게 묻는 도희에게 답한 이언은 레이저라도 쏠 것 같은 눈으로 준원을 똑바로 노려보았다.

"딴 건 몰라도 결혼만큼은 절대 안 됩니다."

일자로 다물려 있던 준원의 입가에 조소가 띄워졌다.

"그 '안 돼'는 친구로서의 '안 돼'입니까, 아니면 다른 의미입니까?"

도희에게 마음이 있는 것을 정확히 꼬집는 질문이었다. 정곡을 찔렸으나 이언은 당황하지 않고 준원을 노려보며 대답했다.

"둘 다 안 됩니다. 그냥 안 됩니다."

"무슨 자격으로 그런 말씀을 하시는지 잘 모르겠네요."

이언과 준원은 날 선 눈으로 서로를 똑바로 주시했다. 말없이 노려보는 시선 사이로 팽팽한 긴장이 흘렀다.

또다시 시작된 두 남자의 기 싸움에 낀 도희는 골치 아픈 상황에 깊은 한숨을 내쉬었다. 그 옆에서 멀뚱멀뚱 두 남자를 번갈아 보던 누리는 옆에 놓인 집게로 생고기 한 점을 집어 서로를 노려보고 있는 두 사람 사이에 슬쩍 올려 보았다.

"……뭐 하냐?"

"둘 다 눈에서 레이저를 쏘길래, 이러면 익나 하고."

"야, 말이 되는 소리를 해야지. 삼겹살이 익겠냐?"

괴상하기 짝이 없는 누리의 행동에 헛숨을 터뜨린 도희가 집게를 빼앗아 그 옆의 얇게 썰린 차돌박이를 들었다.

"얇은 걸 해야지. 얇은 거. 차돌박이 같은 거로."

미친 상황에 반쯤 해탈한 도희는 이제 될 대로 되라는 심정으로 낄낄 웃었다. 제 눈앞에 삼겹살과 차돌박이가 연달아 등장했으나 아랑곳하지 않고 계속 준원을 노려보던 이언이 먼저 침묵을 깼다.

"주량은 어떻게 되세요?"

던져진 물음에 준원은 이미 깔끔하게 비워진 잔을 문지르며 답했다.

"글쎄요. 취해 본 적이 없어서 잘 모르겠습니다."

"그럼 오늘 취해 보시면 되겠네요. 저도 웬만해서는 취한 적이 없거든요."

"아니요. 술은 과하지 않게 마시는 게 좋다고 생각해서요."

"아하……. 질 것 같으면 피하시는군요?"

의도가 빤한 물음에 준원이 픽 웃었다.

"전에 말씀드리지 않았나요? 도발에 흥분하는 타입 아니라고."

조곤조곤 속을 긁는 화법에 이언은 혈압이 올라 잔을 꽉 쥐었다.

"전부터 생각했는데, 서준원 씨는 참 직설적이시네요."

"칭찬으로 듣겠습니다."

"……."

이언의 눈썹이 휘어 올라갔다. 어딘가 꺼림칙한 느낌을 떨쳐 낼 수가 없었다. 이 서준원이란 사람은 보면 볼수록 무슨 생각을 하는 건지 파악이 어려운 타입이었다.

"그러고 보면 키가 참 크신 것 같던데…… 몇 센티세요?"

"187센티입니다."

"아, 저하고 똑같으시네요. 이런 우연이."

느슨하게 앉아 있던 이언은 허리를 꼿꼿하게 세우고 어깨를 활짝 열었다. 운동선수답게 장대한 체격을 자랑하는 이언은 일부러 몸에 힘을 꽉 주며 몸집을 부풀렸다.

"네. 도희 씨도 꽤 큰 편이라……."

준원의 입꼬리가 부드럽게 올라갔다.

"키스하기 딱 좋아요."

나지막한 음성이었다. 놀란 도희가 빨개진 얼굴로 준원의 입을 턱 막았다.

"……."

조금의 흔들림도 없는 검은 동공을 보며 화가 난 이언의 얼굴이 붉으락푸르락 달아올랐다. 곧바로 KO 당한 이언은 더 이상의 전의를 상실하고 소주병을 덥석 집어 벌컥벌컥 알코올을 들이켰다.

"애들한테 뭔 소리를 하는 거예요……."

"그냥 제 감상을 말한 것뿐입니다."

"……허."

왜 이래, 정말?

도희는 아까부터 서준원답지 않게 퍽 유치하게 구는 그가 신기하면서도 이상했다. 늘 이성적이고 건조한 그가 이렇게 유치한 기 싸움에 끼어들다니. 질투했다는 그의 말이 진심으로 느껴져서 괜히 가슴이 간질거렸다.

"오, 강이언 패배."

심판에 빙의한 누리는 패전한 장군처럼 창백해진 이언을 보며 깔깔 웃었다.

"이제 내 차례야. 내가 질문할래요!"

"네, 하세요. 편하게."

"도희의 어떤 점이 가장 좋으세요?"

"글쎄요, 외강내유인 점이라고 해야 할까요. 겉으로는 차가워 보여도 속은 따뜻하고 정 많은 사람이라서."

작게 흐르던 도희의 숨이 우뚝 멈추었다.

"저와 비슷한 것 같으면서도, 그런 단단한 점은 참 존경스러운 사람이라."

시선을 들어 올리니 부드럽게 올라가는 준원의 입꼬리가 망막에 담겼다. 두근거리는 가슴과 함께 그의 고개가 부드럽게 사선을 그리며 내려왔다.

"그리고 무엇보다 귀엽잖아요."

화끈 달아오른 얼굴에 열감이 터질 듯했다. 잘 익은 토마토처럼 빨개진 얼굴로 입만 벙긋거리는 도희를 보며 준원이 나직하게 웃었다.

"서준원 씨가 뭘 좀 아시네. 남들은 잘 모르는데, 우리 도희가 은근히 귀엽거든요."

"다들 지금 장난해요?! 왜 자꾸 헛소리를……."

발끈한 도희가 소리쳤으나 준원의 눈을 우뚝 마주하고는 그만 힘을 잃어버렸다. 사그라든 말꼬리와 함께 참을 수 없는 부끄러움을 느낀 도희가 고개를 홱 돌렸다.

"어쨌든 모범 답안, 아주 좋아요."

"인정받은 건가요?"

"뭐, 일단은요. 그런데 아버지 병원은 어떻게, 이어받으시는 건가요?"

"아시다시피 제가 의사 면허증이 없어서요. 무엇보다 그건 제 관할이 아닙니다."

준원이 아버지의 소유로 되어 있는 것 중 갖고 싶은 것은 오로지 어머니의 그림들과 방치된 그녀의 작업실뿐이었다. 나머지 모든 재산은 아버지의 현재 부인인 이수연에게 넘어간다고 해도 준원은 전혀 개의치 않았다.

"근데 신기하네요. 아버지가 의사시고, 또 개인병원도 있는데 왜 의대를 안 가셨어요?"

"글쎄요. 연누리 씨 부모님께서는 두 분 다 교수이신 걸로 알고 있는데, 왜 대학원 안 가셨습니까?"

"……어, 음. 그야 제가 학구적인 스타일이 아니라서. 막 연구하고 공부하고 이런 거 잘 못하거든요."

"네. 저도 마찬가지로 의학에는 관심도 없고 소질도 없습니다."

"……."

논리를 통한 반박에 누리가 주춤거렸다. 슬쩍 고개를 아래를 내리고 도희에게 귓속말했다.

"도희야. 나 네 남친 싫어. 말로 진 거 처음이야."

"……저 사람 원래 말 잘해. 사기 잘 칠 스타일이야."

그놈의 말로 지금껏 도희를 열두 번은 더 들었다 놨다 한 전적이 있는 남자였다. 화가 났다가도 저 말솜씨에 금방 눈 녹듯 풀려 버리니 여러모로 발칙한 혀가 따로 없었다.

"그럼 저도 하나 질문할게요."

침묵을 지키고 있던 이언이 묵직하게 입술을 벌렸다.

"도희 얼마나 사랑하십니까?"

준원의 미간이 좁아졌다. 순간 서늘하게 적막해진 공간에 이언과 준원의 시선이 치열하게 대치했다. 숨 조각 하나 새어나가지 못할 것처럼 까만 준원의 동공이 이언을 흔들림 없이 응시했다. 짧게 숨을 들이켠 그가 일자로 굳게 다물린 입술을 연 찰나였다.

"사장님, 여기 물 좀 더 주세요."

팽팽한 흐름을 끊은 도희가 손을 들었다. 깨진 찰나의 침묵과 함께 굳은 분위기를 풀기 위해 웃었다.

"너희 왜 자꾸 심문하고 있어?"

준원은 그런 도희를 가만히 바라보다가 잔으로 입가를 적셨다.

"다들 어서 먹어요. 말만 하지 말고."

억지로 입꼬리를 들어 올린 도희는 잔에 한가득 담긴 알코올을 단번에 넘겼다. 도희는 사실 준원의 대답이 조금 늦어지자 저도 모르게 본능적으로 끼어든 것이었다.

'나…… 왜 그랬지?'

왜 준원의 말을 끊은 건지 스스로도 알지 못해 답답했다.

……그리고 떠오르는 것은, 예전에 준원이 제게 했던 말들이었다. 좋아하지만 사랑인지는 잘 모르겠다던 그 말. 그러니까 함께 사랑을 배워 나가자던 그 말. 진심으로 서로를 사랑하게 되면 말해 주자던 약속.

'지금은……?'

과연 지금 그의 마음의 현 위치는 어떨까. 여전히 예전과 같이 미지근한 정도의 마음일까?

도희는 그게 참 궁금하면서도 한편으로는 막연하게 두렵기도 했다. 그의 마음과 자신의 마음의 속도가 같지 않을 것 같았기에.

"2차 가자, 2차!"

약 1시간 뒤, 만취한 누리는 비틀거리며 술집 밖으로 반쯤 시체가 되어 기어 나왔다. 이언은 그런 누리를 부축하며 버럭 소리를 질렀다.

"2차 같은 소리 하고 있네, 이 주정뱅이가! 너 통금 있잖아!"

"통금? 그까짓 거 없는 거로 해도 돼!!!"

"아오, 진짜 길거리에 버리고 가고 싶네. 이걸 그냥……."

"시끄러워! 이 골프 중독자야!"

이언은 자꾸만 주저앉으려는 누리를 한쪽 팔로 올려 세우며 이를 갈았다. 좋다고 많이 마실 때부터 예감이 좋지 않다 싶더니 결국 누리는 술에 취해 멍멍이가 되고 말았다.

"그럼 전 연누리 집에 데려다주고 가 볼게요."

이언은 나란히 서 있는 준원과 도희를 못마땅하게 보며 말했다. 미련이 남아 못해 뚝뚝 떨어지는 눈으로 도희를 보자 준원이 빠르게 도희를 제 뒤로 쏙 숨겼다.

"알겠습니다. 조심히 들어가세요."

"네, 다음에 또 뵙죠."

무슨 꿀단지 숨기듯이 준원이 뒤로 감춘 도희에게 이언은 마지막까지 아쉬운 눈빛을 보냈다. 그 시선이 거슬려 준원의 한쪽 미간이 찌푸려졌다. 언제까지 저렇게 친구라는 명목으로 도희 옆에 붙어 있을 생각인지, 이언이 누리를 택시에 태우고 사라질 때까지 준원은 그 뒤를 불쾌한 눈으로 주시했다. 이내 단둘이 되자 아까부터 조용히 있는 도희의 손을 부드럽게 움켜잡았다.

"저희도 갈까요? 대리운전 불렀는데."

무슨 생각을 하는지 도희는 멍하니 있을 뿐이었다. 그제야 준원은 무언가 이상한 기색을 느꼈다.

"도희 씨?"

"왜."

……뭐지?

"왜 부르냐."

"……도희 씨, 혹시 취했어요?"

"아니. 안 취했는데. 완전 멀쩡한데. 미친 듯이 정상인데."

"취한 것 같은데?"

"아, 아니라니까 왜 자꾸 취했대!"

……누가 봐도 만취했다. 예전에 한 번 본 이후, 다시 마주하게 된 만취 모드의 백도희에 준원은 당혹감을 감출 수 없었다.

"야. 서준원."

"……네?"

"내가 여기서부터 저기까지 5초 안에 미친놈처럼 뛰어가는 거 보여 줄까?"

"갑자기요?"

"나 100m 달리기 15초 안에 달리는데 넌 몇 초냐?"

밑도 끝도 없는 화법에 준원이 헛웃음을 쳤다.

"잘 모르겠는데요."

"나보다 빨라?"

"아무래도 그렇지 않을까요?"

"그럼 지금부터 누가 더 빠른지 해 보자. 저어기까지. 오케이?"

대화 불능 상태에 접어든 도희는 무작정 출발, 하고는 다리를 움직이기 시작했다. 그러나 2M도 가지 못하고 준원에게 잘록한 허리를 꽁꽁 사로잡혀 헛발질만 할 뿐이었다. 한참을 낑낑거리던 도희는 그대로 머리를 들어 올려 준원의 턱을 퍽 쳤다.

"아……."

순식간에 턱을 얻어맞은 준원은 비틀 밀려나서 전봇대를 잡고 섰다. 만취한 도희는 전봇대와 마주 보고 서서 아픔을 삭이는 준원을 멀뚱히 보며 낄낄거렸다.

"너 알고 보니 모태 솔로냐? 왜 전봇대에다 키스 연습은 하고 그래."

누구 때문에 전봇대 잡고 아파하고 있는데, 반쯤 정신줄을 놓은 도희는 그저 좋다고 웃을 뿐이었다.

"왜. 내가 키스해 줄까?"

"……아."

살면서 여러 가지 주정은 다 봤지만, 역시 이 여자의 술버릇은 따라올 자가 없었다. 그 무던한 준원마저도 당황하게 한 도희는 히죽 웃으며 다가왔다. 당혹스럽긴 해도 확실히 본 적 없는 도희의 모습이니 신선하게 느껴졌다.

"근데 아까부터 왜 반말?"

준원이 픽 웃으며 도희의 머리를 쓰다듬었다. 취기가 올라 핑크빛이 된 얼굴로 뚱하게 준원을 올려다보고 있는 도희는 꽤 귀여웠다.

"내 맘이다, 이 시키야."

평소엔 볼 수 없는 헤롱헤롱 풀어진 눈과 부푼 볼에 절로 웃음이 흘러나왔다.

"불만 있으면 너도 해."

퉁퉁거리는 모습마저 귀여워서 준원은 저도 모르게 도희의 볼을 꼬집어 당겼다. 찹쌀떡처럼 늘어나는 볼과 함께 도희가 흐으응, 하고 이상한 소리를 내었다. 단정하던 준원의 입가에서는 나사 풀린 것처럼 미소가 터져 흘렀다.

"그럴까, 그럼?"

고개를 끄덕이는 도희의 이마에 쪽, 입술을 맞추었다. 여린 두 눈꺼풀이 끔뻑, 끔뻑하며 올랐다 내리기를 반복했다.

"우리 도희 졸리구나……."

서늘한 밤바람이 두 사람 사이에서 나부끼고 허공에서 얽힌 시선은 뜨거웠다. 하얀 얼굴을 쓰다듬던 준원은 이끌리듯 입술을 내려 도희의 작은 입술을 한입에 물었다.

부드럽게 입술을 빨아들이자 여린 몸이 움찔거리며 준원의 품으로 가쁘게 안겨 들어왔다. 농밀하게 비벼지는 입술과 점막에 온 신경이 떨리며 고동치는 듯했다. 도희의 입술을 가르고 들어온 촉촉하고 말캉한 혀는 구석구석을 부드럽게 유영했다. 달콤한 혀끝이 촉촉하게 물러나고 입술이 떨어지자 강렬한 시선은 끈적하게 뒤엉켰다.

"도희야."

취기 오른 도희의 입에 짧게 쪽, 부딪히고 떨어진 입술이 부드럽게 움직였다.

"이제 난, 너밖에 안 보이는 것 같다."

길게 늘어진 눈꼬리가 부드럽게 휘었다.

"재워 줄게. 집에 가자."

집까지 무사히 운전해 준 대리기사가 떠나고, 준원은 차 안에서 곤히 잠든 도희를 안고 집으로 들어왔다. 세상모르고 자는 도희를 깨우려 했으나 이미 꿈나라로 떠난 도희는 현실로 돌아올 기미가 보이지 않았다.

결국 준원은 손수 도희의 화장을 지워 주고 외투를 벗긴 후 편한 잠옷으로 갈아입혀 주었다. 옷을 갈아입히는 내내 도희는 마치 깰 것처럼 팔다리를 세차게 움직이며 뒤척였으나 잠시뿐이었다. 그대로 안아 부드럽게 침대에 눕혀 주니 언제 움직였냐는 듯 얌전히 잠들었다.

"……."

준원은 곤하게 잠든 도희의 옆에 누워 그녀를 가만히 바라보았다. 핏줄이 다 비칠 만큼 하얗고 투명한 피부와 붉고 도톰한 입술, 호흡에 따라 오르락내리락하는 가슴의 곡선. 준원은 눈으로 사진을 찍는 것처럼 오랜 시간 도희를 가만히 들여다보았다.

이 여리고 상처 많은 여자가 이토록 준원의 마음 한편에서 크기를 키울 줄은 미처 몰랐다. 이제는 그녀의 존재감이 무서울 정도로 커졌고, 더는 예전의 그녀가 없었던 삶으로 돌아갈 수 없었다. 특별하고도 소중해서 그녀가 상처를 받는 게 싫었다.

"……."

커다란 손을 뻗은 준원은 천천히 도희의 붉은 머리카락을 쓸어 주었다.

"으응……."

앓는 소리를 내던 도희는 몸을 뒤척이며 가슴 아래까지 올라와 있던 이불을 아래로 확 내려 버렸다. 저도 모르게 픽 숨소리 같은 웃음을 터뜨린 준원은 이불을 들어서 그녀의 가슴께까지 도로 올려주었다.

"……."

문득 도희가 시계를 그대로 차고 있다는 것을 깨달은 준원이 그녀의 시계를 풀어 주기 위해 손을 뻗었다. 조심스럽게 시계를 풀자, 가는 손목에 그어진 가느다란 자국들이 시야를 자극했다.

오랜 시간이 지나 하얗게 변한 자해의 흉터를 엄지로 가만히 쓸어보던 준원은 입술을 사리물었다. 이것과 똑같은 상처를 준원은 아주 오래전에도 본 적이 있다.

지금으로부터 20년 전, 붓을 잡고 있던 어머니의 손목에도 이러한 자국들이 즐비하였다. 결국 극단적인 선택으로 생을 마감한 어머니처럼, 도희에게도 이렇듯 삶보다 죽음을 가까이했던 시절의 흔적이 아직도 선명히 남아 있다.

이런 그녀에게 끌렸던 것도…… 나 못지않게 불행해 보여서, 그리고 그 옛날 어머니가 그랬듯이 이 여자 또한 고독과 괴로움을 견디며 하루하루를 안간힘으로 살아 내는 것처럼 보여서. 그래서 끌렸다.

"나는……."

이 여자를 지킬 수 있을까. 행복하게 만들어 줄 수 있을까. 함께 평범한 삶을 살아갈 수 있을까.

알 수 없다. 자신도 없다. 하지만 단 하나 확실한 것은, 그녀의 손을 절대 놓고 싶지 않다는 것이었다.

"……."

지그시 눈을 감은 준원은 도희의 손목에 부드럽게 입을 맞추었다. 나쁜 기억이 모두 사라지도록, 죽음을 가까이했던 흔적 또한 세월에 묻히도록.

따사로운 아침 햇살이 내리쬐자 도희는 잠결에도 미간을 좁혔다. 밝은 빛에 자연스럽게 올라간 눈꺼풀 사이로 몽롱한 눈동자가 멍하게 굴렀다.

"아……."

찰나의 로딩 후, 퍼뜩 정신을 차린 도희의 눈이 번쩍 뜨였다. 놀라 벌떡 일어난 도희가 얼빠진 얼굴로 주위를 두리번거렸다.

"어, 어떻게 된 거지……."

기억이 새하얗게 지워져 어떻게 집에 오게 된 건지조차 생각이 나지 않았다.

"왜 기억이 안 나는…… 우읍."

갑자기 밀려오는 구역감에 다급히 입을 틀어막았다. 얼마나 술을 많이 마셨는지, 구토가 나올 것처럼 속이 울렁거려 얼른 침대에서 내려와 화장실로 뛰어갔다. 다급하게 무작정 문고리를 벌컥 돌렸는데, 그 순간 눈 앞에 펼쳐진 광경에 두 눈이 휘둥그레 뜨여졌다.

"……!"

욕실에서는 준원이 샤워를 하고 있었다. 뜬금없이 눈 뜨자마자 남자의 나체를 맞이하게 된 도희의 숨이 뚝 끊겼다. 충격에 목구멍 바로 아래까지 올라왔던 오바이트는 그대로 마른침과 함께 꿀꺽 아래로 내려갔다.

준원의 머리부터 발끝까지를 훑는 도희의 동공에는 지진이 일어났다. 위에서 쏟아지는 물을 맞고 있는 그의 젖은 몸을 넋을 놓고 바라보았다. 떡 벌어진 어깨와 운동으로 다져진 탄탄한 근육, 섹시한 엉덩이부터 허벅지까지 그야말로 살색의 향연이 펼쳐졌다.

"뭐 해요?"

뚝, 끊긴 물줄기와 함께 준원이 묻자 도희가 멍청하게 입을 벌렸다.

"나 샤워하는 거 구경 중?"

"……아."

"같이 씻고 싶으면 옷 벗고 들어와요."

"……예?"

"왜, 벗겨 줄까요?"

그 순간 도희의 얼굴이 화악 붉어졌다.

"뭐, 뭐, 뭔 미친 소리 하지 마요……!"

당황한 도희가 홱 고개를 돌렸다. 너무 놀라 한 박자 늦게 벌렁거리는 심장을 부여잡고 허둥지둥 욕실을 빠져나왔다. 쿵쾅쿵쾅, 아침 댓바람부터 난리가 난 가슴 때문에 얼굴에 열이 올랐다.

"뭐, 뭐야…… 앗!"

너무 놀란 탓에 발음이 꼬여 엉겁결에 혀를 깨문 도희가 신음을 흘렸다. 입 안에 번지는 비릿한 피 맛과 함께 짜증이 마구 몰려왔다.

"아 씨, 한번 혀 깨물면 오래 고생하는데……."

얼마나 심하게 깨문 건지 보기 위해 혀를 길게 내밀고 눈을 내리깔아 바라보던 찰나였다.

"왜 메롱 하고 있어요?"

뒤에서 들려오는 준원의 웃음소리에 흠칫한 도희가 얼른 혀를 집어넣었다.

"아침부터 혀 관찰하는 건 아닐 테고…… 귀여운 표정 연습 중?"

당황한 도희가 고개를 돌리자 막 샤워를 마친 준원이 상체를 탈의한 차림으로 다가오는 게 보였다.

"알겠다. 나 나올 줄 알고 일부러 혀 내밀고 기다리고 있었구나."

"아니거든요. 내가 무슨 변태예요? 혀 내밀고 기다리고 있게!"

"무슨 생각한 거예요? 메롱 하고 있었냐고 물은 건데."

"……크흠."

아침부터 서준원 알몸을 본 탓인지 혼자 음란한 생각은 다 한 도희는 밀려오는 창피함에 시선을 피했다. 그런 도희가 귀여워서 준원은 나지막한 웃음을 흘렸다.

"잠은 잘 잤어요?"

"네? 뭐……."

"어젯밤에 기억은 나고?"

"음…… 어젯밤……."

말꼬리를 길게 늘이던 도희가 하하, 어색하게 웃었다. 그에 맞춰 똑같이 하하, 웃은 준원이 도희의 허리를 부드럽게 끌어안았다.

"아니지, 반말하기로 했지. 우리."

"아, 아니요. 미안해요. 내가 어제 취해서…… 실수를 좀 한 것 같은데."

꼴깍, 몰려오는 긴장에 타액이 목울대를 건들며 넘어갔다. 사실 도희는 어떻게 집에 온 건지가 기억이 안 날 뿐, 준원에게 반말했던 것은 전부 생생히 기억하고 있었다. 반 토막 난 말로 100m 달리기 몇 초냐고 추궁했던 것과 모태 솔로냐고 헛소리를 지껄였던 것까지, 쓸데없이 뱉었던 멍멍이 소리는 전부 기억하고 있었다.

"근데 정말 기억이 안 나요, 말을 막 깐 것 같긴 한데⋯⋯."

하지만 난 절대 기억하지 못하는 사람이다. 아니, 그래야만 한다! 라고 속으로 되풀이하는 도희였다.

"설마 했는데, 지금 기억 안 나는 척 발뺌하는 거예요?"

"아, 아니 발뺌이 아니라 진짜 기억이 안 난다니까요?"

"술 마시고 사람 때려 놓고, 기억 안 난다고 하면 무죄가 되나요."

"아니, 반말 좀 했다고 뭘 때린 것까지⋯⋯. 비약이 심하시네."

"맞았어요, 심장 폭행."

"⋯⋯."

"귀여워서 심쿵 했거든요."

일순 도희의 표정이 싸늘해지자 준원이 항복하듯 두 손을 들었다.

"⋯⋯그런 개드립 치면 진짜 개로 만들어 드립니다?"

"농담했다가 큰일 날 뻔했네."

준원이 픽 장난스러운 웃음을 터뜨렸다. 이내 시선을 떨어뜨린 도희는 머쓱하게 뒷머리를 긁적거렸다.

"어쨌든 실례한 건 미안해요. 내가 원래 주량이 되게 센데, 요즘 좀 줄었나? 늙었나? 이상하네⋯⋯."

골똘하게 생각하는 도희의 뺨을 준원이 부드럽게 보듬었다.

"외투도 안 벗고 자려고 해서 내가 옷도 갈아입혀 줬는데, 정말 기억 안 나요?"

흠칫 놀란 도희의 눈이 동그랗게 뜨여졌다. 저도 모르게 양팔로 가슴을 엑스자로 가리며 성큼 한 발짝 물러났다.

"오…… 옷, 옷을 갈아입혀 줬다고요?"

"왜 갑자기 말을 더듬어요?"

"더…… 더, 더듬긴 누가 더듬었다고 그래요? 변태예요? 더듬긴 뭘 더듬어요?"

"아니, 말을 더듬는다고요. 말."

"미쳤나 봐, 진짜. 이 남자가 왜 이래, 진짜?"

빨개진 얼굴로 황당하다는 듯 손부채질하는 도희를 보며 준원이 헛웃음 쳤다.

"저기, 아침이라 그런지 약간 의사소통이……."

"자…… 자기?"

"네?"

"자기라고요? 아니, 또 누구보고 자기래……!"

"자기? 무슨 자기?"

"내가 왜 서준원 씨 자기예요!"

"자기가 아니라 저기. 근데 자기 맞잖아요?"

"……아."

잠 덜 깬 듯 덤 앤 더머처럼 이상한 대화가 이어졌다.

"그건…… 그렇네요."

막 일어난 데다가 아직도 숙취에 시달리는 도희는 지금 스스로 얼마나 이상한 소리를 하고 있는지 인지하지 못했다. 그리고 그 모습이 준원에게 귀엽게 다가온다는 것 또한.

"어쨌든 말 돌리지 말고."

준원이 픽 하고 웃었다.

"응? 도희야."

심장이 쿵 내려앉은 도희의 동공에 거친 지진이 일어났다. 상체를 탈의한 차림으로 준원이 성큼 한 발자국 다가오자 흠칫한 도희가 뒤로 물러났다.

"어제 반말 잘하던데, 오늘은 왜 존댓말……?"

또 한 발짝 성큼 다가오자 저도 모르게 뒷걸음질 쳤다. 그러나 얼마 가지 못해 준원의 단단한 팔에 허리가 감겨 헤어나올 수 없게 되었다. 투명한 물방울이 흐르는 탄탄한 가슴 근육에 시선을 뺏긴 도희의 심장이 고장 난 듯 쿵쾅거렸다.

"술 취한 거 되게 귀엽던데……."

준원의 입꼬리가 부드럽게 호선을 그렸다.

"나만 보고 싶으니까 앞으론 내 앞에서만 마셔."

……지금 이 말이 서준원의 입에서 나오는 말이 맞아?

놀란 도희는 멍하니 두 눈을 끔뻑거렸다. 이런 고집이 느껴지는 말은 서준원이란 남자와 전혀 어울리지 않았다. 두근두근. 그래서 심장은 더욱 널을 뛰고.

"짜증 나……."

제 의지와는 관계없이 핑크빛으로 물든 뺨이 쪽팔려서 짜증이 나고.

"왜 이렇게 귀여워……."

자꾸 귀엽다면서 다정한 눈빛으로 뚫어져라 바라보는 준원에게 미치게 설레서 짜증이 나고.

"우리 도희 작정했네."

저 이상한 반말이 너무도 심장에 해롭고 자극적이라 짜증이 났다.

도희는 이 남자의 말, 행동, 눈빛 하나하나에 파도처럼 들썩이는 자신이 바보 같았다. 원래 사랑하면 이렇게 우스운 바보가 되는 걸까.

"……반말하지 마, 바보야."

과연 이 남자도 내가 느끼는 만큼…… 설레고 있을까? 지금 내가 당신을 좋아하는 만큼, 당신도 날 사랑하고 있을까……. 그는 날 어떻게 생각하고 있는 걸까. 도희의 의문이 꼬리에 꼬리를 물었다.

어쨌든 단 하나 확실한 건, 이제 도희는 준원의 앞에서 완전히 눈 녹듯이 녹아 풀어진다는 것이었다.

숙취로 고생하는 도희를 위해 준원이 끓여준 콩나물국은 해장으로 그만이었다. 덕분에 한결 속이 개운해진 도희는 쌩쌩한 모습으로 출근할 수 있었다.

"아현 씨, 신제품 샘플 도착했어?"

"아니요. 업체에서 아직 안 보내 줘서…… 원래 어제까지 보내 주기로 했는데 연락이 없네요."

시무룩해진 인턴 남아현이 우물쭈물 말하자 도희가 헛숨을 터뜨렸다. 특유의 여린 성격 때문에 이런 상황에서 아현은 늘 어쩔 줄 모르고 발만 동동 구르기 십상이었다.

"그렇다고 손 놓고 지켜보고 있는 게 말이 돼?"

"아, 아니요……. 죄송합니다."

"업체에 전화해서 독촉하지 않고 뭘 하는 거야."

"네, 죄송합니다! 바로 전화할게요!"

안 그래도 아침부터 동현에게 잔뜩 폭격을 당했었던 아현은 한창 의기소침해진 상태였다. 뭐가 그렇게 죽을죄를 지었다고, 계속 죄송합니다만 연발하는 아현이 도희는 안타까우면서도 답답한 심정이었다. 이렇듯 어딘가 조금 삐걱거리는 하루다 싶었는데, 그 불운의 정점을 찍는 일은 머지않아 벌어졌다.

"응, 괜찮네. 이대로 정리해서 마무리하고……."

보고서를 봐 달라는 새봄의 말에 검토해주던 도희가 잠시 멈칫했다.

"팀장님께 결재받아."

책상 위에 두었던 핸드폰이 진동한 탓이었다.

"네, 알겠습니다!"

새봄이 고개를 꾸벅 숙이고 자리로 돌아가자 도희가 도착한 문자를 확인했다.

……저장 안 된 번호? 낯선 숫자들에 도희의 한쪽 눈썹이 구겨졌다. 이내 문자 내용을 본 순간, 그녀의 미간이 가파르게 좁아졌다.

첫날밤만
세 번째

VOL. 2   Three First Nights

CHAPTER **13**

관계의 행방

13

관계의 행방

[나 이수연이에요. 기억하죠?]

준원보다 겨우 7살 많은 새어머니, 준원의 아버지 윤건의 법적 부인인 수연이었다. 일전에 만났을 때 수연이 제게 부르는 대로 돈을 줄 테니 준원의 여자 친구 역할을 그만두라고 했었던 것을 도희는 똑똑히 기억했다.

'서준원에게 얼마 받기로 했어요?'

수연은 저를 준원이 고용한 가짜 애인으로 생각했었다.

'얼마를 받기로 했는지 모르겠지만, 무조건 난 그 두 배를 줄게요. 그러니까 그 가짜 여자 친구 역할, 그만두세요.'

수연이 제게 했던 말들을 떠올린 도희가 헛숨을 터뜨렸다. 그때 도희는 그런 수연이 가소로워서 300억을 줄 게 아니면 상대하지 않겠다고 말했었다.

'설마 진짜 300억을 준비한 건 아닐 테고…….'

또 무슨 꿍꿍이인지 알 길이 없었다.

[네. 기억합니다. 무슨 일이시죠?]

어쨌든 무시할 수는 없었으니 대충 답장을 써서 보냈다.

[이따 저녁에 잠깐 카페에서 만나서 얘기 좀 하죠. 할 말이 있는데.]

……뭐래, 이 정신 나간 아줌마가?

[전 할 말 없는데요.]

[그래요?]

이어서 문자메시지가 연달아 도착했다.

[그럼 백도희 씨가 거짓말한 거, 우리 남편한테 다 말해도 돼요?]

무슨 거짓말을…….

[부모님 두 분 다 일찍이 돌아가셨다고 했죠? 근데 내가 알아보니까 죽은 게 아니라 그냥 딸을 버린 거던데.]

흠칫한 도희의 동공이 미세하게 흔들렸다.

[음민보육원에서 자라고 재단에서 후원받아 공부했다면서요?]

하, 어처구니가 없어 입술 사이로 헛숨이 터졌다. 하다 하다 이젠 뒷조사까지 해서 도희의 약점을 캐낸 것이었다.

[어린 게 어른 상대로 엉큼하게 거짓말을 하면 쓰나.]

이 정신 나간 여자를, 진짜…….

[어때요. 이제 내 얼굴 볼 마음이 좀 생겼나?]

도희의 이가 빠득 갈렸다. 준원의 아버지에게는 부모님이 일찍 돌아가시고 조부모님네 집에서 자랐다고 포장했었는데, 그게 이렇듯 발목을 잡게 될 줄은 몰랐다. 만약 그 말이 거짓말이란 것을 윤건이 알게 되면 그가 어떻게 반응할지는 미지수였다. 만약 신뢰와 가정환경을 무엇보다 중시하는 성격이라면 결혼에 따른 상속 유언장을 써주겠다는 약속을 철회할지도 몰랐다.

"……."

이걸 어떻게 한다…….

잠시 고민하던 도희는 신중하게 답신을 보냈다.

해가 저물고 퇴근한 도희는 수연이 문자로 통보했던 카페로 향했다. 문을 열고 들어가자마자 길쭉한 다리를 꼬고 비스듬히 도희를 보고 있는 수연과 눈이 마주쳤다. 거만한 자세부터가 꼴 보기 싫어 도희는 저도 모르게 얼굴을 험악하게 구겼다.

"표정을 보니까 오늘은 좀 말이 통할 것 같네요."

그런데 그 표정을 수연은 다르게 해석한 듯 보였다. 도희는 어이가 없었지만 차분함을 잃지 않고 또각또각 걸어가 그녀의 건너편에 앉았다.

"긴말 안 할게요. 어차피 내가 요구하는 건 도희 씨가 가장 잘 알 테니까."

수연은 느슨하게 팔짱을 끼며 도희를 비웃었다.

"어쩐지 저번에 도희 씨 말하는 본새가 가정교육 똑바로 못 받은 것 같더니. 조부모 아래에서 자랐다고 거짓말한 걸 보면, 부모한테 버려진 게 부끄러웠나 봐요?"

"……."

"심지어 보육원에서 지내면서 후원받았던 재단이 차유나 그 기집애네 아버지 재단이던데."

대체 어디까지 뒷조사를 한 거지? 밀려오는 불쾌함에 도희의 한

쪽 눈썹이 세차게 올라갔다.

"차유나가 서준원 전 약혼녀였던 건 알죠?"

도희가 말없이 가만히 있자 수연은 의기양양해져서는 풉, 웃음을 터뜨렸다.

"도희 씨는 자존심도 없나 봐. 아니면 일부러 노렸나?"

속을 긁어 상처를 주는 말만 골라서 하는 수연의 앞에서 도희는 그저 무표정으로 침묵만 유지할 뿐이었다.

"어쨌든 우리 남편이 이 사실을 알게 되면 어떻게 될까요?"

"⋯⋯."

"거짓말했다고 괘씸해하지 않을까? 어디 근본도 없는 애가 거짓말로 속이고 서씨 집안에 들어오려고 했다고 화내지 않을까 싶은데."

수연이 길쭉한 검지를 치켜세웠다.

"내가 하나 제안하죠. 3000만 원 먹고 깔끔하게 서준원한테서 떨어질래요, 아니면 더러운 개싸움의 끝장을 봐 볼까?"

수연이 붉은 입술을 길게 늘어뜨리며 웃었다.

"난 백도희 씨가 현명한 사람이라고 믿어요."

사람을 있는 대로 무시해 놓고 현명한 사람이니 판단을 잘하라는 말이 도희는 그저 우습게 느껴졌다. 어찌나 물욕이 넘치는지 뒷조사까지 하는 정성에 박수를 드리고 싶은 심정이었다. 저렇게까지 아등바등 전희선 화백의 그림 31점에 집착하는 이유를 도무지 알 수가 없었다.

잠시 생각에 빠진 듯 도희는 기다란 손가락으로 테이블을 톡, 톡, 두드렸다. 이내 깔끔하게 결론을 내린 그녀의 입술이 살며시 벌어졌다.

"아줌마."

비웃음을 섞자 수연의 얼굴이 경악으로 물들었다.

"아, 아줌마……?"

"말 다 끝났으면 이제 내 차례죠?"

"……미쳤니, 지금?"

"아쉽게도 아직 미치진 않았고."

도희는 이 위기를 기회로 바꾸기로 했다. 이번 만남으로 완벽하게 이수연을 정리하고 상속 문제를 깔끔하게 해결하기로 했다.

"약점을 아줌마만 쥐고 있다고 생각하면 큰 오산이지."

뭐라는 거야, 이 기집애가……?!

수연은 황당한 얼굴로 도희를 바라보았다. 가늘게 눈을 뜬 도희는 핸드백에서 휴대전화를 꺼냈다. 느긋한 동작으로 준원에게 미리 전송받은 녹음 파일을 꾸욱, 재생했다.

-서준원에게 얼마 받기로 했어요?

-무슨 말씀이신지 잘 모르겠는데요.

-뭘 모르는 척해요, 선수들끼리.

단말기에서 녹음된 음성이 흘러나오자 수연의 낯빛이 하얗게 질렸다.

-저기요, 사모님…….

-하하, 대체 얼마를 받기로 했길래 이렇게 버틸까…….

새빨간 립스틱을 바른 입술이 바들바들 경련했다.

-얼마를 받기로 했는지 모르겠지만, 무조건 난 그 두 배를 줄게요.

수연의 동공이 거칠게 흔들렸다.

-그러니까 그 가짜 여자 친구 역할, 그만두세요.

이 녹음은 수연이 일전에 도희를 돈으로 회유할 때 했던 대화의 내용이었다. 설마 녹음을 했을 줄은 상상도 하지 못했던 수연의 숨이 가쁘게 거칠어졌다. 머릿속이 하얗게 물들어 버린 수연은 아무런 말도 하지 못하고 입만 벙긋거렸다. 저 녹음이 윤건의 귀에 들어가면, 수연은 윤건의 재산을 상속받긴커녕 이혼 서류에 도장부터 찍어야 할 터였다. 14년의 지옥 같은 결혼 생활을 어떻게 아득바득 버텼는데, 이렇게 허무하게 쫓겨날 수는 없었다.

"아줌마."

"……"

"나는 아줌마랑 달라서 남의 밥그릇 뺏는 데 취미가 없어요."

도희는 완전히 넋이 나간 수연의 얼굴을 가소롭다는 듯이 보았다.

"그러니까 내가 이걸 들고 아버님께 달려가서 일러바치고, 아줌마를 집에서 내쫓을 생각은 없다는 거예요."

"……"

"굳이 귀찮게 그런 짓을 왜 해요?"

씩 웃던 도희의 입꼬리가 일순 싸늘해졌다.

"그런데…… 만약에 누가 내 밥그릇 뺏으려고 한다면?"

"……"

"그때부턴 나도 어쩔 수가 없거든."

다시 부드럽게 풀어진 얼굴로 도희가 미소 지었다.

"내가 성격이 되게 더러워요. 절대 나 혼자는 못 죽는 타입이라."

완전히 경악으로 물들어 형편없이 일그러진 수연의 얼굴은 마치 귀신을 본 듯한 표정이었다.

"미…… 미친년……."

"피차 미친년끼리 덕담은 생략합시다."

"너 지금 나랑 해 보자는 거야?! 나 네 시어머니 될 여자란 거 잊었니?! 어린애가 왜 이리 맹랑해!"

"준원 씨 어머님은 전희선 화백이시지, 이수연 씨가 아닌데요?"

"······이······ 이런 싸가지 없는······."

혈압이 머리끝까지 오른 수연이 혼비백산했다. 두껍게 분칠한 얼굴이 시뻘겋게 달아올랐다.

"서준원 그 자식은 어디 여자가 없어서 저런 미친년을 데리고 와······?!"

뒷목을 잡고 노발대발하며 큰 소리로 바락바락 소리를 질렀다. 목에 핏대를 세우며 난리를 치는 수연과 달리 도희는 여유롭게 웃었다.

"글쎄요. 나는 얼굴도 예쁘고 똑똑하기까지 한데, 대가리는 좀 미쳐도 되는 거 아니에요?"

"이, 이, 이······!"

수연의 얼굴은 노기가 등등하여 붉으락푸르락 달아올랐다.

"네 이런 태도. 이거 우리 남편한테 다 말해도 괜찮겠니?!"

"맘대로 하세요."

어깨를 으쓱한 도희는 녹음이 저장된 핸드폰을 들고 좌우로 살랑살랑 흔들었다.

"대신 이거, 아줌마 목숨줄 내가 잡고 있는 거 잊지 말고."

"······!"

"난 잃을 게 별로 없는데 아줌마는 잃을 게 많죠?"

"······이 괘씸한······!"

잔뜩 격양된 수연은 말을 채 이을 수 없었다. 스스로 패배를 직감한 수연의 입술이 퍼석하게 말랐다.

"누가 더 손해일까요?"

정답은 뻔했다. 결국 수연은 부들부들 떨리는 고개를 하릴없이 떨 굴 수밖에 없었다. 이수연의 완벽한 패배였다.

도희는 넋이 나가 꼼짝하지 않고 가만히 있는 수연을 그대로 내버 려 두고 카페를 나섰다. 근처에서 기다리고 있는 준원의 차로 다가 가 조수석 문을 열었다.

"왔어요?"

"네. 깔끔하게 클리어."

도희는 만족스럽게 웃으며 조수석에 올라탔다. 생각보다 일이 잘 풀려서 기분이 퍽 좋은 참이었다.

"이제 더 이상 저 여자가 할 수 있는 일은 없을 거예요."

"역시 도희 씨, 상당히 무섭네요."

"뭐래. 몰래 녹음한 서준원 씨가 훨씬 음침하거든요?"

아까 이수연에게 협박 문자를 받은 후, 도희는 곧바로 준원에게 그 사실을 알렸었다.

"예전에 저 여자하고 나하고 대화하는 거, 뒤에서 몰래 녹음했을 줄 누가 알았겠어요?"

그러자 준원이 대응할 수 있는 무기로 전해 준 것은 미리 녹음을 해 두었던 수연의 음성 파일이었다. 도희는 새삼 여러 수를 앞서 보 았던 그의 치밀함에 혀를 내둘렀다.

"어쨌든 고마워요. 덕분에 일이 쉽게 풀렸네요."

"별로 한 게 없는걸요. 도희 씨가 해결한 거죠."

준원은 기어를 바꾸며 픽 웃었다. 개운해진 도희의 마음만큼 아스팔트 위를 구르는 바퀴는 시원스레 나아갔다.

"이렇게 구워삶기 쉬운 여자를, 차유나 걔는 왜 그렇게 쩔쩔맸대요? 걔도 참 웃기는……."

말을 잇던 도희가 순간 멈칫했다.

"아, 걔 얘긴 하지 말아야지. 괜히 또 기분 나빠질라."

이제는 차유나의 '차'만 들어도 자다가도 벌떡 일어나 치가 떨릴 정도였다. 생각만 해도 화가 치밀어 오르니 웬만하면 그녀를 언급하지 않기로 했다. 끼이익, 이윽고 차가 부드럽게 빨간 불 앞에 멈춰 서고 준원의 고개가 사선으로 내려왔다.

"도희 씨, 주말에 따로 일정 있어요?"

"주말이요? 딱히 아무것도 없는데…… 왜요?"

비스듬히 내려앉은 까만 눈동자가 도희를 쓰다듬는 듯했다.

"데이트 신청하려고."

도희의 입이 작게 벌어졌다.

"주말인데, 하루쯤 나한테 빌려줄 수 있겠죠?"

부드럽게 웃는 미소 끝에 걸린 보조개가 눈이 시리게 멋있었다. 도희는 자신의 가슴에 일렁이는 간지러움이 낯설었다. 조금 빠르게 뛰기 시작한 맥을 느꼈다.

"드라이브할 겸 차 끌고 좀 멀리 나가보면 어때요?"

"멀리요? 어디로?"

"글쎄요……."

준원이 핸들을 포근하게 쥐며 웃었다.

"일단 기대하세요."

서프라이즈니까.

……연애 수칙 3조, 의무적인 데이트를 생략한다는 조항은 어느 덧 붕괴한 지 오래였다. 함께 보내는 시간이 더 이상 의무가 아니게 된 순간, 단순한 끌림에서 더 깊은 관계로 발전하게 된 순간, 두 사람의 진짜 연애는 이제부터 시작이었다.

따스한 햇볕이 내리쬐는 주말, 시원스레 고속도로를 내달리는 차 안의 공기는 평소보다 조금 더 들떠 있었다. 목적지를 알지 못하는 도희는 이정표를 보며 여러 추측을 펼쳤고, 핸들을 쥔 준원은 아리 송하게 답하며 여유롭게 웃었다.

"대체 어디로 데려가려는 거예요? 가는 방향이 영 수상한데……."

가는 곳도 알려 주지 않는 묻지 마 데이트에 궁금증만 계속해서 증폭될 뿐이었다.

"설마 나 지금 납치당하는 중인 거 아니죠?"

"그렇다고 하면 탈출하게요?"

"아니요. 싸우면 당연히 내가 이길 텐데 도망을 왜 가요."

주먹을 치켜든 도희가 장난스레 웃었다. 그 모습을 귀엽게 보던 준원이 픽 웃으며 핸들을 감싸듯이 쥐었다.

"납치 아니고 모셔 가는 중."

"그래서 이렇게 살살 밟나? 더 세게 밟아 봐요, 꽉꽉."

도희가 재촉하며 손짓했다.

"아, 고속도로 탈 줄 알았으면 내가 운전하는 건데."

"왜요?"

"난 이렇게 안전 운전하기보단 속도감을 즐기는 스타일이거든요. 고속도로에서 운전대 잡으면 내가 또 날아다니는데."

"역시 여러모로 위험한 사람이네요, 도희 씨."

"음. 칭찬이라고 생각할게요. 한 번 사는 인생 긴장감 있게 살면 좋잖아요?"

장난스레 중얼거리자 준원이 설핏 웃음을 터뜨렸다. 오늘따라 평소보다 훨씬 들뜨는 기분에 도희도 생글생글했다. 지이이잉. 그 순간 가방 안에 넣어 두었던 도희의 휴대전화가 진동했다. 느슨하게 꺼내 들어 확인하니 누리로부터 온 문자였다.

[야, 오늘 날씨 진짜 춥다.]

날아 들어온 일상적인 문자에 짧게 답장을 보냈다.

[이제 12월이니까. 이따 밤에 눈도 내릴걸?]

[맞아. 눈 온다더라. 근데 나 오늘 반바지 입었다? 미쳤지?]

[뭐? 미친 거 아니냐?]

이 날씨에 반바지라니, 정신 상태가 심히 의심되는 순간이었다. 걱정을 품은 도희가 얼른 이어서 문자를 보내기 위해 엄지를 바쁘게 움직였다.

[너 바지 속에 기모 스타킹이나 레깅스는 입었어?]

"도희 씨, 어디 가고 싶은 곳 있어요?"

"너 바지 속……."

"네?"

"예?"

“…….”

“…….”

미친. 문자를 보내다가 말을 거는 바람에 황당한 말실수를 하고 말았다. 화들짝 놀란 도희의 얼굴이 화악 붉게 상기되었다. 당황해서 두피까지 시뻘게진 얼굴을 다급히 좌우로 내저었다.

“아, 아니요. 그게 아니고…….”

“아침부터 너무 밝힌다.”

준원의 눈이 부드럽게 반달처럼 휘었다.

“고속도로에서 그런 말 하면 사고 나요.”

“아, 누리한테 문자 보내다가 섞여서 실수한 거예요, 실수!”

“내 바지 속은 이따 밤에…….”

“시끄러워요! 앞이나 봐요.”

하여간 건수만 잡으면 놀리기 바쁜 남자였다. 열 오른 뺨에 부채질하며, 도희가 창가로 고개를 홱 돌리자 그의 나직한 웃음소리가 귓가를 적셨다. 두근, 두근, 설레는 가슴을 느끼며 도희가 두 주먹을 꼭 쥐었다.

“와, 바다 예쁘다…….”

데이트의 목적지는 다름 아닌 바다였다. 도희는 눈 앞에 펼쳐진 푸르른 겨울 바다를 바라보며 활짝 함박웃음 지었다.

“진짜 오랜만에 와 봐요, 바다. 이게 몇 년 만이야.”

도희는 대학교 졸업과 동시에 취직하여 서른이 된 지금까지 조금도 쉬지 않고 꼬박 일해 왔었다. 주말이면 집 안에 틀어박혀 온종일 잠만 자거나, 술만 궤짝으로 내리 들이켤 뿐이었다.

"일만 하느라 제대로 놀지도 못했는데, 좋네요. 바다를 보니까 가슴 뻥 뚫리는 기분이에요."

굽이치는 파도 앞에 서서 도희가 크게 숨을 들이마시었다가 내쉬었다. 낮게 웃음을 흘린 준원이 가까이 다가와 두르고 있던 머플러를 풀어 도희의 목에 감아 주었다. 목을 따스하게 감싸는 섬유의 감촉과 함께 맥박이 빨라졌다.

"좋아할 줄 알았어요. 같이 꼭 바다를 보러 오고 싶었거든요."

그의 머플러에서 흘러나오는 은은한 머스크 향이 코끝에서 어른거리자 도희의 가슴이 두근거렸다.

"……준원 씨."

비스듬히 고개를 틀어 준원을 올려다보았다. 지그시 시선을 마주하던 도희는 그대로 양손을 뻗어 준원을 퍽 바다로 밀어 버렸다. 갑작스럽게 밀려난 준원은 때마침 밀려온 파도에 발을 흠뻑 적시고 말았다. 그 모습에 도희가 해맑게 웃음을 터뜨리며 장난쳤다.

"시원하죠? 좋죠? 한 번 더 뛰어들고 싶죠?"

말없이 가만히 제 젖은 발과 도희를 번갈아 보던 준원이 도희에게로 한 발짝 성큼 걸어왔다. 움찔한 도희가 한 발짝 뒷걸음질 치자 준원은 성큼성큼 걸어왔다. 당황한 도희가 황급히 뒤를 돌아 도주하려고 했지만, 곧바로 붙잡혀 단단한 팔에 번쩍 들려 버렸다.

"아, 잠깐만. 오케이. 우리 말로 해결합시다, 말로."

"그래요, 몸으로."

"아니, 말로!"

"몸으로 해결합시다."

"으악, 잠깐만! 꺅!"

그대로 들어다가 파도 한복판 위에 놓으려 하자 도희가 필사적으로 준원을 붙잡았다. 발을 적시지 않기 위해 버티던 도희가 전략을 바꾸고 준원의 목덜미를 끌어안고 늘어졌다. 꽉 안고 놔주질 않는 도희에 준원이 픽 웃음을 흘렸다,

"갑자기 물귀신 작전?"

"혼자 죽을 수는 없죠."

"그래요, 그럼."

"네? 으악⋯⋯!"

또다시 번쩍 들려진 도희는 놀라 준원의 굵직한 목을 꽉 끌어안았다. 이미 당당하게 바다에 들어간 준원이 도희를 바닷물에 내려놓자마자 신발 틈새로 차가운 기운이 밀려들어 왔다. 화들짝 놀란 도희가 준원을 붙잡고 늘어지다가 다시 준원을 바닷물로 퍽 밀어 버렸다. 옥신각신 몸싸움 아닌 몸싸움이 벌어지고, 다소 격렬한 장난 끝에 도희의 숨이 목 아래까지 차올랐다.

"하아, 하, 휴전. 휴전."

헉, 헉, 거친 숨을 내쉬며 도희가 두 무릎을 짚으며 다급히 속삭였다.

"아, 숨차다."

"운동 좀 해야겠네, 도희 씨."

"그쪽 체력이 좋은 거거든요? 이 나이 먹고 바다에서 이러고 놀 줄 누가 알았겠어."

도희가 픽 하고 웃음을 터뜨렸다. 그에 맞춰 준원도 웃음을 흘리자 한적한 겨울 바다에 남녀의 웃음소리가 만연했다.

"좀 걸을까요?"

준원이 동그란 어깨에 부드럽게 팔을 두르며 묻자 도희가 고개를 끄덕였다. 천천히 발을 맞추어 해변을 걷는 걸음걸이가 느긋했다.

"그거 알아요? 나 남자하고 바다에 온 거 처음이에요."

"강이언 씨하고 안 왔었어요?"

"걘 남자 아니라니까요?"

어김없이 또 소환된 이름에 도희가 한쪽 눈썹을 찡그렸다.

"어쨌든 같이 오긴 왔다는 거네요."

"헐, 언제는 세상 쿨한 남자더니, 왜 이렇게 쪼잔해졌어요?"

"그래서 별로예요?"

"……아니요."

도희의 입술이 길게 늘어졌다.

"훨씬 좋아요."

솔직한 마음이었다. 항상 건조한 그가 이렇듯 자신에게만 특별한 모습을 보여 줄 때마다 가슴이 견딜 수 없을 만큼 떨려 왔다.

"그런데 나도 처음이에요. 여자하고 바다에 온 거."

"음, 못 믿겠어. 여자 많이 만났으면서."

"내가요?"

"네. 아니에요?"

"아닙니다. 오해가 심각하네요."

타인을 좋아하지 못하는데 제대로 된 연애를 했을 리 없었다. 준원은 지금껏 삶에서 스쳐 지나간 여자들의 얼굴은 물론 이름도 잘 기억하지 못했다.

"무엇보다도…… 마음이 끌린 건 도희 씨가 처음이에요."

한 사람만을 고집해 본 것도 도희가 처음이었다. 부드럽게 속삭인 준원이 도희의 손을 감싸며 움켜쥐었다.

"그리고 아마 마지막이 되겠죠."

하얀 손을 잡아 끌어당긴 그의 입꼬리가 느슨하게 올라갔다. 멋있게 자리 잡은 보조개에 시선이 팔린 도희가 입술을 꼼지락거렸다. 손으로 뜨겁게 와닿는 열기에 피의 흐름이 빨라진 듯한 착각이 일었다. 두근, 두근. 함께 손잡고 해변을 걷는 이 순간이 말로 형용할 수 없을 만큼 설레었다. 자꾸만 오묘해지는 마음을 들킬까 봐 도희는 서둘러 입을 열었다.

"우리 서로 번갈아 가면서 하나씩 질문하기로 해요."

"좋아요. 도희 씨부터."

준원이 고개를 끄덕이며 답했다.

"음…… 생일 언제예요?"

"10월 14일이요."

"네? 이미 한참 전에 지났잖아요. 왜 말 안 했어요?"

"안 물어봤잖아요?"

……이 한결같이 건조한 남자.

저도 모르게 뚱한 얼굴이 된 도희가 불만스럽게 준원을 노려보았다. 픽 웃음을 흘린 준원이 커다란 손을 뻗어 보드라운 뺨을 건드렸다.

"생일 뭐, 매년 찾아오는 건데 의미 있나요?"

"그래도 일 년에 한 번뿐인 날이잖아요."

"내년에도 오는데, 내년에 기념하면 되죠."

"의미가 다르잖아요. 내년이면 서른네 살 생일인데, 서른세 살 생일하고 같아요? 한 살 더 먹으면 주름살도 하나 더 느는 건데……."

"나 주름 있어요?"

그 말에 도희가 문득 고개 들어 바라보자 쓸데없이 과하게 잘생긴 남자가 시야에 들어왔다. 서른셋 나이가 무색하도록 주름은커녕 티끌 하나 없이 팽팽한 게 객관적으로 봐도 20대 후반 정도로밖에 보이지 않았다.

"내가 작년까지만 해도 편하게 입고 담배 사면 주민등록증 달라고 하고 그랬어요."

"허언증 환자인 줄 미처 몰랐네요. 양심이 있어야지, 33살이……."

징그럽다, 징그러워. 도희가 몸서리치자 준원이 나지막이 웃었다.

"그럼 이제 나도 물어볼게요. 도희 씨 혈액형이 어떻게 돼요?"

"저 A형이요."

"오, 의외네요."

"왜요, 설마 A형은 소심하니 뭐니, 뭐 그런 거?"

"유사 과학 신봉자는 아니긴 한데. 뭔가 이미지가 달라서."

"아니, 내 이미지가 어떻길래……."

도희가 황당해하며 물었지만 준원은 의미심장한 미소로 답할 뿐이었다.

"그러는 준원 씨는 혈액형이 어떻게 되는데요?"

눈을 흘긴 도희가 반문했다.

"저는……."

"아, 말하지 말아 봐요. 내가 맞혀 볼게."

멈칫 두 손을 펼쳐 든 도희가 골똘히 생각한 후 자신 있게 답을 제시했다.

"AB형, 맞죠?"

"네. 어떻게 알았어요?"

"사실 내가 혈액형 신봉자라서요. 얼굴에 쓰여 있어요. 나는 AB형이요, 하고."

"유사 과학 만세네요."

준원은 잡고 있는 도희의 손을 가볍게 흔들며 웃었다. 문득 그의 손이 제 손보다 훨씬 차갑다는 것을 깨달은 도희가 아래를 내려다보았다.

"준원 씨 손 왜 이렇게 차가워요? 추워요?"

"아니요, 별로 춥진 않아요. 원래 손발이 좀 찬 편이라."

흘끔 준원을 돌아본 도희는 곧바로 그의 손이 차가운 이유를 알 수 있었다. 코트에 주머니가 있는 도희는 손을 내내 넣고 있었기에 따뜻했지만, 준원의 코트에는 주머니가 없었다.

"알겠다. 그럼 우리 집으로 들어와요."

픽 웃은 도희는 준원의 손을 확 끌어당겨 제 주머니에 넣었다. 커다란 손은 작은 손에 감겨 도희의 주머니에 포근하게 안착했다. 동시에 움찔한 준원의 눈동자가 흐트러졌다. 그는 잠시 넋을 놓은 듯 도희를 가만히 바라보았다.

"어때요. 입주한 소감이?"

"……도희 씨 키가 작아서 불편해요."

……이 자식이. 도희가 빼려고 하자 준원은 그녀의 작은 손을 꼭 쥐며 제집처럼 주머니에 눌러앉았다.

"이봐요. 방 빼요."

"내가 빌릴게요. 보증금 얼마예요?"

"50억 원."

"너무 비싸다."

"여기 입주하기가 얼마나 어려운데 그런 소리를 해요? 태어나서 처음으로 내 코트 주머니에 남의 손 입주시켜 본 건데."

"가문의 영광입니다."

"……어우, 말하는 거 진짜 얄미워."

도희는 결국 못 이기고 웃음을 터뜨렸다. 마주 잡은 손으로부터 느껴지는 간질간질한 열기가 번져 심장을 뜨겁게 달구었다. 도희는 두근거리는 심장 소리가 준원에게 들리지 않기를 바라며 새침하게 고개를 돌렸다.

아름답게 열렁열렁하는 겨울 바다를 따라 준원과 도희는 천천히 거닐었다. 철썩거리는 파도 소리와 쿵쿵, 심장 박동이 어우러져 배경음처럼 깔렸다. 차가운 바람에 몸을 맡긴 두 남녀는 설레는 기분으로 그렇게 한참을 걸었다.

밖에서 저녁을 먹고 호텔에 체크인한 도희와 준원은 룸서비스를 시켰다. 풍미가 깊은 화이트 와인에 치즈를 곁들여 함께 잔을 기울였다. 투명한 와인 잔이 부딪히는 소리가 맑게 울리고 준원과 도희는 씁쓸한 와인에 입술을 적셨다. 창밖을 향하여 놓인 소파에 나란히 앉아 야경을 안주 삼아 알코올에 젖어 들었다.

"도희 씨."

준원은 포크로 치즈를 찍어 도희의 입술 앞에 들이댔다.

"아, 해요."

"거참, 나 이런 오글거리는 거 싫다니까, 왜 자꾸……."

웃으며 내려다보는 시선에 못 이겨 입을 벌렸다. 입술 사이로 쏙 들어온 치즈를 어색하게 받아먹은 도희가 입을 오물거렸다.

"역시 먹을 때가 제일 귀엽다니까."

턱을 작게 움직이는 도희의 볼이 씰룩거리는 걸 준원이 귀엽게 보며 웃었다.

"아, 정말 그놈의 귀엽다는 말 좀……!"

난생 들어 본 적도 없는 말을 이 남자에게서만 몇 번을 듣는 건지.

"그거 금지예요, 오늘부터."

"금지요?"

잠시 생각하던 준원이 입술을 벌렸다.

"그럼 예……."

"쁘다는 말도 금지."

준원이 나지막이 실소하며 도희의 귓가에 대고 후, 바람을 불어넣으며 속삭였다.

"왜요. 싫어요?"

으으, 온몸에 야릇한 기운이 솟은 도희가 빨개진 얼굴로 소리쳤다.

"그냥 말 금지. 말하지 마요."

말 잘 듣는 학생처럼 입술을 다문 준원은 도희의 뺨에 가볍게 입을 맞추었다. 쪽, 쪽, 쪽, 계속해서 볼에 입을 맞추자 결국 도희의 뺨은 곧 터질 것처럼 달아올랐다.

"아, 그만 그만! 그냥 입 쓰는 거 다 금지!"

강경책을 펼치자 준원의 한쪽 눈썹이 불만스럽게 올라갔다. 이내 생각하는 듯하더니 커다란 손이 이상한 곳으로 향하기 시작했다.

"손도 금지예요. 이 나쁜 손."

탁, 물리치자 준원이 결국 반박을 늘어놓았다.

"다 금지는 너무했다. 그럼 어떻게……."

아, 이내 깨달은 듯 준원의 입술이 장난스럽게 길어졌다.

"알아들었어요. 도희 씨 보기보다 밝히는 구석이……."

"아니, 뭔 소리예요!"

19금 상상이 펼쳐지고 도희가 준원의 입을 턱 막았다.

"어휴, 맘대로 해요, 맘대로."

"안 그래도 그럴 생각이었습니다."

도희는 쿵쾅거리는 가슴의 평정을 찾기 위해 더듬더듬 치즈를 하나 집어 들어 껍질을 깠다. 뽀얀 치즈를 입 안에 넣으려는 순간, 준원이 그대로 도희의 손을 잡아 제 쪽으로 돌려 치즈를 베어 물었다.

"앗……."

도희의 동공이 흔들렸다. 섹시하게 벌어진 준원의 입술이 치즈와 함께 도희의 손가락을 감쌌다. 곧 뜨겁고 몰캉한 감촉이 손가락 끝으로 느껴지자 도희의 얼굴이 붉어졌다.

"더럽게 손가락을 왜 핥아요……."

"내가 더러워요?"

"아니, 내 손이 더럽다고요."

"그거라면 괜찮아요."

"내가 안 괜찮거든요?"

창피해진 도희가 괜히 열을 내며 고개를 돌렸다.

"화났어요?"

"화 안 났어요."

"난 것 같은데?"

"……삼행시 해서 재미있으면 용서해 줄게요."

"갑자기 삼행시?"

"인생은 실전이죠. 다 예고 없이 갑작스럽게 살아가는 거라고요."

준원이 낮게 웃었다.

"그래요. 뭐로 할까요?"

"음…… 내 이름으로?"

"좋아요. 운 띄워 봐요."

"백."

"백도희는."

"도."

"도도한데 가끔……."

"……희?"

"희희 웃는다."

"……."

"……."

순식간에 싸해진 분위기와 함께 도희가 정색했다.

"……역시 별로인가?"

"네. 진짜 별로예요. 꿈에 나올까 봐 두려울 정도로 끔찍했어요."

"그건 너무했다."

"으. 서준원 씨는 진짜 개그에 소질 없어. 차라리 내가 낫겠다, 내가."

'희희 웃는다'가 뭐야, '희희 웃는다'가?

도희는 하도 어이가 없어 결국 실소를 터뜨리고 말았다. 픽 실없이 웃음을 흘리더니 결국 소리 내서 크게 웃어 버렸다. 한참을 웃다가 지친 도희가 느슨하게 준원의 어깨에 얼굴을 기대었다. 그런 도희의 어깨를 감싸 끌어안은 준원이 부드럽게 입꼬리를 들어 올렸다.

"지금까지 살면서 즐거움이 뭔지, 기쁨이 뭔지 전혀 모르고 지냈는데……."

느슨하게 벌어진 준원의 입술이 길어졌다.

"이제 좀 알 것 같아요. 도희 씨와 함께 있으면, 의식하지 않아도 어느 순간 웃고 있더라고요. 지금처럼."

까만 눈동자가 도희를 뚫어져라 응시했다.

"고마워요. 진심으로 웃게 해 줘서."

"……그렇게 말해 주니 좋네요."

도희는 가슴이 촉촉하게 젖어 드는 기분을 느꼈다. 저를 내려다보는 준원의 검은 눈동자에서 델 듯이 무더운 열기가 느껴지는 듯했다. 언제부터였을까, 그의 눈빛에서 온기가 느껴지기 시작한 게.

"준원 씨 처음 봤을 땐 정말 로봇인 줄 알았는데…… 그때 생각하면 많이 달라진 것 같아요. 따뜻해졌어요, 꽤."

작년 첫 만남 때를 회상한 도희는 감회가 새로웠다. 그때만 해도 준원은 정말 타인에게 조금의 관심도 없는 차가운 기계처럼 보였다.

"뭐, 여전히 건조한 남자긴 하지만, 그래도……."

좋아……. 너무 좋아. 이렇게까지 좋아해도 되나 싶을 정도로 사랑해. 너무 사랑해서 이 마음이 버거울 정도야.

"그래도?"

"……비밀."

도희는 흘러넘칠 듯한 마음을 꼭꼭 눌러 담으며 속으로만 고백했다. 와인 잔을 든 도희가 건배하자는 제스처를 취하자 두 잔이 부드럽게 부딪쳤다가 떨어졌다. 촉촉하게 와인으로 입가를 적신 준원이 부드럽게 잔을 내려놓으며 웃었다.

"감정에 아주 서툰 내가 도희 씨를 만나서…… 많은 것들을 공유하고, 또 배워 가고 있어요."

"……"

"내가 겪고 있는 문제가 도희 씨에게 또 상처를 줄까 봐 항상 미안하지만 말입니다."

현저히 떨어지는 공감 능력, 보통에서 조금 엇나간 사고방식과 개인주의적 성향, 희로애락의 부재와 결핍……. 준원이 20년간 겪어 왔던 지독한 콤플렉스는 도희로 인해 조금씩 치유되고 있었다.

"언젠간 상처가 아물 날이 올 거예요. 함께 생각하고, 앞으로 나아가니까…… 틀림없이 미래에는 조금 더 나은 사람이 될 수 있을 거예요."

도희는 준원의 귀에 대고 작게 속삭였다.

"준원 씨도 나도, 둘이서 같이 극복해 나가면 되니까."

소곤소곤 속살거리고 떨어진 도희가 수줍게 웃었다. 환하게 웃는 뽀얀 얼굴을 보는 준원의 동공이 고요히 흔들렸다. 웃음기가 사라진 준원은 무표정으로 도희를 뚫어져라 응시했다. 진득하게 시선이 달라붙자 살짝 긴장한 도희가 마른 입술을 혀로 축였다. 하도 집요하게 바라보자 숨이 턱 막혀 오는 듯한 착각이 들었다.

"뭘 그렇게 빤히 봐요, 또……."

준원은 대답이 없었다. 그저 가만히 도희를 응시할 뿐이었다. 계속되는 시선에 긴상이 몰려온 도희는 어수선하게 시선을 돌렸다. 가늘게 떨리는 손으로 잔을 들었다. 투명한 와인을 한 모금 입에 머금은 찰나였다. 도희의 머리카락 틈새를 파고든 길쭉한 손가락이 그대로 뒷머리를 감싸 확 끌어당겼다.

"……!"

작게 벌어진 입술이 도희의 입술을 삼키며 부드럽게 포개져 왔다. 놀란 도희가 움찔 몸을 떨며 준원의 어깨를 더듬거렸다. 채 삼키지 못한 와인이 겹쳐진 입술 틈새로 쏟아져 목덜미와 가슴으로 흘러내렸다.

축축하게 젖어 든 옷 위를 준원은 커다란 손으로 쓰다듬으며 키스를 퍼부었다. 평소처럼 부드러운 입맞춤이 아닌, 강렬하고 격정적인 키스였다. 서준원답지 않게 조급함이 느껴지는 입술이 도희의 입술을 흐드러지게 빨아들였다.

"……."

꿀꺽, 와인과 타액이 뒤섞여 도희의 식도를 타고 흘렀다. 끈적끈적하게 뒤엉키는 감각에 아슬아슬하게 붙어 있던 이성의 끈이 휘청거렸다.

"잠깐, 옷이……."

"쉿."

거친 호흡이 아무렇게나 터져 흘렀다. 동시에 허리를 파고드는 커다란 손의 감촉에 도희가 움찔거리며 눈을 감았다. 감당하기 버거운 준원의 무게가 지그시 압박해 오자 비스듬히 상체가 뒤로 넘어갔다. 입을 벌린 준원이 촉촉이 젖은 섬유를 한입에 집어삼켰다. 어디선가 이성이 어긋나는 소리가 들려왔다.

"맛있네요……."

도희의 가슴에 무언가가 쿵, 내려앉았다.

"와인이."

심장이 엄청난 속도로 펌프질하며 피의 흐름이 빨라진 듯한 착각이 들었다. 섹시하게 내려다보는 저 새까만 눈동자에 온몸이 떨려 오며 반응했다. 도희가 불안정한 숨을 터뜨렸다. 서준원이란 남자의 눈빛, 입술, 손길, 모든 것들에 신경과 세포 하나하나가 전율하는 듯했다.

쪽, 쪽, 쪽……. 노골적으로 들려오는 키스 소리와 함께 도희는 정신이 나가 버릴 것만 같았다. 두 팔을 벌려 준원의 목을 꽉 끌어안자 그가 날씬한 몸을 번쩍 안아 올렸다. 푹신한 매트리스가 등 뒤로 눌리고 도희는 거친 호흡과 함께 떨리는 눈꺼풀을 닫았다.

한참을 집요하게 몰아붙이던 준원이 깊게 호흡하며 도희의 뺨을 쓰다듬었다. 사랑스럽다는 듯 보듬으며 안는 준원에 도희의 가슴이 쿵쿵 뛰었다. 숨은 점점 더 차오르고, 얼굴은 견딜 수 없이 열감으로 화끈거렸다. 더욱 커지는 심장 박동이 맞닿은 살결을 타고 퍼져 흘렀다.

'나 어쩌다가…….'

이렇게까지 이 남자를 좋아하게 된 걸까. 어쩌다가 이 남자에게 이토록 빠져 버리고 만 걸까.

……사실 그녀는 1년 전, 처음 봤을 때부터 느꼈었다. 그에게 헤어나올 수 없이 빠져 버릴 거라는 것을.

'……나는.'

서준원을, 이 남자를 정말…….

"사랑해……."

열에 들뜬 도희는 저도 모르게 그렇게 중얼거렸다. 그와 동시에 멈칫한 준원이 도희를 가만히 내려다보았다.

"……아."

흠칫한 도희의 눈이 커졌다. 그제야 말실수를 깨닫고 화들짝 놀라 입을 가렸다.

'나 지금, 사랑한다고 말했어……?!'

심장이 쿵 내려앉은 도희의 동공이 거칠게 흔들렸다. 당황한 도희는 말을 더듬으며 아무렇게나 변명을 늘어놓았다.

"아, 아니……! 그, 그냥 나온 말이에요. 분위기에 휩쓸려서……."

"……."

"아니, 그러니까……. 내가 술에 좀 취해서."

무슨 말을 해도 무표정으로 가만히 바라만 보고 있는 준원 때문에 도희의 마음은 초조해졌다. 그리고 문득 떠오르는 것은 차유나가 며칠 전 했던 말이었다.

'오빠가 나한테 차가워진 계기가 뭔 줄 알아? 내가 실수로 사랑한다고 말해 버렸거든. 그 순간 표정이 싸늘해지는데, 그게 너무 무서워서 엄청나게 울었어.'

이간질하기 위해 했던 말임을 알기에 잊어버리려고 했으나, 아직 가슴에 남아 이렇듯 떠오르고 만 것이었다. 순간 저도 모르게 덜컥 겁을 먹은 도희의 손끝이 떨렸다.

"그러니까…… 그……."

뭐라 변명을 해야 할지도 몰라 입술을 짓씹었다. 적막한 가운데 준원의 얼굴을 보기가 두려워 저도 모르게 눈을 질끈 감았다.

"……."

그 순간 도희의 뺨으로 커다란 손이 내려앉았다. 제 뺨을 쓰다듬는 감촉에 천천히 눈을 뜨자 웃고 있는 준원의 얼굴이 보였다. 그는 나지막이 웃으며 도희의 머리를 쓰다듬었다. 그 나른한 미소에 굳었던 도희의 마음이 흐트러졌다.

부드럽게 맞물려 오는 입술과 함께 도희의 상념은 그대로 바스러졌다. 이제 아무 생각을 할 수 없었다. 그저 준원의 품에 안기는 지금 이 순간을. 온몸으로 기억할 뿐이었다.

　곤히 잠든 도희는 뒤척이며 준원의 품으로 파고들었다. 고양이처럼 웅크리고서 입술을 오물거리는 도희를 귀엽게 보며 준원은 픽 웃음을 흘렸다. 천천히 손을 뻗어 살며시 도희의 머리카락을 쓸어 주었다. 그러곤 도희의 반듯한 이마와 오똑한 코, 도톰한 입술을 그리듯이 차례로 손끝으로 건드려 보았다.
　"……."
　준원의 길쭉한 손가락이 가늘게 떨렸다. 그렇게 한참을 무표정으로 도희의 얼굴을 바라만 보던 준원은 이내 여린 몸을 꽉 끌어안았다. 지그시 눈을 감고 뽀얀 이마에 부드럽게 입을 맞추고 떨어졌다. 조용히 눈을 뜬 준원은 가만히 도희를 바라보았다.
　……사랑, 사랑.
　'사랑이라…….'
　조금 전, 도희가 제게 했던 고백을 떠올린 준원이 낮게 숨을 들이마셨다가 내쉬었다. 동시에 떠오르는 20년 전의 기억에 가슴이 먹먹해졌다.

　준원이 13살일 때, 그의 어머니 전희선은 극심한 우울증을 앓고 있었다. 그녀는 준원의 아버지와 별거하며 홀로 작업실에서 생활했고, 준원의 아버지는 그런 어머니를 돌보지 않고 그대로 방치했었다.

"아들. 그거 아니? 네 아빠는 아주 무책임한 사람이야."

어머니의 작업실로 놀러 가면 그녀는 늘 술에 취해 아버지의 험담을 늘어놓고는 했다.

"자유로웠던 나를 이 작업실에 묶어 놓고, 완전히 나 몰라라 하지. 하지만 재미있는 건 뭔지 아니?"

"……."

"그 남자는 무책임하게 날 버려뒀지만, 난 널 책임지기 위해 이 가정에 주저앉았단다. 네가 생기지 않았다면, 난 지금쯤 유학도 가고…… 자유롭게 여행도 다니면서 살았을 텐데……."

알코올에 잠식된 전희선이 뱉은 말들은 어린 준원의 가슴에 뾰족하게 남아 상처가 되었다. 준원이 태어난 탓에 억지로 결혼해야 했으며, 모든 자유를 박탈당하고 구속당해야 했다고 그녀는 수도 없이 반복하여 말하곤 했다. 그런 전희선이 유난히 많이 사용했던 단어는 '책임'이라는 단어와…….

"준원아. 우리 준원이는 엄마를 사랑하니?"

'사랑'이라는 단어였다.

"거짓말. 너도 네 아빠와 똑같은 애야."

아주 많이 사랑한다고 대답해도 그녀는 꼭 그렇게 악에 찬 얼굴로 답했다. 거짓말이 아니었는데, 진심으로 사랑하는데. 왜 믿지 못하는 건지, 어린 준원은 어머니의 마음을 이해할 수 없었다.

그날, 어머니의 싸늘한 태도에 너무도 큰 상처를 받았던 준원은 곧바로 집으로 돌아갔고, 머지않아 사건은 발생하였다. 밤이 되고 혼자 있을 어머니가 마음에 걸려 준원은 다시 작업실에 그녀를 보러 왔으나 충격적인 광경을 목격하고 말았다.

"불이야! 불! 불이야!"

커다란 화재였다. 불길이 어머니의 작업실을 온통 감싸며 잿더미처럼 타오르고 있었다. 근처 상가와 주택의 사람들은 다 같이 뛰쳐나와 활활 타오르는 작업실을 강 건너 불구경하듯 바라보았고, 준원마저도 충격에 떨리는 동공으로 그저 가만히 망연하게 타는 작업실을 바라볼 뿐이었다.

온몸이 잿더미가 된 어머니는 곧바로 구급차에 실려 병원으로 이송되었으나 결국 숨을 거두었다. 그녀는 스스로 자신의 작업실에 불을 내고 분신자살한 것이었다. 어린 준원은 밀려오는 충격에 사지가 벌벌 떨렸다. 어머니를 두고 집으로 돌아간 것을 후회하며 목이 쉬도록 울고 또 울었다.

죄책감과 괴로움에 몸부림치고 있는데, 그 순간, 바로 그 일이 일어났다. 타임 루프. 자정이 되기 약 1분 전, 시간이 아침으로 되돌아간 것이었다.

……어머니가 죽기 전으로.

"준원아. 우리 준원이는 엄마를 사랑하니?"

울다 지쳐 잠들었던 준원이 다시 정신을 차리니 시간은 아침으로 되돌아가 있었다. 어머니는 옆에서 전날과 동일한 물음을 던지고 있었다.

"거짓말. 너도 네 아빠와 똑같은 애야."

사랑한다고 말했을 때의 대답마저도 찍어 낸 듯이 똑같았다. 이것은 준원이 태어나서 처음으로 겪었던 타임 루프 현상이었다. 어린 준원은 처음에는 상황을 파악하지 못했지만, 곧 어머니가 살아났다는 사실에 뛸 듯이 기뻐했다. 어머니가 죽기 전으로 시간이 되돌아 갔다는 것을 깨닫고 기회라고 생각했다. 굳게 결심한 것이다. 어머니를 살리기로.

그때부터 겨우 열세 살이었던 준원은 그 누구보다도 필사적으로 행동했다. 미리 119를 부르고 온몸을 내던져 만취한 채로 극단적인 선택을 하려는 어머니를 뜯어말렸다. 그 결과, 처음처럼 화재는 일어났지만, 준원이 미리 119에 신고를 한 끝에 어머니는 죽지 않고 무사히 구조될 수 있었다. 그렇게 어머니를 살리고 자정이 가까워질 무렵, 준원은 안심하며 평안한 얼굴로 잠이 들었다.

"준원아. 우리 준원이는 엄마를 사랑하니?"

깼다.

"거짓말. 너도 네 아빠와 똑같은 애야."

정신을 차리자마자 어머니의 물음과 함께 시간은 다시 아침으로 되돌아가 있었다. 내일이 오지 않고 하루가 또 반복된 것이었다. 어린 준원은 도무지 이 상황을 이해할 수 없었지만, 전날 그랬던 것처럼 또다시 어머니를 죽음으로부터 필사적으로 구해 냈다.

"준원아. 우리 준원이는 엄마를 사랑하니?"

하지만 시간은 흐르지 않았고 계속해서 앞으로 되돌아갈 뿐이었다. 어머니가 의미심장한 물음을 하던 그 시점으로.

그렇게 119를 부르고, 온몸으로 어머니를 뜯어말리고, 불타는 작업실에서 혼절한 어머니를 질질 끌어 밖으로 내보내고. 어머니를 살리기 위해 온갖 애를 쓰며 지옥 같은 하루를 꼬박 10번이나 반복하자 준원은 미쳐 버릴 것만 같았다. 시간은 절대 흐르지 않았으며, 내일은 올 기미가 보이지 않았다. 이렇게 평생 시간에 갇힌 채 같은 하루를 반복하게 될 거란 두려움이 준원을 휩쓸었다.

앞으로 몇 번이나 더 반복되어야 내일이 오는 걸까? 어머니가 원래의 운명대로 죽어야 이 반복되는 하루가 끝나는 게 아닐까? 원래 죽어야 할 운명인 사람을 살려서 시간이 계속 반복되는 게 아닐까? 내가 어머니를 살릴 수 있을까?

온갖 상념이 준원을 덮치며 찾아온 열한 번째 날. 결국 완전히 지쳐 버린 준원은 모든 걸 포기하고 말았다. 가장 처음의 하루처럼, 어머니를 죽게 내버려 두고 만 것이었다.

술에 만취해 이성을 잃은 어머니는 준원이 옆에 있음에도 작업실에 불을 지르고 자살을 기도했다.

"준원아, 엄마……. 엄마, 숨이 안 쉬어져."

화염에 몸이 타들어 가는 와중에도 그녀는 꿈쩍하지 않고 자신의 그림들에 둘러싸인 채 서서 울었다.

"살려 줘……. 살려 줘, 준원아."

모든 걸 포기한 준원은 열한 번째 반복된 하루에서, 무표정으로 덤덤하게 어머니의 죽음을 방관했다. 이대로 어머니와 함께 죽기를 바랐으나 뒤늦게 온 구조대원의 도움으로 죽음의 문턱까지 갔던 준원은 극적으로 구조되었다. 반면 어머니는 원래의 운명대로 목숨을 거두고, 이후 시간은 무참히 흐르고 내일은 왔다.

어머니의 죽음을 알면서도 방관한 준원은 그날로 인간적인 감정을 모두 잃게 되었다. 상처받은 소년은 인간의 기본적인 기쁨, 행복, 슬픔, 괴로움, 분노 등 모든 감정을 잃고 불구가 되어 버렸다.

감정둔마, 일명 무감정증. 감정이 소실되어 주위에 무관심하고 냉담한 상태. 열세 살 준원은 어머니의 장례식에서도 눈물 한 방울 흘리지 않고 내내 무표정이었다.

눈물을 참은 것이 아니었다. 실제로 조금도 슬프지 않았고 그렇기에 울음도 나오지 않았다. 어차피 죽을 사람이 죽은 것. 제 운명대로 떠나 버린 것일 뿐. 그렇게 감정 한 조각이 정상에서 어긋나버린 채로 무려 20년을 한 자리에 매여 지낸 것이었다. 그것이 지금껏 준원이 그 누구에게도 말한 적이 없는 첫 번째 타임 루프의 기억이었다.

타임 루프 현상은 이후로도 계속되었지만, 준원에게는 그저 거추장스럽고 끔찍한 현상일 뿐이었다. 물론 그도 잘 알았다. 하루가 반복된다고 하더라도 언젠가는 끝이 있다는 것을. 아마도 어머니를 10번이 아닌, 100번, 1000번 더 살렸다면 언젠간 그녀가 죽지 않는 내일이 왔을지도 모른다는 것을.

하지만 그게 모두 무슨 의미가 있는 걸까. 미래를 바꾸려고 아등바등할 필요 없이 운명에 순응하는 것이 맞는 길이라는 것을 깨달은 준원은 이제 하루하루를 개척하는 것이 아닌 그저 무의미하게 살아 낼 뿐이었다. 어차피 미래를 바꾸는 게 아무런 의미도 없다는 걸 알았기에, 그저 처음과 똑같이 행동해서 최대한 빨리 시간을 흐르게 할 뿐이었다. 그저 하루빨리 세월이 지나 이 무의미한 삶이 자연스럽게 마감되기를 바라며.

그렇게 20년이 흘렀다. 희로애락 중 그 어떠한 감정도 제대로 느끼지 못하는 미숙한 소년은 그렇게 서툴고도 서툰 성인이 되었다. 그 사건 이후, 평범과는 다른 삶을 살게 된 준원은 늘 평범이라는 것을 동경하게 되었다. 그래서 남들처럼 적당히 웃고, 적당히 맞춰 가며 보통을 흉내 냈다.

하지만 그런 준원에게도 결코 흉내 낼 수 없는 감정이 하나 있었는데…… 다름 아닌, 슬픔. 20년 전, 어머니가 처음으로 돌아가실 때 흘린 눈물 이후, 준원은 지금까지 단 한 번도 눈물을 흘려본 적이 없었다. 그저 동경하기에, 흉내만 낼 뿐이었다.

……사랑마저도. 어머니가 불에 타서 죽어 가며 준원에게 했던 말도 그것과 같았다.

'사랑해, 준원아…….'

어머니가 죽기 전 준원에게 남긴 말은 이 단 한마디였다.

사랑해. 사랑해. 사랑해. 눈만 감으면 어머니의 그 목소리가 귓가에서 테이프를 틀어 놓은 것처럼 재생되는 듯했다. 온몸이 불에 타들어 가는 상태로, 그 슬픔과 고독으로 점철된 끔찍한 음성이…….

'사랑해, 준원아…….'

사람은 기억에서 태어나고, 평생 그 기억 속에 갇혀 살아가는 존재였다.

"……!"

확 눈을 떠올린 준원이 거친 숨을 몰아쉬었다. 불안정해진 호흡은 점점 더 가빠오고, 맥은 뚝뚝 끊겨왔다. 서늘하게 질린 준원은 거칠게 호흡하며 제 목을 더듬더듬 짚었다.

"준원 씨……?"

옆에서 곤히 자고 있던 도희가 부스스 깨어나며 눈을 비볐다. 이내 준원의 상태에 화들짝 놀란 도희가 다급히 그의 어깨를 두드렸다.

"왜 그래요? 괜찮아요?"

준원은 과호흡이 온 것처럼 거친 숨을 토해 내며 머리를 짚었다. 온통 땀으로 범벅인 이마를 본 도희의 눈이 놀라 동그래졌다.

"어떡해. 땀 좀 봐……. 물이라도……."

당황한 도희가 어쩔 줄 모르고 우왕좌왕했다. 계속 숨을 몰아쉬는 탓에, 물이라도 떠다 주기 위해 침대에서 몸을 일으킨 찰나였다.

"아……!"

갑자기 도희의 팔을 끌어당긴 준원이 작은 몸을 확 끌어안았다. 널찍한 품에 포옥 안긴 도희의 눈이 커졌다.

"……준원 씨?"

단단한 두 팔로 꽉 끌어안는 통에 흠칫한 도희는 그대로 가만히 안겨 있었다. 그는 뜨거운 숨결을 아무렇게나 토해 내며 잔뜩 쉰 목소리로 끓어오르듯이 속삭였다.

"잠시만……."

여전히 정제되지 않은 거친 호흡으로 도희의 목덜미에 얼굴을 묻었다.

"이렇게…… 안고 있을게요."

다 갈라진 목소리가 더할 나위 없이 안쓰러웠다. 도희의 몸을 옥죄어 오듯 꽉 끌어안는 손마저도 파르르 떨려 왔다. 지금 그는 서른세 살 서준원이 아닌, 꼭 과거의 트라우마에 매여 있는 가엾은 소년 같았다.

……안 좋은 꿈을 꾼 걸까. 아니면 과거의 불행한 기억이 떠오른

걸까. 도희에게 그렇듯 그에게도 분명히 트라우마는 있을 터였다. 어쩌면 저처럼 첫 번째 타임 루프와 관련이 있을 수도…….

"……괜찮아요. 내가 있잖아요."

도희는 천천히 손을 뻗어 준원의 널따란 등을 토닥거렸다.

"다 괜찮아요. 아무것도 아니에요."

그가 여태껏 어떤 삶을 살아왔는지, 무슨 일이 있었는지는 알 수 없었지만…… 긴 세월을 홀로 버텨 왔을 그를 상기하니 안쓰러움이 몰려왔다.

'무슨 일인지 말해 주면 좋을 텐데…….'

아직은 말하기 힘든 걸까?

도희는 옥죄어 오는 가슴을 느끼며 두 팔로 준원을 끌어안았다.

여행이 끝나고 집으로 돌아가는 차 안에는 이전과 달리 조금 어색한 분위기가 감돌았다. 준원은 전날과 달리 말도 없었고 웃지도 않은 채 줄곧 무표정이었다. 한참의 무거운 침묵 끝에 도희는 조심스레 입을 열었다.

"밤에 무슨…… 안 좋은 꿈 꿨어요?"

흘끔 준원을 보며 말을 이었다.

"힘들어 보이길래요. 무슨 일인지 말해 주면……."

"아, 별거 아니었습니다. 신경 쓸 필요 없어요."

"……네. 알겠어요."

종종 이렇듯 무신경하게 뱉는 말들이 상처로 와닿는다는 걸, 그는 알까? 도희는 욱신거리는 가슴을 느끼며 창밖으로 시선을 던졌다.

'난 모든 걸 털어놓고 맘을 열었는데……'

과거의 트라우마와 제 엉망진창인 속마음, 약점을 전부 털어놓고 그에게 의지했던 도희와 달리 그는 아무것도 말해 주지 않았다.

'꼭 바보가 된 기분이야.'

분명히 보통의 연인들처럼 사귀고 있는데, 도희는 아직도 그에게서 일정 이상 다가갈 수 없는 벽이 느껴졌다.

'속이 답답해……'

무언가 거대한 돌덩이가 가슴에 꽉 막힌 듯 숨이 잘 쉬어지지 않았다. 지금 도희의 마음을 불편하게 만드는 요인들은 많았다. 아무것도 말해 주지 않는 서준원, 내내 무표정인 서준원, 말 한마디 하지 않는 서준원. 그리고…….

"……."

왜 당신은…….

내게 사랑한다고 하지 않았지?

심장에 화살이 박힌 듯이 욱신거렸다.

집으로 돌아와서도 도희와 준원을 감싸는 미묘하게 껄끄러운 분위기는 계속되었다. 싸운 것도 아닌데 두 사람 사이에는 찬 바람이 온통 부는 듯했다. 샤워하기 위해 욕실을 찾은 도희는 메이크업을 지울 생각도 하지 않고 곧장 얼굴에 찬물을 끼얹었다.

"하……."

한겨울에 이가 시릴 정도로 차가운 물에 세수하자 흐트러졌던 정신이 번쩍 드는 듯했다. 몇 번이고 얼굴에 찬물을 끼얹은 뒤, 세면대를 두 팔로 잡고 섰다.

"……."

전날 밤, 실수로 사랑한다고 말했을 때…… 서준원은 왜 순간 그런 표정이었던 거지?

문득 의문이 든 도희는 입술을 질끈 옹송그려 물었다. 사랑하는 감정이 흘러넘쳐서, 이대로는 폭발할 것만 같아서, 저도 모르게 사랑한다고 말해 버린 순간, 준원은 전혀 기뻐하는 표정이 아니었다. 물론 곧바로 웃으며 키스하긴 했지만, 순간적으로 보았던 그의 표정은…….

"충격받은…… 눈이었지."

우뚝 굳어서 가만히 저를 내려다보던 그 시선을 도희는 도무지 잊을 수가 없었다.

"하……. 그런 말은 왜 해서."

후회되는 와중 한편으로는 서운함과 속상함이 밀려들어 왔다. 보통 사랑한다고 말하면, 같이 웃으면서 사랑한다고 말해 주는 게 보통의 연인 사이일 텐데. 그는 그저 웃으며 키스로 회답할 뿐이었다.

'……서준원은 정말 아직도 날 사랑하지 않나?'

하긴, 애초에 서로 한 번도 사랑해 본 적 없는 사이끼리 사랑을 배워 보자고 만난 것이었다. 시작부터가 사랑이 아니었는데, 지금 이쪽이 사랑이라고 한들 서준원까지 사랑이란 법은 없었다. 꽤 일찍 사랑이란 걸 깨달은 도희와 달리 준원은 아직 그렇게 느끼지 못했을 수도 있으니까.

"짜증 나……. 진짜 짜증 나."

머리로는 이해하려 하는데 마음은 그렇지 않았다.

"쪽팔려……."

실수로라도 말하지 말걸. 사랑한다고 하지 말걸. 더 많이 사랑하는 쪽이 이토록 아픈 줄도 모르고. 사랑이란 게 이토록 지치고 쪽팔리는 일인 줄도 모르고…….

횅한 얼굴로 멍하니 거울 속의 자신의 얼굴을 바라보던 도희가 빨갛게 부은 눈가를 비볐다. 정신을 차리기 위해 뺨을 두어 번 내리치고 좌우로 고개를 털었다.

띵동. 도희가 수건으로 물기를 닦고 욕실 밖으로 나서려던 찰나, 현관 벨이 울렸다.

"뭐지……?"

일요일에 택배도 아니고, 벨을 누를 사람이 없는데?

문을 열고 준원을 불렀으나, 그는 안방 쪽 욕실에서 샤워 중이라 듣지 못한 듯 보였다. 결국 대신 인터폰 앞으로 가까이 다가간 도희가 버튼을 눌러 현관 밖을 살폈다.

"하……."

뭐야, 이 기집애는?

작은 인터폰 화면을 한가득 메우는 차유나의 얼굴에 도희가 황당한 숨을 터뜨렸다.

"얘가 서준원 집을 어떻게 아는 거야?"

어이가 없어 말문이 턱 막힐 지경이었다. 주말에 갑자기 서준원 집으로 쫓아오다니, 어떻게 집을 안 건지는 몰라도 스토커가 따로 없었다.

당연히 열어 줄 생각이 없었기에 무시하려고 한 순간, 띠, 띠, 띠,

띠. 너무도 자연스럽게 비밀번호를 누르는 소리가 들려왔다. 그에 맞춰 도희의 목덜미에도 오싹 소름이 돋아났다.

'설마……'

띠리리, 하는 경쾌한 소리와 함께 도어 록의 잠금장치가 풀렸다. 비밀번호를 누른 유나는 아무렇지 않게 문을 열고 들어왔다. 황당한 상황에 도희는 넋을 놓고 유나를 바라보았다.

"오빠, 혹시나 해서 눌러 봤는데, 비밀번호 안 바꿨……."

현관 안으로 들어오던 유나도 의외의 얼굴을 보고 멈칫했다.

"백도희?"

어이가 없어 하얗게 질린 도희의 낯과 마찬가지로 유나의 표정도 일그러졌다.

"언니가 왜 여기 있어?"

"너야말로 뭔데 남의 집에 비밀번호 누르고 쳐들어와? 미친 거야?"

"미친 건 내가 아니라 언니겠지. 오빠는 어디 가고, 언니가 여기서 뭐 하는데?"

"닥치고 어떻게 비밀번호 누르고 들어왔냐고!"

유나는 헛숨을 터뜨리며 어깨를 으쓱했다.

"그야 이 집이 오빠하고 나, 신혼집이었으니까."

도희의 동공이 거칠게 흔들렸다. 충격에 말문이 막힘과 동시에 과거의 몇 가지 정황들이 머릿속을 스쳐 지나갔다. 처음 준원의 집에 왔을 때 장식장의 구석에서 발견했던 둘의 결혼사진, 동거 첫날에 방에 짐을 풀다가 발견했던 여자 머리끈, 2년 전에 2주 정도 누군가 지냈다던 준원의 애매한 대답……. 단순한 의혹이 진실로 밝혀지는 순간이었다.

"하……."

폭발할 것 같은 감정에 속이 뒤집힐 것만 같았다. 눈앞이 노랗게 물드는 듯한 착각이 일었다.

'왜 나한테 말하지 않았지?'

이 집이 애초에 둘의 신혼집이었다는 걸 알았다면 들어오지 않았을 터였다. 밀려오는 분노와 답답함에 미쳐 버릴 것만 같아 주먹을 꽉 그러쥐었다. 지금 이 집에 두 발로 서 있는 것조차도 미치도록 싫고 화가 났다. 견딜 수 없을 만큼 분노가 치민 도희는 곧장 유나의 어깨를 퍽 치고 집 밖으로 박차고 나갔다. 쾅, 엄청난 굉음과 함께 현관문이 닫혔다.

"뭐야? 왜 저래?"

유나는 그런 도희를 황당하게 보며 헛숨을 터뜨렸다. 도희가 집을 나가자마자 때마침 샤워를 마친 준원이 밖으로 걸어 나왔다.

"도희 씨, 누구 왔어요?"

욕실에서도 현관 벨소리가 들렸기에 준원이 수건으로 젖은 머리를 털며 물었다. 그러나 준원의 시야에 들어온 도희가 아닌 차유나였다.

"오빠……."

우뚝 멈춘 준원의 한쪽 눈썹이 미세하게 내려앉았다. 잠시 상황 파악을 하는 듯 준원의 미간이 좁아졌다.

"미안. 내가 너무 갑자기 왔지? 언니가 좀 화난 것 같아. 그냥 나가 버리더라고."

"……."

"근데…… 둘이 같이 사는 거야?"

유나는 욱신거리는 가슴을 느끼며 억지로 입꼬리를 들어 올렸다.

사생활을 중요시하는 준원이 결혼과 관계없이 동거를 하다니, 두 사람의 사이가 얼마나 깊은지를 알아 버렸기 때문이었다.

"음……. 그런데 저렇게 성가시게 구는 거, 오빠가 딱 싫어하는 스타일인데. 그렇지?"

슬쩍 넌지시 물음을 건네며 준원을 올려다보자 준원의 서늘한 눈매와 정면으로 마주했다. 순간 움찔 놀란 유나의 몸이 딱딱하게 굳었다.

"네가 여길 왜 와."

"……어?"

"나가, 당장."

생각지 못한 거센 반응에 살짝 당황한 유나의 동공이 바쁘게 굴렀다.

"아…… 그, 나 그래도 여기까지 왔는데, 잠깐 얘기 좀 하자. 응?"

예기치 못한 상황의 연속이었다. 준원의 집에 도희가 있는 것도, 준원이 생각보다 더 강경하게 나오는 것도. 하지만 여기까지 오는 데도 많은 용기가 필요했던 유나는 이대로 물러나고 싶지 않았다.

"……음……. 오빠, 우리 다시 잘해 보지 않을래?"

조심스레 원래 하려던 말을 꺼내 보았다.

"오빠도 얼른 결혼해야 하잖아. 나도 집에서 자꾸 결혼하라고 성화라서. 그리고 예전 일은…… 내가 정말 미안했어."

준원에게 먼저 파혼하자고 요구한 것은 유나였지만, 어찌 됐건 귀책 사유 또한 다른 남자와 부적절한 관계를 맺은 유나에게 있었다.

"그런 일 다신 없을 테니까 우리 한 번 더 잘해 보면 안 될까?"

간절함이 섞인 음성이었다. 그에 비해 준원의 표정은 너무도 차가웠으며 눈빛에는 날이 서 있었다.

"야."

……야? 야라고 했어, 지금?

당황한 유나의 동공이 뒤흔들렸다.

"나가라고 세 번 얘기했어."

처음 보는 준원의 화난 모습에 유나는 가슴이 서늘했다. 겁을 먹어 무어라 말도 하지 못하고 그저 입만 벙긋거렸다.

한편 집 밖으로 나온 도희는 미쳐 버릴 것만 같았다.

"차유나…… 차유나…… 차유나!!!"

이제는 정말 지긋지긋했다. 이 지독한 악연의 끝이 어디인지 도무지 알 수가 없었다.

"대체 왜 그년은……!"

어렸을 때부터 날 괴롭히지 못해 안달이지. 사사건건 내 인생에 침입해 나를 모조리 망쳐 놓으려고 하는 걸까?

밀려오는 억울함과 트라우마에 도희의 얼굴이 형편없이 일그러졌다. 폐부를 깊숙이 파고드는 차가운 바람이 괴로운 과거의 기억을 불러일으켰다.

지금으로부터 11년 전, 도희가 열아홉 살일 때. 차유나가 은밀하게 뒤에서 퍼뜨린 보육원 출신이라는 소문 때문에 도희는 전교에서 아무것도 없는 주제에 잘난 척하는 재수 없는 애로 통하게 되었다.

건들면 10배로 갚아 주는 미친개 같은 성격 덕분에 대놓고 괴롭히는 아이들은 없었으나, 뒤에서 은밀히 괴롭히며 키득거리는 무리는 항상 존재했다. 하루는 도희가 화장실에 들어갔을 때, 누군가 막대기를 이용해 문을 열지 못하게 잠그고, 위로 걸레 빤 물을 퍼부었었다.

"야!!! 열어!!! 열라고 이 XXX들아!!!"

구정물에 쫄딱 젖은 채로 쾅쾅, 문을 부술 듯이 두드리며 고래고래 소리 질렀으나 이미 키득거리던 범인들은 도망간 듯 보였다. 욕지거리를 내뱉으며 쾅, 문을 발로 한번 걷어찼다. 온몸이 걸레 빤 물에 젖어 오물 냄새가 진동을 했다.

"하……."

비참하고 억울해서, 왜 이런 처지가 되어야 하는 건지 이해가 되지 않아서. 눈물이 날 것 같았지만 그 누구보다도 자존심이 센 도희는 꾹 참으며 이를 악물었다. 그렇게 얼마를 갇혀 있었을까, 한참 후에 화장실 문이 열리며 익숙한 얼굴이 보였다.

"……."

차유나였다. 생글생글 신나게 웃고 있는.

"그러게, 주제를 알고 조용히 살았어야지. 지금 모습이 언니하고 딱 잘 어울린다."

걸레 빤 물에 젖어 좁은 화장실 칸에 갇혀 있는 꼴을 보며 유나가 씩 웃었다.

"평생 그렇게 살아. 없으면 없는 대로. 그게 순리잖아?"

"이게 진짜 죽고 싶어서 환장했나……!!!'

이성을 잃은 도희는 곧바로 유나의 멱살을 잡아 벽으로 몰아붙였다. 흠칫 놀란 유나는 살짝 움찔했으나 잠시뿐이었다. 바로 여유로워진 입으로 조소하며 도희를 업신여길 뿐이었다.

"쳐. 칠 수 있으면 어디 한번 쳐 봐."

"……."

"이 학교에 우리 아빠가 기부한 돈이 얼마인지 알지?"

유나가 픽 웃었다.

"내 털끝 하나 건드는 순간 언니는 바로 퇴학이야. 후원도 다 끊기겠지?"

"……."

"지금 언니가 입고 있는 이 교복도 우리 아빠 재단에서 받은 돈으로 산 건데…… 언니, 가능하겠어?"

유나의 멱살을 쥐고 있던 도희의 손이 가늘게 떨렸다. 당장에라도 주먹을 날릴 것처럼 흉흉하게 노려보던 도희는 결국 쥐고 있던 유나의 멱살을 거칠게 놓았다.

"너 그따위로 살지 마. 그렇게 살다가 나한테 죽어."

떠오르는 과거의 기억과 함께 도희의 머리가 차갑게 식었다. 분노의 임계점이 일정 이상을 넘자 되려 냉정해지고 이성적으로 되는 기분이었다. 도희는 두 주먹을 꽉 쥐었다.

쫓겨나듯이 뛰쳐나온 유나는 집으로 돌아가기 위해 지하 주차장으로 내려왔다. 눈물이 날 것 같아 입술을 꽉 깨물고 차 문고리를 잡은 순간, 옆에서 나지막한 목소리가 들려왔다.

"야."

고개를 돌려보니 도희가 팔짱을 끼고 차가운 눈으로 내려다보고 있었다. 잠시 두 사람 사이에 서늘한 침묵이 뒤를 이었다. 그 찰나의 정적을 뚫고 도희가 차분하게 물음을 던졌다.

"진짜 궁금해서 그러는데 하나만 묻자. 너 나한테 왜 그러니?"

"······뭐?"

"대체 뭐가 그렇게 맘에 안 들어서 내가 하는 일에 사사건건 시비냐고."

무려 10년을 넘게 이어져 온 악연이었다. 17살 때 처음 유나와 도희가 만났을 때만 해도 두 사람은 가족처럼 친한 친구 사이였다. 유나, 도희, 누리까지. 셋은 학교에서 늘 세트처럼 붙어 다니며 추억을 쌓았었다. 고등학교 3학년 때의 어느 날, 갑자기 도희가 보육원 출신이라는 소문이 전교에서 나돌아다니기 전까지만 해도 말이다.

"난······ 네가 날 배신하기 전까지 널 진짜 친구라고 생각했어."

그 소문을 퍼뜨린 것은 유나였다.

"근데 넌 애초에 날 친구라고 생각하긴 했었니?"

유나가 입술을 꼭 앙다물었다. 표독스럽게 굳어진 얼굴로 이내 픽 비소를 터뜨렸다.

"아니. 난 너같이 주제 파악 못 하는 인간······ 단 한 번도 친구라고 생각한 적 없어."

악을 쓰듯 단언한 유나가 두 눈에 힘을 주었다. 점점 더 불안해 보이는 유나와 달리 도희는 갈수록 냉정해지고 있었다.

"······대체 넌 내가 왜 싫은 거냐?"

침착하게 뱉어진 물음에 유나의 동공이 뒤흔들렸다.

"왜 이렇게까지 날 망쳐 놓지 못해 안달인데?"

주춤한 유나가 이내 당황한 기색을 지우고 답했다.

"내 맘이야. 내가 뭘 하든 다 내 맘이라고."

"뭐?"

"언니는 그냥 재수가 없고, 내 눈에 거슬릴 뿐이고!"

"그딴 게 이유라고?"

도희가 헛숨을 터뜨렸다.

"미친년……. 뭐가 그렇게 불만인데? 이미 충분히 가졌으면서 왜 매번 남의 걸 탐내는데?"

"뭐라는 거야! 결국 다 가진 건 항상 언니면서!"

유나는 격양된 감정을 분출하듯 소리쳤다.

"우리 엄마 아빠도 그랬어. 예전부터 매일 언니하고 나 비교하고. 아무것도 없는 언니는 시궁창 같은 상황에서 1등 했는데, 난 있는 대로 지원 다 받아 놓고 2등이라고! 혼나고! 비교당하고!"

당연히 처음 도희를 만났을 때부터 그녀를 싫어했던 것은 아니었다. 오히려 사실은 정말 믿고 의지할 수 있는 가족 같은 언니라고 한때는 생각했었다. 하지만 어느 순간부터 유나의 부모님은 자꾸 도희와 유나를 비교하기 시작했고, 그 탓에 유나의 자존감은 바닥으로 내려앉았으며 열등감만 나날이 늘어만 갔다.

그러던 중, 고등학교 3학년에 올라 치른 첫 중간고사에서 도희가 전교 1등을 거머쥐게 되었고, 동시에 꾹 억누르고 있던 유나의 썩은 질투가 폭발하고 말았다.

"오빠도 그래. 또 네가 가져갔잖아!"

유나는 찢어지듯 소리를 질렀다.

"저 집은 애초에 나하고 오빠가 신혼집으로 구한 집이라고!!! 우리가 같이 결혼해서 생활했어야 할 집이란 말이야!"

울컥 억울함이 몰려온 유나가 바락바락 소리쳤다. 도희가 싫은 이유는 특별하지 않았다. 부러워서 싫었다. 부모도 집도 돈도, 아무것도 없는 주제에 항상 조금씩 더 잘나가는 도희가, 조금씩 더 앞서가는 도희가 죽도로 밉고 원망스러웠다.

"하……. 너 안 닥쳐?"

"언니가 준원 오빠를 감당할 수 있을 것 같아? 언니도 결국 나처럼 오빠한테 버려질걸?"

그렇게 되라고 고사라도 지내듯이 비웃는 얼굴이 말도 못 하게 얄미웠다. 결국 이성의 끈이 반쯤 끊어진 도희가 주먹을 꽉 그러쥐었다.

"야. 내가 너 오늘 한 대만 패자."

"하! 누가 할 소리를!"

격양된 유나는 곧장 달려들어 도희의 머리채를 움켜잡았다. 그런 유나의 손이 삐끗하자마자 도희는 길쭉한 다리로 유나의 복부를 퍽 걷어찼다.

"으윽, 이 미친……!"

배를 움켜잡으며 나동그라졌던 유나는 다시 벌떡 일어나 뺨을 때리려고 손을 확 뻗어 올렸다. 짜악, 그러나 이번에도 도희의 손이 먼저 유나의 뺨을 후려쳤다. 뒤로 확 밀려난 유나가 약이 올라 비틀거리더니, 이내 오기로 일어나 도희의 한쪽 뺨을 때리며 응수했다.

짜악! 거센 마찰음이 퀴퀴한 지하를 울렸다. 유나의 손바닥이 도희의 하얀 볼을 후려치자 고개가 옆으로 확 돌아갔다. 유나가 또 한 대 때리려고 손을 번쩍 든 순간 유나의 어깨가 뒤로 확 밀려났다. 엄청난 힘에 밀쳐진 유나는 허공에서 비틀거렸다. 때마침 내려온 준원이 유나가 도희의 뺨을 치는 장면을 목격하고 유나의 어깨를 확 떼어 낸 것이었다.

"도희 씨. 괜찮아요?"

준원이 살짝 빨개진 도희의 볼을 살피고는 유나를 싸늘하게 내려다보았다.

"너 지금 뭐 하자는 거야?"

서준원답지 않은 공격적인 말투에 당황한 유나의 눈이 동그랗게 뜨여졌다.

"……오빠. 아니야. 내가 먼저 맞았어! 그래서 나도……!"

당황해서 변명하던 유나는 이내 억울함이 밀려왔다.

"아니, 근데 오빠 진짜 너무한 거 아니야? 내 얼굴은 안 보여? 나도 맞았어! 왜 백도희 편만 드는……!"

"지금 이 상황에 그런 말이 나와?"

준원의 서늘한 표정에 겁먹은 유나가 주춤 뒷걸음질 쳤다.

"봐주는 데도 한계가 있어."

낮게 내리깐 음성으로 준원은 경고했다.

"선 넘지 마. 네 가족과 지인에게 진짜 파혼한 이유 말하기 전에."

움찔한 유나의 낯빛이 창백해졌다. 사실상 파혼의 귀책 사유는 다른 남자와 관계를 맺었던 유나에게 있었고, 준원은 그걸 굳이 다른 사람들에게 말하지 않았었다. 유나 입장에선 충분히 약점이 잡히고도 남을 상황이었다.

"오빠, 지금 나한테 화냈어……?"

약점은 그렇다 치더라도, 유나는 도저히 이 상황을 믿을 수가 없었다. 헛숨을 터뜨리고 주먹을 꽉 움켜쥐었다.

"근데 왜……!"

왜 내가 결혼 일주일 전, 다른 남자와 키스하는 걸 봤을 땐 화내지 않았는데?

흘끔 도희의 눈치를 살핀 유나가 꿀꺽 뒷말을 삼켰다. 그런 유나와 준원을 어처구니없다는 듯이 쳐다본 도희는 진절머리가 나 제 차로 향했다. 준원은 곧장 도희를 따라가고 유나는 또 홀로 남겨졌다. 울컥 서러움이 터지고 속에서부터 울음이 밀려왔다.

"짜증 나……."

결국 눈물을 터뜨린 유나는 그대로 자리에 주저앉아 엉엉 울어 버리고 말았다.

'내가 다른 남자 만나는 거 알았을 때도 화 한 번 안 냈으면서…….'

근데 왜 백도희 때문에 나한테 화를 내는데?

서운함에 터진 눈물은 좀처럼 멈추질 않았다.

> 3권에서 계속

첫날밤만 세 번째 2

초판 발행 2022년 3월 24일

지은이 갓녀
펴낸이 최재호
펴낸곳 주식회사 에이템포미디어

편집 디자인 에이템포미디어 출판부 **표지 디자인** Manceb
교정 교열 에이템포미디어 출판부 **삽화** 케이

등록번호 2019년 2월 27일 제 2019-000012호
주소 경기도 부천시 조마루로385번길 92 부천테크노밸리U1센터 726호
전화 070-4100-0600

전자우편 atempo_media@naver.com
블로그 atempomedia.com
인스타그램 @atempomedia_books
트위터 @atempomedia

ISBN 979-11-6428-743-7